Antoine Franç
sous son titre
1er avril 1697 à Hesdin. Il fait des études chez les jésuites puis s'engage dans l'armée en 1711. Après avoir commencé un noviciat, il s'enfuit en Hollande. En 1717, il commence un second noviciat, puis s'engage à nouveau dans l'armée. En 1721, il entre chez les bénédictins et prononce ses vœux. En 1728, il publie les deux premiers volumes des *Mémoires et aventures d'un homme de qualité.* Ayant quitté son monastère sans autorisation, il s'enfuit à Londres. À partir de 1731, il publie la suite en trois volumes des *Mémoires et aventures d'un homme de qualité* dont on a pris l'habitude d'extraire le dernier tome sous le simple titre de *Manon Lescaut*. En 1733, criblé de dettes, Prévost retourne à Londres où il fonde le journal le *Pour et contre* consacré à la littérature et à la culture anglaises. En 1734, il négocie son retour chez les bénédictins et devient, début 1736, l'aumônier du prince de Conti. Il publiera plusieurs autres romans, dont : *Le Doyen de Killerine* (1735-1740) et *Histoire d'une Grecque moderne* (1740) ; la monumentale *Histoire générale des voyages* (15 vol., 1746-1759) ; et deux traductions de romans de Samuel Richardson, *Lettres anglaises ou Histoire de miss Clarisse Harlowe* (1751) et *Nouvelles Lettres anglaises ou Histoire du chevalier Grandisson* (1755). Il décède le 25 novembre 1763 à Courteuil.

POCKET CLASSIQUES

collection créée par Claude AZIZA

ANTOINE-FRANÇOIS PRÉVOST

HISTOIRE DU CHEVALIER DES GRIEUX ET DE MANON LESCAUT

Préface et commentaires de Pierre MALANDAIN

Pocket, une marque d'Univers Poche, est un éditeur qui s'engage pour la préservation de son environnement et qui utilise du papier fabriqué à partir de bois provenant de forêts gérées de manière responsable.

ISBN : 978-2-266-19983-4

SOMMAIRE

* Pour approfondir votre lecture, *Au fil du texte* vous propose une sélection commentée :

- de morceaux « classiques » devenus incontournables, signalés par ➡ (droit au but).
- d'extraits représentatifs de l'œuvre, signalés par ⟳ (en flânant).

PRÉFACE

« Ô mon cher amant, je te jure
Que je t'aime de tout mon cœur,
Mais vraiment la misère est trop dure,
Et nous avons trop de malheurs... »

La fine équipe composée de Jacques Offenbach, Henri Meilhac et Ludovic Halévy, en confiant à Hortense Schneider le rôle de la Périchole, en 1868, a, pour une fois, dédaigné les facilités de la parodie pour redonner vie, charme et fascination à l'éternelle Manon. Comme tous les mythes, celui-ci est pourtant né, un jour. C'est un jeune chevalier, d'une élégance noblement meurtrie, qui lui donna la forme inoubliable de son récit, en 1716... Ou plutôt, c'est un « homme de qualité », un certain marquis de Renoncour qui, après avoir livré au public six tomes de ses *Mémoires et aventures,* composa le septième de ce récit même, « presque aussitôt » après l'avoir entendu, de la bouche du chevalier... Ou plutôt, c'est un écrivain déjà renommé, tant par les frasques de sa vie que par la verve de son œuvre, qui imagina et exploita à fond, en 1731, ce procédé des « tiroirs » par lequel, à chaque relais qu'elle se donne, la parole, comme l'attelage d'une chaise de poste, reprend une vigueur et une efficacité nouvelles.

Bien que l'histoire et le cadre, inspirés plutôt, dans *La Périchole,* du *Carrosse du Saint-Sacrement* de Mérimée, en soient fort différents, il y a un rapport étrange entre le célèbre opéra bouffe et le roman, que son titre, finalement, fait échapper au marquis comme au chevalier pour le restituer à l'abbé : *Histoire du chevalier des Grieux et de Manon Lescaut.* Ce rapport, que le texte du livret rend parfaitement explicite (« Crois-tu qu'on puisse être bien tendre, / Pendant que l'on manque de pain ? / À quels transports peut-on s'attendre / En s'aimant quand on meurt de faim ? »), tient à une certaine *qualité* dans la mise en œuvre de situations triviales et dans l'émotion qu'elles suscitent, à un subtil *déplacement* — beaucoup plus fort que la simple alternance ou le fameux mélange — des catégories du tragique et du comique, au *rythme* enfin qui les anime et les emporte, à bride abattue, jusqu'à nous. L'appartenance indéniable de ces deux œuvres au genre au sein duquel elles ont fleuri, et qui caractérisait le goût dominant de leur époque respective, s'assortit d'une *distinction* qui les en détache pour leur conférer le statut problématique du chef-d'œuvre. De même que *La Périchole* échappe, en semblant s'y conformer, au genre de l'opérette légère, bouffonne et parodique, de même *Manon Lescaut* renouvelle, en s'y incluant, ces « aventures de fortune et d'amour » dont se nourrissait volontiers la Romancie, à l'époque de la Régence et des premières années du règne de Louis XV. Et, critère externe mais probant, le succès de ces deux créations les apparente encore, mitigé et réduit à l'« estime » chez leurs contemporains, indiscutable et durable pour la postérité.

Tout étourdie de son fabuleux héritage, celui du roman baroque, de la nouvelle classique, de la veine réaliste-satirique, et de l'inclassable *Télémaque*, la Romancie, pendant la première moitié du XVIIIe siècle, ne s'en laissa pas intimider, puisant au contraire dans les modèles que lui offrait chacune de ces voies, dans leur confrontation, et dans l'apport de traditions étrangères, surtout anglaise et espagnole, l'aliment d'une production riche et multiple : près de mille titres français pour ce seul demi-siècle, soit presque autant que pour l'ensemble du siècle précédent. On a pu répartir ces œuvres, selon qu'elles présentaient des héros aux prises avec leur propre intériorité, avec la société, avec les règles morales et religieuses ou avec la conception des droits et des devoirs qui définissent la condition humaine, en romans sentimentaux, romans de mœurs, romans libertins et romans philosophiques. Mais ces classifications ne valent qu'*a posteriori*, et ne s'appliquent bien qu'aux œuvres mineures. Henri Coulet n'a eu aucune peine à montrer que ces diverses tendances étaient à l'œuvre ensemble, indissociablement, chez les grands créateurs, Lesage, Marivaux ou l'abbé Prévost.

Quand, en 1728, ce dernier se lança, pour se distraire un peu des ouvrages d'érudition historique et religieuse dont il s'était vu charger chez les bénédictins, dans la carrière romanesque, nul ne se doutait encore qu'il allait, pendant près de trente ans, en explorer toutes les pistes et participer de façon décisive à son illustration comme à son renouvellement. La critique universitaire n'a pas tort, pour tenter d'apprécier au plus juste l'importance de cette intervention, de replacer *Manon Lescaut* dans l'ensemble de ce qu'elle produisit, afin d'y saisir la règle interne, le modèle artistique, la forme génératrice de cette « unité de mélancolie » dont parle joliment Roland Virolle pour caractériser l'univers fictionnel de l'abbé Prévost. Cependant, le problème demeure de la différence entre ce texte et tous les autres. Pourquoi celui qui écrivait « long » s'est-il mis soudain à faire « court » ? Comment se fait-il qu'il ait voulu et pu éliminer de son récit tous les épisodes et développements annexes dont il était coutumier dans les six premiers volumes de ses *Mémoires et aventures d'un homme de qualité qui s'est retiré du monde,* et dont il devait le redevenir dans ses romans ultérieurs, pour lui conférer une concentration et un dépouillement comparables, dit-on, à ceux d'une tragédie ? Pourquoi enfin, après avoir solidement accroché cette « histoire » à toutes celles qu'il avait déjà imaginées, y a-t-il renoncé en lui accordant tous les soins d'une édition séparée, en 1753 ?

Les liens qui la rattachent à l'ensemble des *Mémoires et aventures d'un homme de qualité* sont pourtant sensibles, et, en écoutant des Grieux, le marquis de Renoncour peut se remémorer sans peine les événements et les expériences qui ont marqué sa propre jeunesse et qu'il rapportait au livre I : l'éblouissement d'amour, soudain, invincible, par exemple, qu'a connu son père, et qu'il assortissait de « quelques réflexions sur cette première époque de (ses) infortunes domestiques » ; la distinction entre les « passions courantes » liées au premier crime d'Adam et Ève, et « une passion particulière dont nous sommes atteints tout d'un coup », qui a beaucoup plus de force encore ; la leçon qu'il croyait pouvoir en tirer : « Je voudrais conclure de là que les passions extraordinaires, telle que fut celle de mon père, ont quelque autre principe qui se joint au dérèglement causé par le péché d'origine. La Providence les permet pour des fins qui ne nous sont pas toujours connues, mais qui sont toujours dignes d'elle. » Sur le plan de l'histoire, l'accord immédiat des deux amants, l'enlèvement, la fuite, l'installation clandestine dans une ville inconnue, la rupture avec la famille, les problèmes de subsistance. Sur le plan de l'analyse du phénomène et de son interprétation, la convergence, inexplicable mais constatée, des déterminations d'ordre mythique (le Destin, l'Étoile) et d'ordre scientifique (l'hérédité, le milieu), mêlées à l'envi, non sans quelque confusion dogmatique, à celles de l'ordre religieux (la Providence, le Ciel). Sur le plan du récit enfin, une rapidité tendue qui fait alterner sans ménagements les séquences lumineuses du bonheur partagé et les moments de douleur et d'inquiétude dramatiques, dont l'un consistait en la mort, au bord d'un chemin, d'une sœur adorable sur le corps de laquelle le héros se livrait à toute une cérémonie, d'un pathétique à la fois macabre et grandiose...

Paradoxalement, c'est peut-être cette familiarité de notre roman avec les autres — et on pourrait l'établir aussi, sur bien des points, avec l'*Histoire de M. Cleveland* ou les *Mémoires pour servir à l'histoire de Malte* par exemple — qui en fait la singularité, par un phénomène de concentration qui donne aux éléments rassemblés une tournure nouvelle, et de condensation qui modifie qualitativement la formule de leur fusion. Ce ne sont donc pas les faits rapportés, les sentiments analysés ou les idées exprimées qui pourront en rendre compte, mais l'art particulier de leur composition.

On a beaucoup parlé de « mystère » à propos de *Manon Lescaut*. Mystère de son rapport avec des aventures vécues, des êtres réels, des dates historiques, sur lequel les historiens de la littérature, ne disposant de nulle certitude, multiplient les conjectures ; mystère de sa genèse et des conditions exactes de sa rédaction dont l'examen, tel que l'a mené Frédéric Deloffre par exemple, constitue à lui seul un invraisemblable roman à rebondissements et énigmes, grands gestes et curieux soupçons, fausses pistes et vraies rencontres ; mystère de sa signification, très chrétienne, très impie, ou échappant à cette alternative ; mystère de l'héroïne, dont Musset même a fait un « sphinx » ; mystère du chef-d'œuvre qui serait « donné » par on ne sait quelle grâce aléatoire ; mystère du succès enfin, qu'on ne peut justifier par aucun des critères habituellement avancés, s'agissant de Balzac, de Dostoïevski ou de Proust. Jean Anouilh centrait là-dessus sa préface à une édition du livre, en 1978. Mais, à moins de désigner ainsi l'effet propre de toute œuvre d'art, il semble que celle-ci soit moins mystérieuse que surprenante. « Voulez-vous bien satisfaire la curiosité que j'ai de connaître cette belle personne [...] ? » (p. 31.) Ainsi s'adresse, à Pacy, Renoncour à des Grieux, lequel s'exécute de bonne grâce, quelque vingt mois après, à Calais, moins pour se faire le chantre de quelque mystère qui l'aurait mené, d'épreuve en épreuve à l'élévation et à la sublimation mystiques, que pour détailler, revivre et partager l'expérience de son étonnement devant le terrible combat, dont il a été le champ et la victime, entre deux forces également invincibles : celle de l'amour et celle du châtiment de ce qui n'est pourtant pas un crime. Il faut prendre à la lettre le « qu'on m'explique donc » qui précède la scène du parloir (p. 56) et admettre que, si son état après la lecture de la première lettre de Manon ne peut « être rapproché d'aucun sentiment connu » (p. 78), c'est moins parce qu'il est définitivement inconnaissable que parce qu'il appelle l'élucidation. Tout son récit nous suggère plutôt l'attitude des « postillons » et des « hôtes » de Saint-Denis qui, dit-il, « nous regardaient avec admiration », « surpris de voir deux enfants de notre âge, qui paraissaient s'aimer jusqu'à la fureur » (p. 41) ; et sa grande discussion avec Tiberge à Saint-Lazare est une réfutation radicale de toute différence entre sa conduite et celle de l'ensemble des hommes, en quête du souverain Bien : « pourquoi traitez-vous de contradictoire et d'insensée, dans ma conduite, une disposition toute semblable » [à celle des gens qui recherchent le bonheur de la vertu à travers « mille peines », eux aussi] ? (p. 96.) Si *Manon Lescaut* est, à sa manière, un roman d'apprentissage, c'est celui de l'apprentissage d'une question que son récit ne cesse de poser, et surtout d'un questionnement dont il suggère le geste, à tout jamais. Deux caractéristiques de l'œuvre sont ici à prendre en compte : le nombre et la qualité des illustrations qui, du vivant de l'auteur et jusqu'à nous, ont tenté d'en ouvrir l'investigation au regard, et l'abondance des adaptations qui en ont été faites, à la scène puis à l'écran, comme si, à chaque fois, on espérait saisir et faire connaître enfin la formule de cet étonnant mélange d'innocence et de scandale qu'aucune image pourtant, aucune représentation musicale, scénique ou filmique n'a jamais pu rendre avec une force égale à celle du roman lui-même. Dès le début de son récit, le héros est le premier, en digne contemporain de Marivaux, à mettre en avant les « prodiges » (p. 37) que, dès le premier regard, l'amour en son cœur opéra.

Opéra, c'est le mot, fût-ce, bien sûr, au prix d'un jeu. Ce n'est pas par « illusion rétrospective », comme le suggère Jean Sgard, que ce roman nous paraît « appeler l'opéra », à cause de la surimpression qu'il subit, malgré qu'on en ait, des œuvres de Verdi, Massenet ou Puccini, mais bien parce que, avant elles et, semble-t-il, mieux qu'elles, il organise et exploite au degré le plus élevé de ses possibilités expressives, cette esthétique. Elle lui fournit la structure d'intégration nouvelle — et, en son temps, inouïe — selon laquelle se redistribuent des éléments traditionnellement réservés, dans la stricte hiérarchie séparatrice des genres, à la tragédie, à la comédie, au roman, aux mémoires ou au lyrisme. De ce point de vue, ce n'est pas plus avec les « effets » de Puccini, de Massenet ou de Verdi qu'avec la « régularité » de Rameau ou de Gluck qu'il entretient le plus d'affinités poétiques, mais avec Mozart.

Sauf aux périodes où il se pique de déclamation et tend à se confondre avec le discours de la tribune, le texte théâtral ne met pas en avant, en tant que telle, la voix de celui qui le profère. L'opéra, lui, l'exhibe et la valorise, non comme simple instrument de la communication, mais comme son objet même et l'instance de son plaisir. Or *Manon Lescaut* présente une remarquable répartition des voix, à commencer par celle du « récitant ». Ce rôle, on l'a vu, est constitutivement partagé et fait entendre plusieurs voix superposées. En 1731, l'abbé Prévost a trente-quatre ans, un âge qui le situe entre les deux héros de sa fiction : le vieux marquis, qui a fait l'expérience de toutes sortes d'aventures — rencontres, voyages, exils, amours et deuils — au cours d'une existence longue et mouvementée, et le jeune chevalier, qui vient en quelques mois, sur un rythme échevelé, d'en vivre une qui les résume toutes, et trop récente encore pour qu'il soit en mesure d'en faire, comme son interlocuteur, l'occasion et l'argument d'une retraite sereine et d'un sage détachement. Toutes les équivoques morales du roman reposent sur cette disposition plurielle de la parole. S'il est vain de rechercher dans la vie — elle aussi passablement agitée — de l'élève turbulent des jésuites, du soldat volontaire et déserteur, du novice bénédictin en perpétuelle rupture de ban, de l'exilé couvert de dettes, de l'écrivain hardi, du séducteur comblé et imprudent, le détail des événements dont il nourrit sa fiction, il est certain pourtant que l'abbé Prévost est fort présent dans son texte, comme celui qui tient les deux bouts de la chaîne : assez proche encore de la jeunesse pour entrer avec enthousiasme dans ses folies, assez mûr et averti déjà pour en reconnaître les illusions et les dangers. Plus qu'une voix individualisée, c'est donc un véritable chœur d'hommes qui assure le récitatif, dont l'unité est à son tour assurée par l'effet que produit, sur tout ce qui est masculin, le personnage de Manon. Or cette voix narrative ne se contente pas de restituer les événements de l'histoire : un discours les prend en charge, qui les apprécie et les commente, les transformant en un spectacle dont la régie est toujours soigneusement contrôlée. Ce sont d'abord de simples annonces de ce qui doit suivre, par exemple, l'entrée du thème du « penchant au plaisir » de Manon, « qui a causé, dans la suite, tous ses malheurs et les miens » (pp. 36-37), de celui du « zèle » de Tiberge (« Vous verrez à quel excès il le porta », p. 41), l'allusion au « goût infini pour l'étude » que retrouve le chevalier séquestré par son père (« Vous verrez de quelle utilité il me fut dans la suite », p. 52), les prédictions de Tiberge, menaçant son ami d'« une partie des malheurs qui ne tardèrent guère à [lui] arriver » (p. 74), la prémonition rétrospective, au cours d'« une des plus charmantes soirées de notre vie », lorsque des Grieux se prépare « à occuper le lit de G... M... comme [il] avai[t] rempli sa place à table » : « Pendant ce temps-là, notre mauvais génie travaillait à nous perdre. Nous étions dans le délire du plaisir, et le glaive était suspendu sur nos têtes » (p. 149). C'est aussi l'expression, sinon d'un regret, du moins de la nostalgie d'autres possibles narratifs : « Hélas ! que ne le marquais-je un jour plus tôt ! j'aurais porté chez mon père toute mon innocence » (p. 36) ; « J'étais heureux pour toute ma vie, si Manon m'eût été fidèle » (p. 41) ; « J'aurais peut-être excité encore une fois [la] pitié [de mon père] » (pp. 159-160). Ce sont parfois des réflexions de morale générale, en naïve contradiction avec le caractère unique et exceptionnel que le chevalier revendique pour son aventure : « Mais, hélas ! [le] faible [des charmantes délices] est de passer trop vite. Quelle autre félicité voudrait-on se proposer, si elles étaient de nature à durer toujours ? Les nôtres eurent le sort commun [...] » (p. 75). Il convient pourtant de remarquer que ces réflexions s'attachent moins à la répétition des poncifs de l'expérience commune qu'à l'élucidation de ces « situations uniques auxquelles on n'a rien éprouvé qui soit semblable » (p. 78), de ces « mouvements particuliers du cœur » que connaissent « peu de personnes » (p. 88), de ces moments-passages où « on se croit transporté dans un nouvel ordre de choses » (p. 58) et qu'a étudiés Georges Poulet. Ce sont surtout — car le narrateur des Grieux-Renoncour-Prévost est passé maître dans l'art de conduire un récit pour éveiller l'attention et provoquer la participation de son auditoire — des relances du genre : *ce que vous avez entendu n'est rien à côté de ce que vous allez entendre* : « [...] un funeste accident m'épargna cette peine, en nous en causant une autre qui nous abîma sans ressource » (p. 64) ; « La Fortune ne me délivra d'un précipice que pour me faire tomber dans un autre » (p. 83) ; « J'étais à la veille d'en avoir une dernière preuve qui a surpassé toutes les autres, et qui a produit la plus étrange aventure qui soit jamais arrivée [...] » (p. 113) ; « Je me croyais si heureux [...] qu'on n'aurait pu me faire comprendre que j'eusse à craindre quelque nouveau malheur. Cependant, il s'en préparait un si funeste [...] » (p. 126) ; « [Le Ciel] m'avait souffert avec patience tandis que je marchais aveuglément dans la route du vice, et ses plus rudes châtiments m'étaient réservés lorsque je commençais à retourner à la vertu » (p. 181). Comment démêler dans ces commentaires ce qui revient au héros, rééprouvant la logique implacable d'une histoire dont il est le seul à connaître la fin, au philosophe, s'interrogeant sur l'acharnement du destin, et au narrateur, soucieux de ménager ses effets ? C'est une question que ne se pose pas l'auditeur de l'opéra, pris sous le charme mélodique de ce chœur introduisant et ponctuant les grands ensembles lyriques qui composent peu à peu l'action dramatique.

Celle-ci a beau donner sans cesse l'impression de la surprise et du retournement de situation, elle ne s'organise pas moins en cinq ensembles d'une symétrie impeccable : le prologue (pp. 29-34), où domine le récitatif, mais qui, à Pacy puis à Calais, expose déjà les thèmes principaux et les marque d'une tonalité qu'on n'oubliera pas quand viendra le moment de leur développement ; l'acte I (pp. 35-56) qui articule, autour de M. de B..., l'allégresse de la conquête et le tourment de la séparation ; l'acte II (pp. 56-118) qui, autour du vieux G... M..., emporte dans une même cadence endiablée la cavalcade d'une vie dispendieuse, la brutalité d'un double emprisonnement et la réussite d'une double évasion ; l'acte III (pp. 126-170) qui fait monter, croître et éclater, autour du jeune G... M..., la solidarité incontournable de la liberté et du risque, de la passion et de la jalousie, du dévoilement des cœurs et de l'hypocrisie sociale ; l'acte IV (pp. 170-192) qui confie à Synnelet le soin de retourner en conflit, fuite et mort ce qui se présentait comme chance d'apaisement, de régularisation et d'accès à une vie nouvelle. Au beau milieu, entre les actes II et III, là où s'aère la typographie romanesque passant d'une première à une deuxième partie, et où souffle le narrateur, le temps d'un souper, l'opéra s'offre, autour du prince italien, un divertissement-ballet qui reproduit en raccourci l'argument même des divers actes, et feint de conjurer, par la parodie, l'inquiétude provoquée partout par la figure multiforme du rival. De longueurs sensiblement égales, les actes II et III d'une part, I et IV d'autre part font entendre de nombreux harmoniques : par exemple, pour les actes centraux, le nom de « G... M... » et l'éclat des bijoux (« Les reconnaissez-vous ? [...] Ce n'était pas la première fois que vous les eussiez vus », p. 152), et, pour les actes encadrants, l'évanouissement du chevalier (pp. 49 et 161) et la proposition de mariage (pp. 42 et 180). Mais une certaine progression dramatique est assurée, dans un cas par l'aggravation des motifs (sommes plus importantes, gestes plus risqués, trahison moins « innocente »...), et dans l'autre par leur inversion (pour des Grieux, Saint-Sulpice était une chance, encore, d'échapper au « charme », et la mort de Manon est la certitude de n'en plus jamais sortir).

Dans le détail de la composition, on n'aurait aucun mal à repérer la récurrence et les enchaînements de ce qu'on a déjà ici désigné comme « thèmes » et « motifs », mais aussi de « grands airs », de « duos », « trios », etc., et de « tableaux »... Thème lumineux et emblématique de l'*apparition* de Manon, à Amiens (p. 36), au parloir de Saint-Sulpice (p. 57), à Paris, après la visite de Tiberge (p. 72), chez le vieux G... M... (p. 82), à l'Hôpital (p. 107), chez le jeune G... M... (p. 139), et enfin dans la fosse (« Je la considérai longtemps [...] », p. 189) ; thèmes du *bonheur à deux* (pp. 41, 62, 75, 119, 172-175), du *projet de vie* (pp. 39, 54, 62, 83, 119, 179) ; motifs de la *catastrophe soudaine* (pp. 46, 64-65, 75-76, 86, 150), de la *prison* (pp. 50-55, 86-102, 105-109, 152-161), de la *fuite* (pp. 40, 60, 77, 85, 102, 110, 186) ; grands airs, par le ténor, de la *douleur brutale suivie de réflexions* (pp. 43, 46, 65, 78, 89, 121, 134, 153, 170), par les barytons (Tiberge, le père du chevalier, le Supérieur de Saint-Lazare), de l'*admonestation morale* (pp. 39, 47, 54, 70-71, 74, 87, 95, 157,

166) ; duos d'amour en majeur (pp. 36, 59, 107, 130-131, 172-173, 178) ou en mineur (pp. 82, 112-113, 140-146, 154, 174-175, 186) ; duos de rupture grandiloquente, par deux voix d'homme (pp. 74-75, 165-167). Les tableaux surtout éloignent notre roman de l'esthétique « urgente » du théâtre parlé et le font ressortir de ce spectacle total où, pendant que la musique assure juste ce qu'il faut de linéarité, la parole, la pose, le geste peuvent être suspendus, le temps d'une pure contemplation. Cette esthétique convient si parfaitement à la conduite d'un récit où, tout en allant vivement à son but, le narrateur participe rêveusement aux moments qu'il fait renaître et projette sur leur ensemble la sombre lueur du dernier d'entre eux, que cela suffit à justifier le choix qu'en a fait l'artiste Prévost. Point n'est besoin d'imaginer qu'il ait songé à faire quelque chose comme un opéra. Il n'a fait que retrouver d'instinct, avec les matériaux de l'écriture romanesque dont il disposait, l'inspiration d'une composition dramatico-lyrique qui était en son temps en pleine période d'invention et répondait à la sensibilité du public. Cependant, comme la ruse de l'instinct est grande chez les vrais créateurs, celui-ci ne nous a pas tout à fait laissés ignorer celui qui le guidait, et en a disposé dans son texte un indice délicat : « Vous aimez l'Opéra », dit des Grieux à Manon au moment de leur première installation à Chaillot, « nous irons deux fois la semaine » (p. 62). Et il n'omet pas non plus de marquer la différence entre l'univers des amants et le monde des parvenus, comme le jeune G... M..., qui n'emmène Manon, lui, qu'à la Comédie (pp. 132-133). Ces tableaux donc offrent tour à tour des transpositions visuelles de la musique du texte, tantôt celle qui accompagne la situation d'énonciation, tantôt celle qui correspond au cadre de l'énoncé. Pour la première, ce sont les innombrables récits que le récitatif évoque, et dont le contenu n'a pas besoin d'être détaillé pour qu'on y reconnaisse une sorte de mise en abyme de la mélodie narrative d'ensemble : celui du père (p. 49) et celui de Tiberge (pp. 53-54)

à P., ceux de Manon au parloir (pp. 59-60), à l'Hôpital (p. 107), à Chaillot après l'épisode du prince italien (p. 125), chez le jeune G... M... (pp. 143-145), celui de Lescaut après la fuite de Manon chez le vieux G... M... (pp. 79-80), ceux même du valet (pp. 120-122) et de la fille envoyée pour consoler des Grieux (p. 136), ceux enfin du chevalier, qui se met lui-même à sept reprises dans la position de reprendre le détail de son histoire au point où elle en est à chaque fois arrivée : pour Tiberge au Palais-Royal (p. 70) et au Nouvel Orléans (p. 191), pour le Supérieur de Saint-Lazare (p. 92), pour M. de T... avant l'évasion de l'Hôpital (p. 104) et avant le coup de main sur le convoi (p. 163), pour le Lieutenant général de Police au Châtelet (p. 156), pour son père au même endroit (p. 158-159). Quel effet d'écho plus puissant et charmant à la fois que cette orchestration d'un récit où un romancier raconte qu'un homme de qualité a raconté qu'un jeune homme lui a raconté qu'il a entendu ou fait entendre tout ou partie de l'histoire même dont on est en train de suivre les modulations successives ? La seconde série de tableaux immobilise en « scènes de genre » quelques moments forts de l'histoire, autant semble-t-il, pour l'inscrire dans le décor d'une époque raffinée — qu'elle illustrerait ainsi parmi d'autres — que pour laisser le regard s'imprégner des caractères spécifiques d'une aventure intime unique. C'est, par exemple, *le dîner d'amour triste*, avec chandelles, larmes et soupirs (p. 45), *la visite au parloir* et sa gestuelle toute picturale (pp. 57-60), *la présentation du jeune frère au vieil amant*, avec révérences et compliments (pp. 84-85), *la déconvenue du prince italien*, avec miroir et cheveux défaits (p. 124), *la visite à l'infidèle*, où c'est à qui tombera à genoux et conservera la « posture » (pp. 140-142), *l'ensevelissement* enfin de « ce [que la terre] avait porté de plus parfait et de plus aimable » (p. 189).

L'acte I, comme il se doit, ouvre tout grand l'éventail de cette partition. De l'apparition d'Amiens à la catastrophe de la séquestration, il présente une première entrée de tous ces thèmes, motifs, airs et tableaux, que les autres actes reprendront en faisant simplement varier l'ordre de leur succession. Si l'on ajoute à cela les carrefours où il semble que le texte prenne plaisir à revenir sur ses propres traces (scène de Pacy, pp. 31 et 174, halte à Saint-Denis, pp. 41 et 47, séjour à Chaillot, pp. 62 et 112, lettre de Manon, pp. 77-78 et 134, ses éclats de rire, pp. 43, 85, 125 et 130), il est clair que nous sommes dans une esthétique de la réitération. Or ce qui passe pour une faiblesse dans le roman comme au théâtre, où l'action doit suivre une progression continue, est une des beautés de l'opéra : le spectateur s'y enchante de ces reprises où la musique s'étoile en variations d'intensité, de tonalité ou de rythme. C'est ce que n'ont malheureusement pas compris les auteurs des livrets du XIXe siècle, qui se sont ingéniés, pour rester au plus près du « drame », à réduire — et jusqu'à une seule ! — le nombre des trahisons de l'héroïne. Quelle phrase plus sublime pourtant que celle où des Grieux, tout en chantant la douleur que lui causent le perpétuel défi de Manon, la patience impuissante du héros qu'il fut et la complaisance trouble du narrateur qu'il est, révèle et désigne la structure même de son chant : « Voici la troisième fois, Manon, je les ai bien comptées » (p. 140) ?

Faut-il chercher ailleurs le secret de l'envoûtement que notre roman a exercé sur des générations de lecteurs que dans cette forme de représentation qui, mettant en jeu les problèmes les plus poignants de la condition humaine, leur confère la gratuité d'une logique purement musicale, vocale et gestuelle ? qui donne à l'aventure du sentiment les contours les plus réalistes possible en l'attachant à des voix, à des cadres, à des objets, à des éclairages, et en même temps l'irréalise en spectacle pur ? Cette dialectique rend compte, pour finir, de deux caractéristiques du texte que seules la légèreté et la vivacité de son orchestration pouvaient à la fois faire fortement ressentir et rendre supportables. D'abord la violence dont il est porteur, sous ses airs d'innocence et d'irresponsabilité. Ce doux jeune homme qui se présente comme une victime ne cesse de se montrer aux prises avec le désir de meurtre : il veut tuer Tiberge (p. 46), poignarder M. de B... (p. 50), voire le brûler « tout vif avec la perfide Manon » (p. 52), tirer vengeance de Lescaut (pp. 63, 79) ; il est sur le point d'étrangler le vieux G... M... à la prison de Saint-Lazare (p. 91), à laquelle il songe à mettre le feu (p. 93) ; il déclare vouloir poignarder le jeune G... M... et Manon « de [sa] propre main » (p. 135), puis déchaîner un massacre général des deux G... M..., du Lieutenant de Police, de tout l'Hôpital et même de son père (p. 162), et, plus loin, « donner à l'Amérique une des plus sanglantes et des plus horribles scènes que l'amour ait jamais produites » (p. 184) ; il tue même deux fois, le portier de Saint-Lazare, de trop petite condition pour que sa mort tire à conséquence (p. 102), et Synnelet, fort heureusement mal tué (p. 185). La violence du désir charnel est aussi bien présente, quoique voilée dans le flou de l'expression lyrique (voir pp. 36, 38, 41, 44, 58, 72, 85, 110, 187). Enfin certains passages vont très loin dans l'acceptation toute crue d'une morale douteuse, au milieu même des protestations de l'honneur : vol, tricherie et escroquerie, bien sûr, mais aussi recours au mensonge, non seulement de Manon (pp. 37, 43, 77, 125, 132, 145) mais de des Grieux (pp. 40, 48, 68, 84, 89, 94, 176) ; recours du bon Tiberge lui-même à la casuistique (p. 71) ; discours sacrilèges (pp. 73, 84-85) ; facilité étonnante avec laquelle un gentilhomme comme des Grieux accepte, fût-ce par ruse, les rôles de « greluchon » (p. 130), voire de maquereau (p. 81). L'autre caractéristique est la puissance de subversion idéologique qui se dissimule sous les grâces de l'idylle. Jacques Proust a montré que l'absence de toute description précise du corps de Manon inscrit en creux dans le texte non seulement la réalité innommable de son cadavre, mais aussi l'inceste et même le soupçon de la mort de Dieu. Simone Delesalle a vu dans la fatalité de la mort de Manon, le crime parfait et collectif d'une caste aristocratique farouchement attachée à ses privilèges. Tout récemment, France Vernier a lu dans le discours d'un jeune homme parfaitement immature et aliéné aux préjugés sexuels, moraux et sociaux de son temps, l'aveu involontaire — et en cela même musicalement émouvant — de leur condamnation radicale, évidente, souveraine dès que Manon, par sa seule présence, leur oppose « un nouvel ordre de choses ». Que des Grieux se fasse lui-même, sans le savoir, la conscience d'un tel soupçon, le complice d'un tel crime et l'instrument d'un tel aveu explique peut-être, au-delà du pathétique sentimental, l'intensité de l'émotion que nous transmet son récit. Avec lui, c'est l'aventure d'amour, c'est le genre romanesque, c'est l'écriture littéraire, c'est la société des années 1730, c'est tout l'ordre des valeurs et des évidences alors régnantes, c'est le siècle tout entier qui, en appuyant leur voix sur une orchestration à la fois somptueuse et délicate, se mettent à l'entendre et à la faire entendre *autre,* rencontrent leur avenir, et le chantent passionnément, parce qu'ils ne le connaissent pas encore. Sans doute est-ce ce que l'abbé Prévost glisse quelque part dans la partition de son héros — qui pourrait bien, sur ce point, être en effet son double — : « [...] par un tour naturel de génie qui m'est particulier [...] » (p. 146).

NOTE SUR LE TEXTE

La première édition, en 1731, incluait l'*Histoire du chevalier des Grieux et de Manon Lescaut* dans les *Mémoires et aventures d'un homme de qualité qui s'est retiré du monde* (six tomes parus entre 1728 et 1731) où, sous le couvert des « mémoires » — pour l'authenticité — et l'appât des « aventures » — pour la curiosité —, l'abbé Prévost faisait raconter à un marquis de Renoncour parfaitement fictif des épisodes de sa vie et de celle des gens qu'il avait rencontrés. Des Grieux prend sa place parmi ces derniers, mais jamais un récit annexe n'avait été aussi long ni aussi complet. Celui-ci occupe tout le tome VII des *Mémoires,* et en marque la fin. Du vivant de l'auteur, les *Mémoires* eurent quinze autres éditions complètes, et le texte de leur tome VII neuf éditions séparées, sous des titres divers : *Suite des Mémoires et aventures..., Aventures du chevalier des Grieux et de Manon Lescaut, Les Aventures du chevalier des Grieux et de Manon Lescaut, Histoire de Manon, Histoire du chevalier des Grieux et de Manon Lescaut.* C'est, avec ce dernier titre, le texte de l'édition séparée de 1753, Amsterdam (Paris, François Didot), qu'ont choisi la plupart des grands éditeurs de l'œuvre. Il apporte en effet à celui de l'édition originale des corrections et des adjonctions intéressantes, et qui sont à coup sûr de la main de l'auteur. C'est celui que nous donnons ici.

Les variantes les plus remarquables par rapport à l'édition originale et à celles qui suivirent concernent surtout la chronologie : six semaines au lieu de quatre, entre les deux passages à Saint-Denis (p. 47) ; plusieurs semaines au lieu d'une seule entre l'évasion de Manon et son départ chez le jeune G... M... (p. 119) ; et, dans cet intervalle, adjonction de tout l'épisode du prince italien, au début de la Deuxième partie (pp. 120-126). Beaucoup sont d'ordre stylistique et améliorent effectivement le texte. Quelques-unes renforcent la vraisemblance : les archers n'« allongent » plus des « coups » au gentilhomme qu'est des Grieux, mais se contentent de lever contre lui « le bout du fusil » (p. 32), et Tiberge ne passe plus par le Québec pour aller de France en Louisiane (p. 191). Certaines enfin déplacent les points d'application du scandale : Manon n'est plus « d'une assez bonne naissance » mais « d'une naissance commune » (p. 38) ; ce n'est plus « la plupart » mais « un grand nombre d'évêques et d'autres prêtres » qui accordent sans trop de scrupules « une maîtresse avec un bénéfice » (p. 74) ; en revanche, la fin devient beaucoup moins chrétienne, d'où ont disparu toutes notions de « piété » et de « pénitence » au profit des « inspirations de l'honneur » (p. 190).

Les notes en bas de page, signalées par des astérisques (*), donnent des éclaircissements ponctuels. Les notes numérotées de [1] à [8] renvoient aux différentes rubriques de la partie du *Dossier historique et littéraire* intitulée « Le cadre du roman », où sont regroupés les repères nécessaires à la situation et à la compréhension globale du texte, dans l'ordre suivant :

1. Chronologie,
2. Géographie,
3. Idéologie morale, éducative et religieuse,
4. Sociologie,
5. Police,
6. Onomastique,
7. Langue,
8. Intertexte.

HISTOIRE DU CHEVALIER DES GRIEUX ET DE MANON LESCAUT

AVIS DE L'AUTEUR
DES
Mémoires d'un homme de qualité

Quoique j'eusse pu faire entrer dans mes Mémoires les aventures du chevalier des Grieux, il m'a semblé que n'y ayant point un rapport nécessaire, le lecteur trouverait plus de satisfaction à les voir séparément. Un récit de cette longueur aurait interrompu trop longtemps le fil de ma propre histoire. Tout éloigné que je suis de prétendre à la qualité d'écrivain exact, je n'ignore point qu'une narration doit être déchargée des circonstances qui la rendraient pesante et embarrassée. C'est le précepte d'Horace :

Ut jam nunc dicat jam nunc debentia dici
Pleraque differat, ac præsens in tempus omittat[8].

Il n'est pas même besoin d'une si grave autorité pour prouver une vérité si simple ; car le bon sens[7] est la première source de cette règle.

Si le public a trouvé quelque chose d'agréable et d'intéressant dans l'histoire de ma vie, j'ose lui promettre qu'il ne sera pas moins satisfait de cette addition. Il verra, dans la conduite de M. des Grieux, un exemple terrible de la force des passions[3]. J'ai à peindre un jeune aveugle, qui refuse d'être heureux, pour se précipiter volontairement dans les dernières infortunes ; qui, avec toutes les qualités dont se forme le plus brillant mérite[7], préfère, par choix, une vie obscure et vagabonde, à tous les avantages de la fortune[7] et de la nature ; qui prévoit ses malheurs, sans vouloir les éviter ; qui les sent et qui en est accablé, sans profiter des remèdes qu'on lui offre sans cesse et qui peuvent à tous moments les finir ; enfin un caractère ambigu, un mélange de vertus et de vices, un contraste perpétuel de bons sentiments et d'actions mauvaises. Tel est le fond du tableau[7] que je présente. Les personnes de bon sens ne regarderont point un ouvrage de cette nature comme un travail inutile. Outre le plaisir d'une lecture agréable, on y trouvera peu d'événements qui ne puissent servir à l'instruction des mœurs ; et c'est rendre, à mon avis, un service considérable au public que de l'instruire en l'amusant.

On ne peut réfléchir sur les préceptes de la morale, sans être étonné[7] de les voir tout à la fois estimés et négligés ; et l'on se demande la raison de cette bizarrerie du cœur humain, qui lui fait goûter des idées de bien et de perfection, dont il s'éloigne dans la pratique. Si les personnes d'un certain[7] ordre d'esprit[7] et de politesse[7] veulent examiner quelle est la matière la plus commune de leurs conversations, ou même de leurs rêveries[7] solitaires, il leur sera aisé de remarquer qu'elles tournent presque toujours sur quelques considérations morales. Les plus doux[7] moments de leur vie sont ceux qu'ils passent, ou seuls, ou avec un ami, à s'entretenir à cœur ouvert des charmes de la vertu[7], des douceurs de l'amitié, des moyens d'arriver au bonheur, des faiblesses de la nature qui nous en éloignent, et des remèdes qui peuvent les guérir. Horace et Boileau marquent cet entretien comme un des plus beaux traits dont ils composent l'image d'une vie heureuse[8]. Comment arrive-t-il donc qu'on tombe si facilement de ces hautes spéculations et qu'on se retrouve sitôt au niveau du commun des hommes ? Je suis trompé si la raison que je vais en apporter n'explique bien cette contradiction de nos idées et de notre conduite ; c'est que, tous les préceptes de la morale n'étant que des principes vagues et généraux, il est très difficile d'en faire une application particulière au détail des mœurs et des actions. Mettons la chose dans un exemple. Les âmes bien nées [7] sentent que la douceur et l'humanité [7] sont des vertus aimables, et sont portées d'inclination à les pratiquer ; mais sont-elles au moment de l'exercice [7], elles demeurent souvent suspendues [7]. En est-ce réellement l'occasion ? Sait-on bien quelle en doit être la mesure ? Ne se trompe-t-on point sur l'objet ? Cent difficultés arrêtent. On craint de devenir dupe en voulant être bienfaisant [7] et libéral [7] ; de passer pour faible en paraissant trop tendre et trop sensible ; en un mot, d'excéder ou de ne pas remplir assez des devoirs qui sont renfermés d'une manière trop obscure dans les notions générales d'humanité et de douceur. Dans cette incertitude, il n'y a que l'expérience ou l'exemple qui puisse déterminer raisonnablement le penchant du cœur. Or l'expérience n'est point un avantage qu'il soit libre à tout le monde de se donner ; elle dépend des situations différentes où l'on se trouve placé par la fortune. Il ne reste donc que l'exemple qui puisse servir de règle à quantité de personnes dans l'exercice de la vertu [7]. C'est précisément pour cette sorte de lecteurs que des ouvrages tels que celui-ci peuvent être d'une extrême utilité, du moins lorsqu'ils sont écrits par une personne d'honneur et de bon sens [8]. Chaque fait qu'on y rapporte est un degré de lumière [7], une instruction qui supplée à l'expérience ; chaque aventure est un modèle d'après lequel on peut se former ; il n'y manque que d'être ajusté aux circonstances où l'on se trouve. L'ouvrage entier est un traité de morale, réduit agréablement en exercice.

Un lecteur sévère s'offensera peut-être de me voir reprendre la plume, à mon âge, pour écrire des aventures de fortune et d'amour [8] ; mais, si la réflexion que je viens de faire est solide, elle me justifie ; si elle est fausse, mon erreur sera mon excuse.

PREMIÈRE PARTIE

Je suis obligé de faire remonter mon lecteur au temps de ma vie où je rencontrai pour la première fois le chevalier des Grieux[6]. Ce fut environ six mois avant mon départ pour l'Espagne[1]. Quoique je sortisse rarement de ma solitude, la complaisance que j'avais pour ma fille m'engageait quelquefois à divers petits voyages, que j'abrégeais autant qu'il m'était possible. Je revenais un jour de Rouen, où elle m'avait prié d'aller solliciter une affaire au Parlement de Normandie pour la succession de quelques terres auxquelles je lui avais laissé des prétentions du côté de mon grand-père maternel. Ayant repris mon chemin par Évreux, où je couchai la première nuit, j'arrivai le lendemain pour dîner à Pacy[2], qui en est éloigné de cinq ou six lieues. Je fus surpris, en entrant dans ce bourg, d'y voir tous les habitants en alarme. Ils se précipitaient de leurs maisons pour courir en foule à la porte d'une mauvaise hôtellerie, devant laquelle étaient deux chariots couverts[4]. Les chevaux, qui étaient encore attelés et qui paraissaient fumants de fatigue et de chaleur, marquaient que ces deux voitures ne faisaient qu'arriver. Je m'arrêtai un moment pour m'informer d'où venait le tumulte ; mais je tirai peu d'éclaircissement d'une populace curieuse, qui ne faisait nulle attention à mes demandes, et qui s'avançait toujours vers l'hôtellerie, en se poussant avec beaucoup de confusion. Enfin, un archer revêtu d'une bandoulière, et le mousquet sur l'épaule [5], ayant paru à la porte, je lui fis signe de la main de venir à moi. Je le priai de m'apprendre le sujet de ce désordre. Ce n'est rien, monsieur, me dit-il ; c'est une douzaine de filles de joie que je conduis, avec mes compagnons, jusqu'au Havre-de-Grâce [2], où nous les ferons embarquer pour l'Amérique. Il y en a quelques-unes de jolies, et c'est apparemment ce qui excite la curiosité de ces bons paysans. J'aurais passé après cette explication, si je n'eusse été arrêté par les exclamations d'une vieille femme qui sortait de l'hôtellerie en joignant les mains, et criant que c'était une chose barbare, une chose qui faisait horreur et compassion. De quoi s'agit-il donc ? lui dis-je. Ah ! monsieur, entrez, répondit-elle, et voyez si ce spectacle n'est pas capable de fendre le cœur [4] ! La curiosité me fit descendre de mon cheval, que je laissai à mon palefrenier. J'entrai avec peine, en perçant la foule, et je vis, en effet, quelque chose d'assez touchant [7]. Parmi les douze filles qui étaient enchaînées six par six par le milieu du corps [5], il y en avait une dont l'air et la figure étaient si peu conformes à sa condition, qu'en tout autre état je l'eusse prise pour une personne du premier rang. Sa tristesse et la saleté de son linge et de ses habits l'enlaidissaient si peu que sa vue m'inspira du respect et de la pitié. Elle tâchait néanmoins de se tourner, autant que sa chaîne pouvait le permettre, pour dérober son visage aux yeux des spectateurs. L'effort qu'elle faisait pour se cacher était si naturel, qu'il paraissait venir d'un sentiment de modestie [7]. Comme les six gardes qui accompagnaient cette malheureuse bande étaient aussi dans la chambre, je pris le chef en particulier et je lui demandai quelques lumières sur le sort de cette belle fille [6]. Il ne put m'en donner que de fort générales. Nous l'avons tirée de l'Hôpital [2], me dit-il, par ordre de M. le Lieutenant général de Police [5]. Il n'y a pas d'apparence qu'elle y eût été renfermée pour ses bonnes actions. Je l'ai interrogée plusieurs fois sur la route, elle s'obstine à ne me rien répondre. Mais, quoique je n'aie pas reçu ordre de la ménager plus que les autres, je ne laisse pas d'avoir quelques égards pour elle, parce qu'il me semble qu'elle vaut un peu mieux que ses compagnes. Voilà un jeune homme, ajouta l'archer, qui pourrait vous instruire mieux que moi sur la cause de sa disgrâce [7] ; il l'a suivie depuis Paris, sans cesser presque un moment de pleurer. Il faut que ce soit son frère ou son amant [7]. Je me tournai vers le coin de la chambre où ce jeune homme était assis. Il paraissait enseveli dans une rêverie profonde. Je n'ai jamais vu de plus vive image de la douleur [6]. Il était mis fort simplement ; mais on distingue, au premier coup d'œil, un homme qui a de la naissance et de l'éducation. Je m'approchai de lui. Il se leva ; et je découvris dans ses yeux, dans sa figure et dans tous ses mouvements, un air si fin [7] et si noble que je me sentis porté naturellement à lui vouloir du bien. Que je ne vous trouble point, lui dis-je, en m'asseyant près de lui. Voulez-vous bien satisfaire la curiosité que j'ai de connaître cette belle personne, qui ne me paraît point faite pour le triste état où je la vois ? Il me répondit honnêtement [7] qu'il ne pouvait m'apprendre qui elle était sans se faire connaître lui-même, et qu'il avait de fortes raisons pour souhaiter de demeurer inconnu. Je puis vous dire, néanmoins, ce que ces misérables n'ignorent point, continua-t-il en montrant les archers, c'est que je l'aime avec une passion si violente qu'elle me rend le plus infortuné de tous les hommes. J'ai tout employé, à Paris, pour obtenir sa liberté. Les sollicitations, l'adresse et la force m'ont été inutiles ; j'ai pris le parti de la suivre, dût-elle aller au bout du monde. Je m'embarquerai avec elle ; je passerai en Amérique. Mais ce qui est de la dernière inhumanité, ces lâches coquins, ajouta-t-il en parlant des archers, ne veulent pas me permettre d'approcher d'elle. Mon dessein était de les attaquer ouvertement, à quelques lieues de Paris.

Je m'étais associé quatre hommes qui m'avaient promis leur secours pour une somme considérable. Les traîtres m'ont laissé seul aux mains et sont partis avec mon argent. L'impossibilité de réussir par la force m'a fait mettre les armes bas. J'ai proposé aux archers de me permettre du moins de les suivre en leur offrant de les récompenser. Le désir du gain les y a fait consentir. Ils ont voulu être payés chaque fois qu'ils m'ont accordé la liberté de parler à ma maîtresse[7]. Ma bourse s'est épuisée en peu de temps, et maintenant que je suis sans un sou, ils ont la barbarie de me repousser brutalement lorsque je fais un pas vers elle. Il n'y a qu'un instant, qu'ayant osé m'en approcher malgré leurs menaces, ils ont eu l'insolence de lever contre moi le bout du fusil. Je suis obligé, pour satisfaire leur avarice et pour me mettre en état de continuer la route à pied, de vendre ici un mauvais cheval qui m'a servi jusqu'à présent de monture.

Quoiqu'il parût faire assez tranquillement ce récit, il laissa tomber quelques larmes en le finissant. Cette aventure me parut des plus extraordinaires et des plus touchantes. Je ne vous presse pas, lui dis-je, de me découvrir le secret de vos affaires, mais, si je puis vous être utile à quelque chose, je m'offre volontiers à vous rendre service. Hélas ! reprit-il, je ne vois pas le moindre jour à l'espérance. Il faut que je me soumette à toute la rigueur de mon sort. J'irai en Amérique. J'y serai du moins libre avec ce que j'aime[7]. J'ai écrit à un de mes amis qui me fera tenir quelque secours au Havre-de-Grâce. Je ne suis embarrassé que pour m'y conduire et pour procurer à cette pauvre créature, ajouta-t-il en regardant tristement sa maîtresse, quelque soulagement sur la route. Hé bien, lui dis-je, je vais finir votre embarras. Voici quelque argent que je vous prie d'accepter. Je suis fâché de ne pouvoir vous servir autrement. Je lui donnai quatre louis d'or[4], sans que les gardes s'en aperçussent, car je jugeais bien que, s'ils lui savaient cette somme, ils lui vendraient plus chèrement leurs secours. Il me vint même à l'esprit de faire marché avec eux pour obtenir au jeune amant la liberté de parler continuellement à sa maîtresse jusqu'au Havre. Je fis signe au chef de s'approcher, et je lui en fis la proposition. Il en parut honteux, malgré son effronterie. Ce n'est pas, monsieur, répondit-il d'un air embarrassé, que nous refusions de le laisser parler à cette fille, mais il voudrait être sans cesse auprès d'elle ; cela nous est incommode ; il est bien juste qu'il paye pour l'incommodité. Voyons donc, lui dis-je, ce qu'il faudrait pour vous empêcher de la sentir. Il eut l'audace de me demander deux louis [4]. Je les lui donnai sur-le-champ : Mais prenez garde, lui dis-je, qu'il ne vous échappe quelque friponnerie ; car je vais laisser mon adresse à ce jeune homme, afin qu'il puisse m'en informer, et comptez que j'aurai le pouvoir de vous faire punir. Il m'en coûta six louis d'or. La bonne grâce et la vive reconnaissance avec laquelle ce jeune inconnu me remercia, achevèrent de me persuader qu'il était né quelque chose, et qu'il méritait ma libéralité. Je dis quelques mots à sa maîtresse avant que de sortir. Elle me répondit avec une modestie [7] si douce et si charmante, que je ne pus m'empêcher de faire, en sortant, mille réflexions sur le caractère incompréhensible des femmes.

Étant retourné à ma solitude, je ne fus point informé de la suite de cette aventure. Il se passa près de deux ans, qui me la firent oublier tout à fait, jusqu'à ce que le hasard me fît renaître l'occasion d'en apprendre à fond toutes les circonstances. J'arrivais de Londres à Calais [1, 2], avec le marquis de..., mon élève [6]. Nous logeâmes, si je m'en souviens bien, au *Lion d'or*, où quelques raisons nous obligèrent de passer le jour entier et la nuit suivante. En marchant l'après-midi dans les rues, je crus apercevoir ce même jeune homme dont j'avais fait la rencontre à Pacy. Il était en fort mauvais équipage [7], et beaucoup plus pâle que je ne l'avais vu la première fois. Il portait sur le bras un vieux portemanteau*, ne faisant qu'arriver dans la ville. Cependant, comme il avait la physionomie trop belle pour n'être pas reconnu facilement, je le remis aussitôt. Il faut, dis-je au marquis, que nous abordions ce jeune homme. Sa joie fut plus vive que toute expression, lorsqu'il m'eut remis à son tour. Ah ! monsieur, s'écria-t-il en me baisant la main [7], je puis donc encore une fois vous marquer mon immortelle reconnaissance ! Je lui demandai d'où il venait. Il me répondit qu'il arrivait, par mer, du Havre-de-Grâce [2], où il était revenu de l'Amérique peu auparavant. Vous ne me paraissez pas fort bien en argent, lui dis-je. Allez-vous-en au *Lion d'Or*, où je suis logé. Je vous rejoindrai dans un moment. J'y retournai en effet, plein d'impatience d'apprendre le détail de son infortune et les circonstances de son voyage d'Amérique. Je lui fis mille caresses [7], et j'ordonnai qu'on ne le laissât manquer de rien. Il n'attendit point que je le pressasse de me raconter l'histoire de sa vie. Monsieur, me dit-il, vous en usez si noblement avec moi, que je me reprocherais, comme une basse ingratitude, d'avoir quelque chose de réservé pour vous. Je veux vous apprendre, non seulement mes malheurs et mes peines, mais encore mes désordres et mes plus honteuses faiblesses. Je suis sûr qu'en me condamnant, vous ne pourrez pas vous empêcher de me plaindre [6].

Je dois avertir ici le lecteur que j'écrivis son histoire presque aussitôt après l'avoir entendue, et qu'on peut s'assurer, par conséquent, que rien n'est plus exact et plus fidèle que cette narration. Je dis fidèle jusque dans la relation des réflexions et des sentiments que le jeune aventurier [7] exprimait de la meilleure grâce [7] du monde. Voici donc son récit, auquel je ne mêlerai, jusqu'à la fin, rien qui ne soit de lui.

* Sorte de valise de cuir ou de toile, qu'on peut mettre sur la croupe d'un cheval.

J'avais dix-sept ans, et j'achevais mes études de philosophie à Amiens [1,2], où mes parents, qui sont d'une des meilleures maisons de P. [2], m'avaient envoyé [8]. Je menais une vie si sage et si réglée, que mes maîtres me proposaient pour l'exemple du collège. Non que je fisse des efforts extraordinaires pour mériter cet éloge, mais j'ai l'humeur naturellement douce et tranquille : je m'appliquais à l'étude par inclination [7], et l'on me comptait pour des vertus quelques marques d'aversion naturelle pour le vice. Ma naissance, le succès de mes études et quelques agréments extérieurs m'avaient fait connaître et estimer de tous les honnêtes gens [7] de la ville. J'achevai mes exercices publics [3] avec une approbation si générale, que Monsieur l'Évêque [3], qui y assistait, me proposa d'entrer dans l'état ecclésiastique, où je ne manquerais pas, disait-il, de m'attirer plus de distinction que dans l'ordre de Malte [3], auquel mes parents me destinaient. Ils me faisaient déjà porter la croix, avec le nom de chevalier des Grieux. Les vacances arrivant, je me préparais à retourner chez mon père, qui m'avait promis de m'envoyer bientôt à l'Académie [1,3]. Mon seul regret, en quittant Amiens, était d'y laisser un ami avec lequel j'avais toujours été tendrement uni. Il était de quelques années plus âgé que moi. Nous avions été élevés ensemble, mais le bien de sa maison étant des plus médiocres, il était obligé de prendre l'état ecclésiastique, et de demeurer à Amiens après moi, pour y faire les études qui conviennent à cette profession. Il avait mille bonnes qualités. Vous le connaîtrez par les meilleures dans la suite de mon histoire, et surtout, par un zèle et une générosité en amitié qui surpassent les plus célèbres exemples de l'antiquité. Si j'eusse alors suivi ses conseils, j'aurais toujours été sage et heureux. Si j'avais, du moins, profité de ses reproches dans le précipice où mes passions m'ont entraîné, j'aurais sauvé quelque chose du naufrage de ma fortune et de ma réputation. Mais il n'a point recueilli d'autre fruit de ses soins que le chagrin de les voir inutiles et, quelquefois, durement récompensés par un ingrat qui s'en offensait, et qui les traitait d'importunités.

J'avais marqué le temps de mon départ d'Amiens. Hélas ! que ne le marquais-je un jour plus tôt ! j'aurais porté chez mon père toute mon innocence. La veille ●◆ même de celui que je devais quitter cette ville [1], étant à me promener avec mon ami, qui s'appelait Tiberge [6], nous vîmes arriver le coche [4] d'Arras, et nous le suivîmes jusqu'à l'hôtellerie où ces voitures descendent [2]. Nous n'avions pas d'autre motif que la curiosité. Il en sortit quelques femmes, qui se retirèrent aussitôt. Mais il en resta une, fort jeune, qui s'arrêta seule dans la cour, pendant qu'un homme d'un âge avancé, qui paraissait lui servir de conducteur, s'empressait pour faire tirer son équipage des paniers*. Elle me parut si charmante [7] que moi, qui n'avais jamais pensé à la différence des sexes, ni regardé une fille avec un peu d'attention, moi, dis-je, dont tout le monde admirait la sagesse et la retenue, je me trouvai enflammé tout d'un coup jusqu'au transport [7]. J'avais le défaut d'être excessivement timide et facile à déconcerter ; mais loin d'être arrêté alors par cette faiblesse, je m'avançai vers la maîtresse [7] de mon cœur. Quoiqu'elle fût encore moins âgée que moi, elle reçut mes politesses sans paraître embarrassée. Je lui demandai ce qui l'amenait à Amiens et si elle y avait quelques personnes de connaissance. Elle me répondit ingénument qu'elle y était envoyée par ses parents pour être religieuse. L'amour me rendait déjà si éclairé, depuis un moment qu'il était dans mon cœur, que je regardai ce dessein comme un coup mortel pour mes désirs. Je lui parlai d'une manière qui lui fit comprendre mes sentiments, car elle était bien plus expérimentée que moi. C'était malgré elle qu'on l'envoyait au couvent, pour arrêter sans doute son penchant [7] au plaisir [3], qui s'était

* Grandes caisses d'osier qui servaient de coffre à bagages, à l'arrière du coche.

●◆ Voir *Au fil du texte*, p. X.

déjà déclaré et qui a causé, dans la suite, tous ses malheurs et les miens. Je combattis la cruelle intention de ses parents par toutes les raisons que mon amour naissant et mon éloquence scolastique purent me suggérer. Elle n'affecta ni rigueur ni dédain. Elle me dit, après un moment de silence, qu'elle ne prévoyait que trop qu'elle allait être malheureuse, mais que c'était apparemment la volonté du Ciel, puisqu'il ne lui laissait nul moyen de l'éviter. La douceur de ses regards, un air [7] charmant de tristesse en prononçant ces paroles, ou plutôt, l'ascendant [7] de ma destinée [4] qui m'entraînait à ma perte, ne me permirent pas de balancer un moment sur ma réponse [8]. Je l'assurai que, si elle voulait faire quelque fond sur mon honneur et sur la tendresse [7] infinie qu'elle m'inspirait déjà, j'emploierais ma vie pour la délivrer de la tyrannie de ses parents, et pour la rendre heureuse. Je me suis étonné mille fois, en y réfléchissant, d'où me venait alors tant de hardiesse et de facilité à m'exprimer ; mais on ne ferait pas une divinité de l'amour, s'il n'opérait souvent des prodiges [8]. J'ajoutai mille choses pressantes. Ma belle inconnue savait bien qu'on n'est point trompeur à mon âge ; elle me confessa que, si je voyais quelque jour à la pouvoir mettre en liberté, elle croirait m'être redevable de quelque chose de plus cher que la vie. Je lui répétai que j'étais prêt à tout entreprendre, mais, n'ayant point assez d'expérience pour imaginer tout d'un coup les moyens de la servir, je m'en tenais à cette assurance générale, qui ne pouvait être d'un grand secours pour elle et pour moi. Son vieil Argus* étant venu nous rejoindre, mes espérances allaient échouer si elle n'eût eu assez d'esprit pour suppléer à la stérilité du mien. Je fus surpris, à l'arrivée de son conducteur, qu'elle m'appelât son cousin et que, sans paraître déconcertée le moins du monde, elle me dît que, puisqu'elle était assez heureuse pour me rencontrer à Amiens, elle

* Personnage mythologique, symbole du gardien vigilant.

remettait au lendemain son entrée dans le couvent, afin de se procurer le plaisir de souper avec moi. J'entrai fort bien dans le sens de cette ruse. Je lui proposai de se loger dans une hôtellerie, dont le maître, qui s'était établi à Amiens, après avoir été longtemps cocher de mon père, était dévoué entièrement à mes ordres. Je l'y conduisis moi-même, tandis que le vieux conducteur paraissait un peu murmurer, et que mon ami Tiberge, qui ne comprenait rien à cette scène, me suivait sans prononcer une parole. Il n'avait point entendu notre entretien. Il était demeuré à se promener dans la cour pendant que je parlais d'amour à ma belle maîtresse. Comme je redoutais sa sagesse, je me défis de lui par une commission dont je le priai de se charger. Ainsi j'eus le plaisir, en arrivant à l'auberge, d'entretenir seul la souveraine de mon cœur. Je reconnus bientôt que j'étais moins enfant que je ne le croyais. Mon cœur s'ouvrit à mille sentiments de plaisir dont je n'avais jamais eu l'idée. Une douce chaleur se répandit dans toutes mes veines. J'étais dans une espèce de transport, qui m'ôta pour quelque temps la liberté de la voix et qui ne s'exprimait que par mes yeux. Mademoiselle[7] Manon Lescaut[6], c'est ainsi qu'elle me dit qu'on la nommait, parut fort satisfaite de cet effet de ses charmes[7]. Je crus apercevoir qu'elle n'était pas moins émue que moi. Elle me confessa qu'elle me trouvait aimable[7] et qu'elle serait ravie de m'avoir obligation de sa liberté. Elle voulut savoir qui j'étais, et cette connaissance augmenta son affection, parce qu'étant d'une naissance commune[6], elle se trouva flattée d'avoir fait la conquête d'un amant tel que moi. Nous nous entretînmes des moyens d'être l'un à l'autre. Après quantité de réflexions, nous ne trouvâmes point d'autre voie que celle de la fuite. Il fallait tromper la vigilance du conducteur, qui était un homme à ménager, quoiqu'il ne fût qu'un domestique*. Nous réglâmes

* Un serviteur de la famille. Le mot n'a rien de péjoratif.

que je ferais préparer pendant la nuit une chaise de poste[4], et que je reviendrais de grand matin à l'auberge avant qu'il fût éveillé ; que nous nous déroberions secrètement, et que nous irions droit à Paris, où nous nous ferions marier en arrivant. J'avais environ cinquante écus, qui étaient le fruit de mes petites épargnes ; elle en avait à peu près le double[4]. Nous nous imaginâmes, comme des enfants sans expérience, que cette somme ne finirait jamais, et nous ne comptâmes pas moins sur le succès de nos autres mesures.

Après avoir soupé avec plus de satisfaction que je n'en avais jamais ressenti, je me retirai pour exécuter notre projet. Mes arrangements furent d'autant plus faciles, qu'ayant eu dessein de retourner le lendemain chez mon père, mon petit équipage était déjà préparé. Je n'eus donc nulle peine à faire transporter ma malle, et à faire tenir une chaise prête pour cinq heures du matin, qui étaient le temps où les portes de la ville devaient être ouvertes ; mais je trouvai un obstacle dont je ne me défiais point, et qui faillit de rompre entièrement mon dessein.

Tiberge, quoique âgé seulement de trois ans plus que moi, était un garçon d'un sens mûr et d'une conduite fort réglée. Il m'aimait avec une tendresse extraordinaire[4]. La vue d'une aussi jolie[7] fille que Mademoiselle Manon, mon empressement à la conduire, et le soin que j'avais eu de me défaire de lui en l'éloignant, lui firent naître quelques soupçons de mon amour. Il n'avait osé revenir à l'auberge, où il m'avait laissé, de peur de m'offenser par son retour ; mais il était allé m'attendre à mon logis, où je le trouvai en arrivant, quoiqu'il fût dix heures du soir. Sa présence me chagrina. Il s'aperçut facilement de la contrainte qu'elle me causait. Je suis sûr, me dit-il sans déguisement, que vous méditez quelque dessein que vous me voulez cacher ; je le vois à votre air. Je lui répondis assez brusquement que je n'étais pas obligé de lui rendre compte de tous mes desseins. Non, reprit-il, mais vous m'avez toujours traité en ami, et cette qualité suppose un peu de confiance et d'ouverture. Il me pressa si fort et si longtemps de lui découvrir mon secret, que, n'ayant jamais eu de réserve avec lui, je lui fis l'entière confidence de ma passion. Il la reçut avec une apparence de mécontentement qui me fit frémir. Je me repentis surtout de l'indiscrétion avec laquelle je lui avais découvert le dessein de ma fuite. Il me dit qu'il était trop parfaitement mon ami pour ne pas s'y opposer de tout son pouvoir ; qu'il voulait me représenter d'abord tout ce qu'il croyait capable de m'en détourner, mais que, si je ne renonçais pas ensuite à cette misérable résolution, il avertirait des personnes qui pourraient l'arrêter à coup sûr. Il me tint là-dessus un discours sérieux qui dura plus d'un quart d'heure, et qui finit encore par la menace de me dénoncer, si je ne lui donnais ma parole de me conduire avec plus de sagesse et de raison. J'étais au désespoir de m'être trahi si mal à propos. Cependant, l'amour m'ayant ouvert extrêmement l'esprit depuis deux ou trois heures, je fis attention que je ne lui avais pas découvert que mon dessein devait s'exécuter le lendemain, et je résolus de le tromper à la faveur d'une équivoque[3] : Tiberge, lui dis-je, j'ai cru jusqu'à présent que vous étiez mon ami, et j'ai voulu vous éprouver par cette confidence. Il est vrai que j'aime, je ne vous ai pas trompé, mais, pour ce qui regarde ma fuite, ce n'est point une entreprise à former au hasard. Venez me prendre demain à neuf heures ; je vous ferai voir, s'il se peut, ma maîtresse, et vous jugerez si elle mérite que je fasse cette démarche pour elle. Il me laissa seul, après mille protestations d'amitié. J'employai la nuit à mettre ordre à mes affaires, et m'étant rendu à l'hôtellerie de Mademoiselle Manon vers la pointe du jour, je la trouvai qui m'attendait. Elle était à sa fenêtre, qui donnait sur la rue, de sorte que, m'ayant aperçu, elle vint m'ouvrir elle-même. Nous sortîmes sans bruit. Elle n'avait point d'autre équipage que son linge, dont je me chargeai moi-même. La chaise était en état de partir ; nous nous éloignâmes aussitôt de la ville. Je rapporterai, dans la suite, quelle fut la conduite de Tiberge, lorsqu'il s'aperçut que je l'avais trompé. Son zèle n'en devint pas moins ardent. Vous verrez à quel excès il le porta, et combien je devrais verser de larmes en songeant quelle en a toujours été la récompense.

Nous nous hâtâmes tellement d'avancer que nous arrivâmes à Saint-Denis avant la nuit [1, 2]. J'avais couru à cheval à côté de la chaise, ce qui ne nous avait guère permis de nous entretenir qu'en changeant de chevaux ; mais lorsque nous nous vîmes si proche de Paris, c'est-à-dire presque en sûreté, nous prîmes le temps de nous rafraîchir, n'ayant rien mangé depuis notre départ d'Amiens. Quelque passionné que je fusse pour Manon, elle sut me persuader qu'elle ne l'était pas moins pour moi. Nous étions si peu réservés dans nos caresses [7], que nous n'avions pas la patience d'attendre que nous fussions seuls. Nos postillons et nos hôtes nous regardaient avec admiration, et je remarquais qu'ils étaient surpris de voir deux enfants de notre âge, qui paraissaient s'aimer jusqu'à la fureur. Nos projets de mariage furent oubliés à Saint-Denis ; nous fraudâmes les droits de l'Église, et nous nous trouvâmes époux sans y avoir fait réflexion. Il est sûr que, du naturel tendre et constant dont je suis, j'étais heureux pour toute ma vie, si Manon m'eût été fidèle. Plus je la connaissais, plus je découvrais en elle de nouvelles qualités aimables. Son esprit, son cœur, sa douceur et sa beauté formaient une chaîne si forte et si charmante, que j'aurais mis tout mon bonheur à n'en sortir jamais. Terrible changement ! Ce qui fait mon désespoir a pu [7] faire ma félicité. Je me trouve le plus malheureux de tous les hommes, par cette même constance dont je devais attendre le plus doux de tous les sorts, et les plus parfaites récompenses de l'amour.

Nous prîmes un appartement meublé à Paris. Ce fut dans la rue V... [2] et, pour mon malheur, auprès de la maison de M. de B... [6], célèbre fermier général [4]. Trois semaines se passèrent, pendant lesquelles j'avais été si rempli de ma passion que j'avais peu songé à ma famille et au chagrin que mon père avait dû ressentir de mon absence. Cependant, comme la débauche n'avait nulle part à ma conduite, et que Manon se comportait aussi avec beaucoup de retenue, la tranquillité où nous vivions servit à me faire rappeler peu à peu l'idée de mon devoir. Je résolus de me réconcilier, s'il était possible, avec mon père. Ma maîtresse était si aimable que je ne doutai point qu'elle ne pût lui plaire, si je trouvais moyen de lui faire connaître sa sagesse et son mérite : en un mot, je me flattai d'obtenir de lui la liberté de l'épouser, ayant été désabusé de l'espérance de le pouvoir sans son consentement. Je communiquai ce projet à Manon, et je lui fis entendre qu'outre les motifs de l'amour et du devoir, celui de la nécessité pouvait y entrer aussi pour quelque chose, car nos fonds étaient extrêmement altérés, et je commençais à revenir de l'opinion qu'ils étaient inépuisables. Manon reçut froidement cette proposition. Cependant, les difficultés qu'elle y opposa n'étant prises que de sa tendresse même et de la crainte de me perdre, si mon père n'entrait point dans notre dessein après avoir connu le lieu de notre retraite, je n'eus pas le moindre soupçon du coup cruel qu'on se préparait à me porter. À l'objection de la nécessité, elle répondit qu'il nous restait encore de quoi vivre quelques semaines, et qu'elle trouverait, après cela, des ressources dans l'affection de quelques parents à qui elle écrirait en province. Elle adoucit son refus par des caresses si tendres et si passionnées, que moi, qui ne vivais que dans elle, et qui n'avais pas la moindre défiance de son cœur, j'applaudis à toutes ses réponses et à toutes ses résolutions. Je lui avais laissé la disposition de notre bourse, et le soin de payer notre dépense ordinaire. Je m'aperçus, peu après, que notre table était mieux servie, et qu'elle s'était donné quelques ajustements [7] d'un prix considérable. Comme je n'ignorais pas qu'il devait nous rester à peine douze ou quinze pistoles [4], je lui marquai mon étonnement de cette augmentation apparente de notre opulence. Elle me pria, en riant, d'être sans embarras. Ne vous ai-je pas promis, me dit-elle, que je trouverais des ressources ? Je l'aimais avec trop de simplicité pour m'alarmer facilement.

Un jour que j'étais sorti l'après-midi, et que je l'avais avertie que je serais dehors plus longtemps qu'à l'ordinaire, je fus étonné qu'à mon retour on me fît attendre deux ou trois minutes à la porte. Nous n'étions servis que par une petite fille* qui était à peu près de notre âge. Étant venue m'ouvrir, je lui demandai pourquoi elle avait tardé si longtemps. Elle me répondit, d'un air embarrassé, qu'elle ne m'avait point entendu frapper. Je n'avais frappé qu'une fois ; je lui dis : Mais, si vous ne m'avez pas entendu, pourquoi êtes-vous donc venue m'ouvrir ? Cette question la déconcerta si fort, que, n'ayant point assez de présence d'esprit pour y répondre, elle se mit à pleurer, en m'assurant que ce n'était point sa faute, et que madame lui avait défendu d'ouvrir la porte jusqu'à ce que M. de B... fût sorti par l'autre escalier, qui répondait au cabinet. Je demeurai si confus, que je n'eus point la force d'entrer dans l'appartement. Je pris le parti de descendre sous prétexte d'une affaire, et j'ordonnai à cette enfant de dire à sa maîtresse que je retournerais dans le moment, mais de ne pas faire connaître qu'elle m'eût parlé de M. de B...

Ma consternation fut si grande, que je versais des larmes en descendant l'escalier, sans savoir encore de quel sentiment elles partaient. J'entrai dans le premier café[4] et m'y étant assis près d'une table, j'appuyai la tête sur mes deux mains pour y développer ce qui se passait dans mon cœur. Je n'osais rappeler ce que je venais d'entendre. Je voulais le considérer comme une illusion, et je fus prêt deux ou trois fois de retourner au logis, sans marquer que j'y eusse fait attention. Il me paraissait si impossible que Manon m'eût trahi, que

* Une servante.

je craignais de lui faire injure en la soupçonnant. Je l'adorais[7], cela était sûr ; je ne lui avais pas donné plus de preuves d'amour que je n'en avais reçu d'elle ; pourquoi l'aurais-je accusée d'être moins sincère et moins constante que moi ? Quelle raison aurait-elle eue de me tromper ? Il n'y avait que trois heures qu'elle m'avait accablé de ses plus tendres caresses et qu'elle avait reçu les miennes avec transport[7] ; je ne connaissais pas mieux mon cœur que le sien. Non, non, reprisje. Il n'est pas possible que Manon me trahisse. Elle n'ignore pas que je ne vis que pour elle. Elle sait trop bien que je l'adore. Ce n'est pas là un sujet de me haïr.

Cependant la visite et la sortie furtive de M. de B... me causaient de l'embarras. Je rappelais aussi les petites acquisitions de Manon, qui me semblaient surpasser nos richesses présentes. Cela paraissait sentir les libéralités d'un nouvel amant. Et cette confiance qu'elle m'avait marquée pour des ressources qui m'étaient inconnues ! J'avais peine à donner à tant d'énigmes un sens aussi favorable que mon cœur le souhaitait. D'un autre côté, je ne l'avais presque pas perdue de vue depuis que nous étions à Paris. Occupations, promenades, divertissements, nous avions toujours été l'un à côté de l'autre ; mon Dieu ! un instant de séparation nous aurait trop affligés. Il fallait nous dire sans cesse que nous nous aimions ; nous serions morts d'inquiétude sans cela. Je ne pouvais donc m'imaginer presque un seul moment où Manon pût s'être occupée d'un autre que moi. À la fin, je crus avoir trouvé le dénouement de ce mystère. M. de B..., dis-je en moi-même, est un homme qui fait de grosses affaires, et qui a de grandes relations ; les parents de Manon se seront servis de cet homme pour lui faire tenir quelque argent. Elle en a peut-être déjà reçu de lui ; il est venu aujourd'hui lui en apporter encore. Elle s'est fait sans doute un jeu de me le cacher, pour me surprendre agréablement. Peut-être m'en aurait-elle parlé si j'étais rentré à l'ordinaire, au lieu de venir ici m'affliger ; elle ne me le cachera pas, du moins, lorsque je lui en parlerai moi-même.

Je me remplis si fortement de cette opinion, qu'elle eut la force de diminuer beaucoup ma tristesse. Je retournai sur-le-champ au logis. J'embrassai Manon avec ma tendresse ordinaire. Elle me reçut fort bien. J'étais tenté d'abord de lui découvrir mes conjectures, que je regardais plus que jamais comme certaines ; je me retins, dans l'espérance qu'il lui arriverait peut-être de me prévenir[7], en m'apprenant tout ce qui s'était passé. On nous servit à souper. Je me mis à table d'un air fort gai ; mais à la lumière de la chandelle qui était entre elle et moi, je crus apercevoir de la tristesse sur le visage et dans les yeux de ma chère maîtresse. Cette pensée m'en inspira aussi. Je remarquai que ses regards s'attachaient sur moi d'une autre façon qu'ils n'avaient accoutumé. Je ne pouvais démêler si c'était de l'amour ou de la compassion, quoiqu'il me parût que c'était un sentiment doux et languissant. Je la regardai avec la même attention ; et peut-être n'avait-elle pas moins de peine à juger de la situation de mon cœur par mes regards. Nous ne pensions ni à parler, ni à manger. Enfin, je vis tomber des larmes de ses beaux yeux : perfides larmes ! Ah Dieux ! m'écriai-je, vous pleurez, ma chère Manon ; vous êtes affligée jusqu'à pleurer, et vous ne me dites pas un seul mot de vos peines. Elle ne me répondit que par quelques soupirs qui augmentèrent mon inquiétude. Je me levai en tremblant. Je la conjurai, avec tous les empressements de l'amour, de me découvrir le sujet de ses pleurs ; j'en versai moi-même en essuyant les siens ; j'étais plus mort que vif. Un barbare aurait été attendri des témoignages de ma douleur et de ma crainte. Dans le temps que j'étais ainsi tout occupé d'elle, j'entendis le bruit de plusieurs personnes qui montaient l'escalier. On frappa doucement à la porte. Manon me donna un baiser, et s'échappant de mes bras, elle entra rapidement dans le cabinet*, qu'elle ferma aussitôt sur elle. Je me figurai qu'étant

* Petite pièce à usages multiples, auprès des chambres.

Voir *Au fil du texte*, p. XII.

un peu en désordre, elle voulait se cacher aux yeux des étrangers qui avaient frappé. J'allai leur ouvrir moi-même. À peine avais-je ouvert, que je me vis saisir par trois hommes, que je reconnus pour les laquais de mon père. Ils ne me firent point de violence ; mais deux d'entre eux m'ayant pris par le bras, le troisième visita mes poches, dont il tira un petit couteau qui était le seul fer que j'eusse sur moi. Ils me demandèrent pardon de la nécessité où ils étaient de me manquer de respect ; ils me dirent naturellement [7] qu'ils agissaient par l'ordre de mon père, et que mon frère aîné m'attendait en bas dans un carrosse [4]. J'étais si troublé, que je me laissai conduire sans résister et sans répondre. Mon frère était effectivement à m'attendre. On me mit dans le carrosse, auprès de lui, et le cocher, qui avait ses ordres, nous conduisit à grand train jusqu'à Saint-Denis. Mon frère m'embrassa tendrement, mais il ne me parla point, de sorte que j'eus tout le loisir dont j'avais besoin, pour rêver à mon infortune.

J'y trouvai d'abord tant d'obscurité que je ne voyais pas de jour à la moindre conjecture. J'étais trahi cruellement. Mais par qui ? Tiberge fut le premier qui me vint à l'esprit. Traître ! disais-je, c'est fait de ta vie si mes soupçons se trouvent justes. Cependant je fis réflexion qu'il ignorait le lieu de ma demeure, et qu'on ne pouvait, par conséquent, l'avoir appris de lui. Accuser Manon, c'est de quoi mon cœur n'osait se rendre coupable. Cette tristesse extraordinaire dont je l'avais vue comme accablée, ses larmes, le tendre baiser qu'elle m'avait donné en se retirant, me paraissaient bien une énigme ; mais je me sentais porté à l'expliquer comme un pressentiment de notre malheur commun, et dans le temps que je me désespérais de l'accident qui m'arrachait à elle, j'avais la crédulité de m'imaginer qu'elle était encore plus à plaindre que moi. Le résultat de ma méditation fut de me persuader que j'avais été aperçu dans les rues de Paris par quelques personnes de connaissance, qui en avaient donné avis à mon père. Cette pensée me consola. Je comptais d'en être quitte pour des reproches ou pour quelques mauvais traitements, qu'il me faudrait essuyer de l'autorité paternelle. Je résolus de les souffrir avec patience, et de promettre tout ce qu'on exigerait de moi, pour me faciliter l'occasion de retourner plus promptement à Paris, et d'aller rendre la vie et la joie à ma chère Manon.

Nous arrivâmes, en peu de temps, à Saint-Denis. Mon frère, surpris de mon silence, s'imagina que c'était un effet de ma crainte. Il entreprit de me consoler, en m'assurant que je n'avais rien à redouter de la sévérité de mon père, pourvu que je fusse disposé à rentrer doucement dans le devoir, et à mériter l'affection qu'il avait pour moi. Il me fit passer la nuit à Saint-Denis, avec la précaution de faire coucher les trois laquais dans ma chambre. Ce qui me causa une peine sensible, fut de me voir dans la même hôtellerie où je m'étais arrêté avec Manon, en venant d'Amiens à Paris. L'hôte et les domestiques me reconnurent, et devinèrent en même temps la vérité de mon histoire. J'entendis dire à l'hôte : Ah ! c'est ce joli [7] monsieur qui passait, il y a six semaines [1], avec une petite demoiselle qu'il aimait si fort. Qu'elle était charmante ! Les pauvres enfants, comme ils se caressaient ! Pardi, c'est dommage qu'on les ait séparés [4]. Je feignais de ne rien entendre, et je me laissais voir le moins qu'il m'était possible. Mon frère avait, à Saint-Denis, une chaise à deux [4], dans laquelle nous partîmes de grand matin, et nous arrivâmes chez nous le lendemain au soir. Il vit mon père avant moi, pour le prévenir en ma faveur en lui apprenant avec quelle douceur je m'étais laissé conduire, de sorte que j'en fus reçu moins durement que je ne m'y étais attendu [4]. Il se contenta de me faire quelques reproches généraux sur la faute que j'avais commise en m'absentant sans sa permission. Pour ce qui regardait ma maîtresse, il me dit que j'avais bien mérité ce qui venait de m'arriver, en me livrant à une inconnue ; qu'il avait eu meilleure opinion de ma prudence, mais qu'il espérait que cette petite aventure me rendrait plus sage. Je ne pris ce discours que dans le sens qui s'accordait avec mes idées. Je remerciai mon père de la bonté qu'il avait de me pardonner, et je lui promis de prendre une conduite plus soumise et plus réglée. Je triomphais au fond du cœur, car de la manière dont les choses s'arrangeaient, je ne doutais point que je n'eusse la liberté de me dérober de la maison, même avant la fin de la nuit.

On se mit à table pour souper ; on me railla sur ma conquête d'Amiens, et sur ma fuite avec cette fidèle maîtresse. Je reçus les coups de bonne grâce. J'étais même charmé qu'il me fût permis de m'entretenir de ce qui m'occupait continuellement l'esprit. Mais quelques mots lâchés par mon père me firent prêter l'oreille avec la dernière attention : il parla de perfidie et de service intéressé, rendu par Monsieur B... [6] Je demeurai interdit en lui entendant prononcer ce nom, et je le priai humblement de s'expliquer davantage. Il se tourna vers mon frère, pour lui demander s'il ne m'avait pas raconté toute l'histoire. Mon frère lui répondit que je lui avais paru si tranquille sur la route, qu'il n'avait pas cru que j'eusse besoin de ce remède pour me guérir de ma folie. Je remarquai que mon père balançait s'il achèverait de s'expliquer. Je l'en suppliai si instamment, qu'il me satisfit, ou plutôt, qu'il m'assassina cruellement par le plus horrible de tous les récits.

Il me demanda d'abord si j'avais toujours eu la simplicité de croire que je fusse aimé de ma maîtresse. Je lui dis hardiment que j'en étais si sûr que rien ne pouvait m'en donner la moindre défiance. Ha ! ha ! ha ! s'écria-t-il en riant de toute sa force, cela est excellent ! Tu es une jolie dupe, et j'aime à te voir dans ces sentiments-là. C'est grand dommage, mon pauvre Chevalier, de te faire entrer dans l'Ordre de Malte, puisque tu as tant de disposition à faire un mari patient et commode. Il ajouta mille railleries de cette force, sur ce qu'il appelait ma sottise et ma crédulité. Enfin, comme je demeurais dans le silence, il continua de me dire que, suivant le calcul qu'il pouvait faire du temps depuis mon départ d'Amiens, Manon m'avait aimé environ douze jours : car, ajouta-t-il, je sais que tu partis d'Amiens le 28 de l'autre mois ; nous sommes au 29 du présent ; il y en a onze que Monsieur B... m'a écrit ; je suppose qu'il lui en ait fallu huit pour lier une parfaite connaissance avec ta maîtresse ; ainsi, qui ôte onze et huit de trente-un jours qu'il y a depuis le 28 d'un mois jusqu'au 29 de l'autre, reste douze, un peu plus ou moins[1]. Là-dessus, les éclats de rire recommencèrent. J'écoutais tout avec un saisissement de cœur auquel j'appréhendais de ne pouvoir résister jusqu'à la fin de cette triste comédie. Tu sauras donc, reprit mon père, puisque tu l'ignores, que Monsieur B... a gagné le cœur de ta princesse, car il se moque de moi, de prétendre me persuader que c'est par un zèle désintéressé pour mon service qu'il a voulu te l'enlever. C'est bien d'un homme tel que lui, de qui, d'ailleurs, je ne suis pas connu, qu'il faut attendre des sentiments si nobles ! Il a su d'elle que tu es mon fils, et pour se délivrer de tes importunités, il m'a écrit le lieu de ta demeure et le désordre où tu vivais, en me faisant entendre qu'il fallait main-forte pour s'assurer de toi. Il s'est offert de me faciliter les moyens de te saisir au collet, et c'est par sa direction et celle de ta maîtresse même que ton frère a trouvé le moment de te prendre sans vert*. Félicite-toi maintenant de la durée de ton triomphe. Tu sais vaincre assez rapidement, Chevalier ; mais tu ne sais pas conserver tes conquêtes[8].

Je n'eus pas la force de soutenir plus longtemps un discours dont chaque mot m'avait percé le cœur. Je me levai de table, et je n'avais pas fait quatre pas pour sortir de la salle, que je tombai sur le plancher, sans sentiment et sans connaissance. On me les rappela par de prompts secours. J'ouvris les yeux pour verser un torrent de pleurs, et la bouche pour proférer les plaintes les plus tristes et les plus touchantes. Mon père, qui m'a

* À l'improviste, au dépourvu. Expression empruntée à un jeu d'enfant où l'on perdait si l'on ne portait sur soi une feuille verte.

toujours aimé tendrement, s'employa avec toute son affection pour me consoler. Je l'écoutais, mais sans l'entendre. Je me jetai à ses genoux, je le conjurai, en joignant les mains, de me laisser retourner à Paris pour aller poignarder B... Non, disais-je, il n'a pas gagné le cœur de Manon, il lui a fait violence ; il l'a séduite par un charme ou par un poison[8] ; il l'a peut-être forcée brutalement. Manon m'aime. Ne le sais-je pas bien ! Il l'aura menacée, le poignard à la main, pour la contraindre de m'abandonner. Que n'aura-t-il pas fait pour me ravir une si charmante maîtresse ! Ô dieux ! dieux ! serait-il possible que Manon m'eût trahi, et qu'elle eût cessé de m'aimer !

Comme je parlais toujours de retourner promptement à Paris, et que je me levais même à tous moments pour cela, mon père vit bien que, dans le transport où j'étais, rien ne serait capable de m'arrêter. Il me conduisit dans une chambre haute, où il laissa deux domestiques avec moi pour me garder à vue. Je ne me possédais point. J'aurais donné mille vies pour être seulement un quart d'heure à Paris. Je compris que, m'étant déclaré si ouvertement, on ne me permettrait pas aisément de sortir de ma chambre. Je mesurai des yeux la hauteur des fenêtres ; ne voyant nulle possibilité de m'échapper par cette voie, je m'adressai doucement à mes deux domestiques. Je m'engageai, par mille serments, à faire un jour leur fortune, s'ils voulaient consentir à mon évasion. Je les pressai, je les caressai, je les menaçai ; mais cette tentative fut encore inutile. Je perdis alors toute espérance. Je résolus de mourir, et je me jetai sur un lit, avec le dessein de ne le quitter qu'avec la vie. Je passai la nuit et le jour suivant dans cette situation. Je refusai la nourriture qu'on m'apporta le lendemain. Mon père vint me voir l'après-midi. Il eut la bonté de flatter mes peines par les plus douces consolations. Il m'ordonna si absolument de manger quelque chose, que je le fis par respect pour ses ordres. Quelques jours se passèrent, pendant lesquels je ne pris rien qu'en sa présence et pour lui obéir. Il continuait toujours de m'apporter les raisons qui pouvaient me ramener au bon sens et m'inspirer du mépris pour l'infidèle Manon. Il est certain que je ne l'estimais plus ; comment aurais-je estimé la plus volage et la plus perfide de toutes les créatures ? Mais son image, ses traits charmants que je portais au fond du cœur, y subsistaient toujours. Je me sentais bien[7]. Je puis mourir, disais-je ; je le devrais même, après tant de honte et de douleur ; mais je souffrirais mille morts sans pouvoir oublier l'ingrate Manon.

Mon père était surpris de me voir toujours si fortement touché[7]. Il me connaissait des principes d'honneur, et ne pouvant douter que sa trahison ne me la fît mépriser, il s'imagina que ma constance venait moins de cette passion en particulier que d'un penchant général pour les femmes. Il s'attacha tellement à cette pensée que, ne consultant que sa tendre affection, il vint un jour m'en faire l'ouverture. Chevalier, me dit-il, j'ai eu dessein, jusqu'à présent, de te faire porter la croix de Malte ; mais je vois que tes inclinations ne sont point tournées de ce côté-là. Tu aimes les jolies femmes. Je suis d'avis de t'en chercher une qui te plaise. Explique-moi naturellement ce que tu penses là-dessus. Je lui répondis que je ne mettais plus de distinction entre les femmes, et qu'après le malheur qui venait de m'arriver je les détestais toutes également. Je t'en chercherai une, reprit mon père en souriant, qui ressemblera à Manon, et qui sera plus fidèle. Ah ! si vous avez quelque bonté pour moi, lui dis-je, c'est elle qu'il faut me rendre. Soyez sûr, mon cher père, qu'elle ne m'a point trahi ; elle n'est pas capable d'une si noire et si cruelle lâcheté. C'est le perfide B... qui nous trompe, vous, elle et moi. Si vous saviez combien elle est tendre et sincère, si vous la connaissiez, vous l'aimeriez vous-même. Vous êtes un enfant, repartit mon père. Comment pouvez-vous vous aveugler jusqu'à ce point, après ce que je vous ai raconté d'elle ? C'est elle-même qui vous a livré à votre frère. Vous devriez oublier jusqu'à son nom, et profiter, si vous êtes sage, de l'indulgence que j'ai pour vous. Je reconnaissais trop clairement qu'il avait raison. C'était un mouvement involontaire qui me faisait prendre ainsi le parti de mon infidèle. Hélas ! repris-je, après un moment de silence, il n'est que trop vrai que je suis le malheureux objet de la plus lâche de toutes les perfidies. Oui, continuai-je, en versant des larmes de dépit, je vois bien que je ne suis qu'un enfant. Ma crédulité ne leur coûtait guère à tromper. Mais je sais bien ce que j'ai à faire pour me venger. Mon père voulut savoir quel était mon dessein. J'irai à Paris, lui dis-je, je mettrai le feu à la maison de B..., et je le brûlerai tout vif avec la perfide Manon. Cet emportement fit rire mon père et ne servit qu'à me faire garder plus étroitement dans ma prison.

J'y passai six mois entiers [1], pendant le premier desquels il y eut peu de changement dans mes dispositions. Tous mes sentiments n'étaient qu'une alternative perpétuelle de haine et d'amour, d'espérance ou de désespoir, selon l'idée sous laquelle Manon s'offrait à mon esprit. Tantôt je ne considérais en elle que la plus aimable de toutes les filles, et je languissais du désir de la revoir ; tantôt je n'y apercevais qu'une lâche et perfide maîtresse, et je faisais mille serments de ne la chercher que pour la punir. On me donna des livres, qui servirent à rendre un peu de tranquillité à mon âme. Je relus tous mes auteurs ; j'acquis de nouvelles connaissances ; je repris un goût infini [7] pour l'étude. Vous verrez de quelle utilité il me fut dans la suite. Les lumières que je devais à l'amour me firent trouver de la clarté dans quantités d'endroits d'Horace et de Virgile, qui m'avaient paru obscurs auparavant. Je fis un commentaire amoureux sur le quatrième livre de l'*Énéide* ; je le destine à voir le jour, et je me flatte que le public en sera satisfait. Hélas ! disais-je en le faisant, c'était un cœur tel que le mien qu'il fallait à la fidèle Didon [8].

Tiberge vint me voir un jour dans ma prison. Je fus surpris du transport avec lequel il m'embrassa [4]. Je n'avais point encore eu de preuves de son affection qui pussent me la faire regarder autrement que comme une simple amitié de collège, telle qu'elle se forme entre de jeunes gens qui sont à peu près du même âge. Je le trouvai si changé et si formé, depuis cinq ou six mois que j'avais passés sans le voir, que sa figure et le ton de son discours m'inspirèrent du respect. Il me parla en conseiller sage, plutôt qu'en ami d'école. Il plaignit l'égarement où j'étais tombé. Il me félicita de ma guérison, qu'il croyait avancée ; enfin il m'exhorta à profiter de cette erreur de jeunesse pour ouvrir les yeux sur la vanité des plaisirs. Je le regardai avec étonnement. Il s'en aperçut. Mon cher Chevalier, me dit-il, je ne vous dis rien qui ne soit solidement vrai, et dont je ne me sois convaincu par un sérieux examen. J'avais autant de penchant [7] que vous vers la volupté [8], mais le Ciel m'avait donné, en même temps, du goût pour la vertu. Je me suis servi de ma raison pour comparer les fruits de l'une et de l'autre et je n'ai pas tardé longtemps à découvrir leurs différences. Le secours du Ciel s'est joint à mes réflexions. J'ai conçu pour le monde un mépris auquel il n'y a rien d'égal. Devineriez-vous ce qui m'y retient, ajouta-t-il, et ce qui m'empêche de courir à la solitude* ? C'est uniquement la tendre amitié que j'ai pour vous. Je connais l'excellence de votre cœur et de votre esprit ; il n'y a rien de bon dont vous ne puissiez vous rendre capable. Le poison du plaisir vous a fait écarter du chemin. Quelle perte pour la vertu ! Votre fuite d'Amiens m'a causé tant de douleur, que je n'ai pas goûté, depuis, un seul moment de satisfaction. Jugez-en par les démarches qu'elle m'a fait faire. Il me raconta qu'après s'être aperçu que je l'avais trompé et que j'étais parti avec ma maîtresse, il était monté à cheval pour me suivre ; mais qu'ayant sur lui quatre ou cinq heures d'avance, il lui avait été impossible de me joindre ; qu'il était arrivé néanmoins à Saint-Denis une demi-heure après mon départ ; qu'étant

* La retraite dans un couvent.

bien certain que je me serais arrêté à Paris, il y avait passé six semaines à me chercher inutilement ; qu'il allait dans tous les lieux où il se flattait de pouvoir me trouver, et qu'un jour enfin il avait reconnu ma maîtresse à la Comédie[2] ; qu'elle y était dans une parure si éclatante qu'il s'était imaginé qu'elle devait cette fortune à un nouvel amant ; qu'il avait suivi son carrosse[4] jusqu'à sa maison, et qu'il avait appris d'un domestique qu'elle était entretenue par les libéralités de Monsieur B... Je ne m'arrêtai point là, continua-t-il. J'y retournai le lendemain, pour apprendre d'elle-même ce que vous étiez devenu ; elle me quitta brusquement, lorsqu'elle m'entendit parler de vous, et je fus obligé de revenir en province sans aucun autre éclaircissement. J'y appris votre aventure et la consternation extrême qu'elle vous a causée ; mais je n'ai pas voulu vous voir, sans être assuré de vous trouver plus tranquille.

Vous avez donc vu Manon, lui répondis-je en soupirant. Hélas ! vous êtes plus heureux que moi, qui suis condamné à ne la revoir jamais. Il me fit des reproches de ce soupir, qui marquait encore de la faiblesse pour elle. Il me flatta si adroitement sur la bonté de mon caractère[7] et sur mes inclinations, qu'il me fit naître dès cette première visite, une forte envie de renoncer comme lui à tous les plaisirs du siècle pour entrer dans l'état ecclésiastique.

Je goûtai tellement cette idée que, lorsque je me trouvai seul, je ne m'occupai plus d'autre chose. Je me rappelai les discours de M. l'Évêque d'Amiens[3], qui m'avait donné le même conseil, et les présages heureux qu'il avait formés en ma faveur, s'il m'arrivait d'embrasser ce parti. La piété se mêla aussi dans mes considérations. Je mènerai une vie sage et chrétienne, disais-je ; je m'occuperai de l'étude et de la religion, qui ne me permettront point de penser aux dangereux plaisirs de l'amour. Je mépriserai ce que le commun des hommes admire ; et comme je sens assez que mon cœur ne désirera que ce qu'il estime, j'aurai aussi peu d'inquiétudes que de désirs. Je formai là-dessus, d'avance, un système de vie[7] paisible et solitaire. J'y faisais entrer une maison écartée, avec un petit bois et un ruisseau d'eau douce au bout du jardin, une bibliothèque composée de livres choisis, un petit nombre d'amis vertueux et de bon sens, une table propre[7], mais frugale et modérée. J'y joignais un commerce[7] de lettres avec un ami qui ferait son séjour à Paris, et qui m'informerait des nouvelles publiques, moins pour satisfaire ma curiosité que pour me faire un divertissement des folles agitations des hommes[8]. Ne serai-je pas heureux ? ajoutais-je ; toutes mes prétentions ne seront-elles point remplies ? Il est certain que ce projet flattait extrêmement mes inclinations. Mais, à la fin d'un si sage arrangement, je sentais que mon cœur attendait encore quelque chose, et que, pour n'avoir rien à désirer dans la plus charmante solitude, il y fallait être avec Manon.

Cependant, Tiberge continuant de me rendre de fréquentes visites, dans le dessein qu'il m'avait inspiré, je pris l'occasion d'en faire l'ouverture à mon père. Il me déclara que son intention était de laisser ses enfants libres dans le choix de leur condition et que, de quelque manière que je voulusse disposer de moi, il ne se réserverait que le droit de m'aider de ses conseils[4]. Il m'en donna de fort sages, qui tendaient moins à me dégoûter de mon projet, qu'à me le faire embrasser avec connaissance. Le renouvellement de l'année scolastique[3] approchait. Je convins avec Tiberge de nous mettre ensemble au séminaire de Saint-Sulpice[3], lui pour achever ses études de théologie, et moi pour commencer les miennes. Son mérite, qui était connu de l'évêque du diocèse[3], lui fit obtenir de ce prélat un bénéfice considérable[3] avant notre départ.

Mon père, me croyant tout à fait revenu de ma passion, ne fit aucune difficulté de me laisser partir. Nous arrivâmes à Paris[1]. L'habit ecclésiastique prit la place de la croix de Malte, et le nom d'abbé des Grieux celle de chevalier. Je m'attachai à l'étude avec tant d'application, que je fis des progrès extraordinaires en peu de mois. J'y employais une partie de la nuit, et je ne perdais pas un moment du jour. Ma réputation eut tant d'éclat, qu'on me félicitait déjà sur les dignités que je ne pouvais manquer d'obtenir, et sans l'avoir sollicité, mon nom fut couché sur la feuille des bénéfices [3]. La piété n'était pas plus négligée ; j'avais de la ferveur pour tous les exercices [3]. Tiberge était charmé de ce qu'il regardait comme son ouvrage, et je l'ai vu plusieurs fois répandre des larmes, en s'applaudissant de ce qu'il nommait ma conversion. Que les résolutions humaines soient sujettes à changer, c'est ce qui ne m'a jamais causé d'étonnement ; une passion les fait naître, une autre passion peut les détruire ; mais quand je pense à la sainteté de celles qui m'avaient conduit à Saint-Sulpice et à la joie intérieure que le Ciel m'y faisait goûter en les exécutant, je suis effrayé de la facilité avec laquelle j'ai pu les rompre. S'il est vrai que les secours célestes sont à tous moments d'une force égale à celle des passions, qu'on m'explique donc par quel funeste ascendant [4] on se trouve emporté tout d'un coup loin de son devoir, sans se trouver capable de la moindre résistance, et sans ressentir le moindre remords. Je me croyais absolument délivré des faiblesses de l'amour. Il me semblait que j'aurais préféré la lecture d'une page de saint Augustin [8], ou un quart d'heure de méditation chrétienne, à tous les plaisirs des sens, sans excepter ceux qui m'auraient été offerts par Manon. Cependant, un instant malheureux me fit retomber dans le précipice, et ma chute fut d'autant plus irréparable, que me trouvant tout d'un coup au même degré de profondeur d'où j'étais sorti, les nouveaux désordres où je tombai me portèrent bien plus loin vers le fond de l'abîme.

J'avais passé près d'un an à Paris [1], sans m'informer des affaires de Manon. Il m'en avait d'abord coûté beaucoup pour me faire cette violence ; mais les conseils toujours présents de Tiberge, et mes propres réflexions, m'avaient fait obtenir la victoire. Les derniers mois s'étaient écoulés si tranquillement que je me croyais sur le point d'oublier éternellement cette charmante et perfide créature. Le temps arriva auquel je devais soutenir un exercice public dans l'École de Théologie[3]. Je fis prier plusieurs personnes de considération[7] de m'honorer de leur présence. Mon nom fut ainsi répandu dans tous les quartiers de Paris : il alla jusqu'aux oreilles de mon infidèle. Elle ne le reconnut pas avec certitude sous le titre d'abbé[3] ; mais un reste de curiosité, ou peut-être quelque repentir de m'avoir trahi (je n'ai jamais pu démêler lequel de ces deux sentiments) lui fit prendre intérêt à un nom si semblable au mien ; elle vint en Sorbonne avec quelques autres dames. Elle fut présente à mon exercice, et sans doute qu'elle eut peu de peine à me remettre.

Je n'eus pas la moindre connaissance de cette visite. On sait qu'il y a, dans ces lieux, des cabinets particuliers pour les dames, où elles sont cachées derrière une jalousie. Je retournai à Saint-Sulpice, couvert de gloire et chargé de compliments. Il était six heures du soir. On vint m'avertir, un moment après mon retour, qu'une dame demandait à me voir. J'allai au parloir sur-le-champ. Dieux ! quelle apparition surprenante ! j'y trouvai Manon. C'était elle, mais plus aimable et plus brillante que je ne l'avais jamais vue. Elle était dans sa dix-huitième année[1]. Ses charmes surpassaient tout ce qu'on peut décrire. C'était un air si fin, si doux, si engageant, l'air de l'Amour même. Toute sa figure me parut un enchantement[4].

Je demeurai interdit à sa vue, et ne pouvant conjecturer quel était le dessein de cette visite, j'attendais, les yeux baissés et avec tremblement, qu'elle s'expliquât. Son embarras fut, pendant quelque temps, égal au mien, mais, voyant que mon silence continuait, elle mit la main devant ses yeux, pour cacher quelques larmes. Elle me dit, d'un ton timide, qu'elle confessait que son infidélité méritait ma haine ; mais que, s'il était vrai que j'eusse jamais eu quelque tendresse pour elle, il y avait eu, aussi, bien de la dureté à laisser passer deux ans [1] sans prendre soin de m'informer de son sort, et qu'il y en avait beaucoup encore à la voir dans l'état où elle était en ma présence, sans lui dire une parole. Le désordre de mon âme, en l'écoutant, ne saurait être exprimé.

Elle s'assit. Je demeurai debout, le corps à demi tourné, n'osant l'envisager directement. Je commençai plusieurs fois une réponse, que je n'eus pas la force d'achever. Enfin, je fis un effort pour m'écrier douloureusement : Perfide Manon ! Ah ! perfide ! perfide ! Elle me répéta, en pleurant à chaudes larmes, qu'elle ne prétendait point justifier sa perfidie. Que prétendez-vous donc ? m'écriai-je encore. Je prétends mourir, répondit-elle, si vous ne me rendez votre cœur, sans lequel il est impossible que je vive. Demande donc ma vie, infidèle ! repris-je en versant moi-même des pleurs, que je m'efforçai en vain de retenir. Demande ma vie, qui est l'unique chose qui me reste à te sacrifier ; car mon cœur n'a jamais cessé d'être à toi [3]. À peine eus-je achevé ces derniers mots, qu'elle se leva avec transport pour venir m'embrasser. Elle m'accabla de mille caresses [7] passionnées. Elle m'appela par tous les noms que l'amour invente pour exprimer ses plus vives tendresses. Je n'y répondais encore qu'avec langueur. Quel passage, en effet, de la situation tranquille où j'avais été, aux mouvements tumultueux que je sentais renaître ! J'en étais épouvanté. Je frémissais, comme il arrive lorsqu'on se trouve la nuit dans une campagne écartée : on se croit transporté dans un nouvel ordre de choses ; on y est saisi d'une horreur [7] secrète, dont on ne se remet qu'après avoir considéré longtemps tous les environs.

Nous nous assîmes l'un près de l'autre. Je pris ses mains dans les miennes. Ah ! Manon, lui dis-je en la regardant d'un œil triste, je ne m'étais pas attendu à la noire trahison dont vous avez payé mon amour. Il vous était bien facile de tromper un cœur dont vous étiez la souveraine absolue, et qui mettait toute sa félicité à vous plaire et à vous obéir. Dites-moi maintenant

Voir *Au fil du texte*, p. XI.

si vous en avez trouvé d'aussi tendres et d'aussi soumis. Non, non, la Nature n'en fait guère de la même trempe que le mien. Dites-moi, du moins, si vous l'avez quelquefois regretté. Quel fond dois-je faire sur ce retour de bonté qui vous ramène aujourd'hui pour le consoler ? Je ne vois que trop que vous êtes plus charmante que jamais ; mais au nom de toutes les peines que j'ai souffertes pour vous, belle Manon, dites-moi si vous serez plus fidèle.

Elle me répondit des choses si touchantes sur son repentir, et elle s'engagea à la fidélité par tant de protestations et de serments, qu'elle m'attendrit à un degré inexprimable. Chère Manon ! lui dis-je, avec un mélange profane d'expressions amoureuses et théologiques, tu es trop adorable pour une créature. Je me sens le cœur emporté par une délectation [3, 7] victorieuse. Tout ce qu'on dit de la liberté à Saint-Sulpice est une chimère. Je vais perdre ma fortune et ma réputation pour toi, je le prévois bien ; je lis ma destinée dans tes beaux yeux ; mais de quelles pertes ne serai-je pas consolé par ton amour ! Les faveurs de la fortune ne me touchent point ; la gloire me paraît une fumée ; tous mes projets de vie ecclésiastique étaient de folles imaginations ; enfin tous les biens différents de ceux que j'espère avec toi sont des biens méprisables, puisqu'ils ne sauraient tenir un moment, dans mon cœur, contre un seul de tes regards [3].

En lui promettant néanmoins un oubli général de ses fautes, je voulus être informé de quelle manière elle s'était laissé séduire par B... Elle m'apprit que, l'ayant vue à sa fenêtre, il était devenu passionné pour elle ; qu'il avait fait sa déclaration en fermier général [4], c'est-à-dire en lui marquant dans une lettre que le payement serait proportionné aux faveurs [4] ; qu'elle avait capitulé d'abord [7], mais sans autre dessein que de tirer de lui quelque somme considérable qui pût servir à nous faire vivre commodément ; qu'il l'avait éblouie par de si magnifiques promesses, qu'elle s'était laissé ébranler par degrés ; que je devais juger pourtant de ses remords par la douleur dont elle m'avait laissé voir des témoignages, la veille de notre séparation ; que, malgré l'opulence dans laquelle il l'avait entretenue, elle n'avait jamais goûté de bonheur avec lui, non seulement parce qu'elle n'y trouvait point, me dit-elle, la délicatesse[7] de mes sentiments et l'agrément de mes manières, mais parce qu'au milieu même des plaisirs qu'il lui procurait sans cesse, elle portait, au fond du cœur, le souvenir de mon amour, et le remords de son infidélité. Elle me parla de Tiberge et de la confusion extrême que sa visite lui avait causée. Un coup d'épée dans le cœur, ajouta-t-elle, m'aurait moins ému le sang. Je lui tournai le dos, sans pouvoir soutenir un moment sa présence. Elle continua de me raconter par quels moyens elle avait été instruite de mon séjour à Paris, du changement de ma condition, et de mes exercices de Sorbonne. Elle m'assura qu'elle avait été si agitée, pendant la dispute*, qu'elle avait eu beaucoup de peine, non seulement à retenir ses larmes, mais ses gémissements mêmes et ses cris, qui avaient été plus d'une fois sur le point d'éclater. Enfin, elle me dit qu'elle était sortie de ce lieu la dernière, pour cacher son désordre, et que, ne suivant que le mouvement de son cœur et l'impétuosité de ses désirs, elle était venue droit au séminaire, avec la résolution d'y mourir si elle ne me trouvait pas disposé à lui pardonner.

Où trouver un barbare qu'un repentir si vif et si tendre n'eût pas touché ? Pour moi, je sentis, dans ce moment, que j'aurais sacrifié pour Manon tous les évêchés du monde chrétien. Je lui demandai quel nouvel ordre elle jugeait à propos de mettre dans nos affaires. Elle me dit qu'il fallait sur-le-champ sortir du séminaire, et remettre à nous arranger dans un lieu plus sûr. Je consentis à toutes ses volontés sans réplique. Elle entra dans son carrosse[4], pour aller m'attendre au coin de la rue. Je m'échappai un moment après, sans être

* La discussion, le débat.

aperçu du portier. Je montai avec elle. Nous passâmes à la friperie. Je repris les galons et l'épée. Manon fournit aux frais, car j'étais sans un sou ; et dans la crainte que je ne trouvasse de l'obstacle à ma sortie de Saint-Sulpice, elle n'avait pas voulu que je retournasse un moment à ma chambre pour y prendre mon argent. Mon trésor, d'ailleurs, était médiocre, et elle assez riche des libéralités de B... pour mépriser ce qu'elle me faisait abandonner. Nous conférâmes, chez le fripier même, sur le parti que nous allions prendre. Pour me faire valoir davantage le sacrifice qu'elle me faisait de B..., elle résolut de ne pas garder avec lui le moindre ménagement. Je veux lui laisser ses meubles, me dit-elle, ils sont à lui ; mais j'emporterai, comme de justice, les bijoux et près de soixante mille francs[4] que j'ai tirés de lui depuis deux ans. Je ne lui ai donné nul pouvoir sur moi, ajouta-t-elle ; ainsi nous pouvons demeurer sans crainte à Paris, en prenant une maison commode où nous vivrons heureusement. Je lui représentai que, s'il n'y avait point de péril pour elle, il y en avait beaucoup pour moi, qui ne manquerais point tôt ou tard d'être reconnu, et qui serais continuellement exposé au malheur que j'avais déjà essuyé. Elle me fit entendre qu'elle aurait du regret à quitter Paris. Je craignais tant de la chagriner, qu'il n'y avait point de hasards que je ne méprisasse pour lui plaire ; cependant, nous trouvâmes un tempérament* raisonnable, qui fut de louer une maison dans quelque village voisin de Paris, d'où il nous serait aisé d'aller à la ville lorsque le plaisir ou le besoin nous y appellerait. Nous choisîmes Chaillot[2], qui n'en est pas éloigné. Manon retourna sur-le-champ chez elle. J'allai l'attendre à la petite porte du jardin des Tuileries[2]. Elle revint une heure après, dans un carrosse de louage[4], avec une fille qui la servait, et quelques malles où ses habits et tout ce qu'elle avait de précieux était renfermé.

* Une solution de compromis, un moyen terme.

Nous ne tardâmes point à gagner Chaillot. Nous logeâmes la première nuit à l'auberge, pour nous donner le temps de chercher une maison, ou du moins un appartement commode. Nous en trouvâmes, dès le lendemain, un de notre goût.

Mon bonheur me parut d'abord établi d'une manière inébranlable. Manon était la douceur et la complaisance même. Elle avait pour moi des attentions si délicates, que je me crus trop parfaitement dédommagé de toutes mes peines. Comme nous avions acquis tous deux un peu d'expérience, nous raisonnâmes sur la solidité de notre fortune. Soixante mille francs, qui faisaient le fond de nos richesses, n'étaient pas une somme qui pût s'étendre autant que le cours d'une longue vie. Nous n'étions pas disposés d'ailleurs à resserrer trop notre dépense. La première vertu de Manon, non plus que la mienne, n'était pas l'économie. Voici le plan que je me proposai : Soixante mille francs, lui dis-je, peuvent nous soutenir pendant dix ans. Deux mille écus[4] nous suffiront chaque année, si nous continuons de vivre à Chaillot. Nous y mènerons une vie honnête, mais simple. Notre unique dépense sera pour l'entretien d'un carrosse[4], et pour les spectacles. Nous nous réglerons. Vous aimez l'Opéra[2, 4] : nous irons deux fois la semaine. Pour le jeu, nous nous bornerons tellement que nos pertes ne passeront jamais deux pistoles[4]. Il est impossible que, dans l'espace de dix ans, il n'arrive point de changement dans ma famille ; mon père est âgé, il peut mourir. Je me trouverai du bien, et nous serons alors au-dessus de toutes nos autres craintes.

Cet arrangement n'eût pas été la plus folle action de ma vie, si nous eussions été assez sages pour nous y assujettir constamment. Mais nos résolutions ne durèrent guère plus d'un mois. Manon était passionnée pour le plaisir ; je l'étais pour elle. Il nous naissait, à tous moments, de nouvelles occasions de dépense ; et loin de regretter les sommes qu'elle employait quelquefois avec profusion, je fus le premier à lui procurer tout ce que je croyais propre à lui plaire. Notre demeure de

Chaillot commença même à lui devenir à charge. L'hiver approchait [1] ; tout le monde retournait à la ville, et la campagne devenait déserte [2]. Elle me proposa de reprendre une maison à Paris. Je n'y consentis point ; mais, pour la satisfaire en quelque chose, je lui dis que nous pouvions y louer un appartement meublé, et que nous y passerions la nuit lorsqu'il nous arriverait de quitter trop tard l'assemblée [4] où nous allions plusieurs fois la semaine ; car l'incommodité de revenir si tard à Chaillot était le prétexte qu'elle apportait pour le vouloir quitter. Nous nous donnâmes ainsi deux logements, l'un à la ville, et l'autre à la campagne. Ce changement mit bientôt le dernier désordre dans nos affaires, en faisant naître deux aventures qui causèrent notre ruine.

Manon avait un frère, qui était garde du corps [5]. Il se trouva malheureusement logé, à Paris, dans la même rue que nous. Il reconnut sa sœur, en la voyant le matin à sa fenêtre. Il accourut aussitôt chez nous. C'était un homme brutal et sans principes d'honneur. Il entra dans notre chambre en jurant horriblement, et comme il savait une partie des aventures de sa sœur, il l'accabla d'injures et de reproches. J'étais sorti un moment auparavant, ce qui fut sans doute un bonheur pour lui ou pour moi, qui n'étais rien moins que disposé à souffrir une insulte. Je ne retournai au logis qu'après son départ. La tristesse de Manon me fit juger qu'il s'était passé quelque chose d'extraordinaire. Elle me raconta la scène fâcheuse qu'elle venait d'essuyer, et les menaces brutales de son frère. J'en eus tant de ressentiment, que j'eusse couru sur-le-champ à la vengeance si elle ne m'eût arrêté par ses larmes. Pendant que je m'entretenais avec elle de cette aventure, le garde du corps rentra dans la chambre où nous étions, sans s'être fait annoncer. Je ne l'aurais pas reçu aussi civilement que je fis si je l'eusse connu ; mais, nous ayant salués d'un air riant, il eut le temps de dire à Manon qu'il venait lui faire des excuses de son comportement ; qu'il l'avait crue dans le désordre, et que cette opinion avait allumé sa colère ; mais que, s'étant informé qui j'étais, d'un de nos domestiques, il avait appris de moi des choses si avantageuses, qu'elles lui faisaient désirer de bien vivre avec nous. Quoique cette information, qui lui venait d'un de mes laquais, eût quelque chose de bizarre et de choquant, je reçus son compliment [7] avec honnêteté. Je crus faire plaisir à Manon. Elle paraissait charmée de le voir porté à se réconcilier. Nous le retînmes à dîner. Il se rendit, en peu de moments, si familier, que nous ayant entendus parler de notre retour à Chaillot, il voulut absolument nous tenir compagnie. Il fallut lui donner une place dans notre carrosse. Ce fut une prise de possession, car il s'accoutuma bientôt à nous voir avec tant de plaisir, qu'il fit sa maison de la nôtre et qu'il se rendit le maître, en quelque sorte, de tout ce qui nous appartenait. Il m'appelait son frère, et sous prétexte de la liberté fraternelle, il se mit sur le pied d'amener tous ses amis dans notre maison de Chaillot, et de les y traiter à notre dépens. Il se fit habiller magnifiquement à nos frais. Il nous engagea même à payer toutes ses dettes. Je fermais les yeux sur cette tyrannie, pour ne pas déplaire à Manon, jusqu'à feindre de ne pas m'apercevoir qu'il tirait d'elle, de temps en temps, des sommes considérables. Il est vrai, qu'étant grand joueur, il avait la fidélité de lui en remettre une partie lorsque la fortune le favorisait ; mais la nôtre était trop médiocre pour fournir longtemps à des dépenses si peu modérées. J'étais sur le point de m'expliquer fortement avec lui, pour nous délivrer de ses importunités, lorsqu'un funeste accident m'épargna cette peine, en nous en causant une autre qui nous abîma sans ressource.

Nous étions demeurés un jour à Paris, pour y coucher, comme il nous arrivait fort souvent. La servante, qui restait seule à Chaillot dans ces occasions, vint m'avertir, le matin, que le feu avait pris, pendant la nuit, dans ma maison, et qu'on avait eu beaucoup de difficulté à l'éteindre. Je lui demandai si nos meubles avaient souffert quelque dommage ; elle me répondit qu'il y avait eu une si grande confusion, causée par la multitude d'étrangers qui étaient venus au secours, qu'elle ne pouvait être assurée de rien. Je tremblai pour notre argent, qui était renfermé dans une petite caisse. Je me rendis promptement à Chaillot. Diligence inutile ; la caisse avait déjà disparu. J'éprouvai alors qu'on peut aimer l'argent sans être avare. Cette perte me pénétra d'une si vive douleur que j'en pensai perdre la raison. Je compris tout d'un coup à quels nouveaux malheurs j'allais me trouver exposé ; l'indigence était le moindre. Je connaissais Manon ; je n'avais déjà que trop éprouvé que, quelque fidèle et quelque attachée qu'elle me fût dans la bonne fortune, il ne fallait pas compter sur elle dans la misère. Elle aimait trop l'abondance et les plaisirs pour me les sacrifier : Je la perdrai, m'écriai-je. Malheureux Chevalier, tu vas donc perdre encore tout ce que tu aimes ! Cette pensée me jeta dans un trouble si affreux, que je balançai, pendant quelques moments, si je ne ferais pas mieux de finir tous mes maux par la mort. Cependant, je conservai assez de présence d'esprit pour vouloir examiner auparavant s'il ne me restait nulle ressource. Le Ciel me fit naître une idée, qui arrêta mon désespoir. Je crus qu'il ne me serait pas impossible de cacher notre perte à Manon, et que, par industrie[4, 7] ou par quelque faveur du hasard, je pourrais fournir assez honnêtement à son entretien pour l'empêcher de sentir la nécessité. J'ai compté, disais-je pour me consoler, que vingt mille écus[4] nous suffiraient pendant dix ans. Supposons que les dix ans soient écoulés, et que nul des changements que j'espérais ne soit arrivé dans ma famille. Quel parti prendrais-je ? Je ne le sais pas trop bien, mais, ce que je ferais alors, qui m'empêche de le faire aujourd'hui ? Combien de personnes vivent à Paris, qui n'ont ni mon esprit, ni mes qualités naturelles, et qui doivent néanmoins leur entretien à leurs talents, tels qu'ils les ont ! La Providence[3], ajoutais-je, en réfléchissant sur les différents états de la vie, n'a-t-elle pas arrangé les choses fort sagement ? La plupart des grands et des riches sont des sots : cela est clair à qui connaît un peu le monde. Or il y a là-dedans une justice admirable : s'ils joignaient l'esprit aux richesses, ils seraient trop heureux, et le reste des hommes trop misérable. Les qualités du corps et de l'âme sont accordées à ceux-ci, comme des moyens pour se tirer de la misère et de la pauvreté. Les uns prennent part aux richesses des grands en servant à leurs plaisirs : ils en font des dupes ; d'autres servent à leur instruction : ils tâchent d'en faire d'honnêtes gens ; il est rare, à la vérité, qu'ils y réussissent, mais ce n'est pas là le but de la divine Sagesse : ils tirent toujours un fruit de leurs soins, qui est de vivre aux dépens de ceux qu'ils instruisent ; et de quelque façon qu'on le prenne, c'est un fond excellent de revenu pour les petits, que la sottise des riches et des grands [3].

Ces pensées me remirent un peu le cœur et la tête. Je résolus d'abord d'aller consulter M. Lescaut, frère de Manon. Il connaissait parfaitement Paris, et je n'avais eu que trop d'occasions de reconnaître que ce n'était ni de son bien ni de la paye du roi qu'il tirait son plus clair revenu. Il me restait à peine vingt pistoles qui s'étaient trouvées heureusement dans ma poche [4]. Je lui montrai ma bourse, en lui expliquant mon malheur et mes craintes, et je lui demandai s'il y avait pour moi un parti à choisir entre celui de mourir de faim, ou de me casser la tête de désespoir. Il me répondit que se casser la tête était la ressource des sots ; pour mourir de faim, qu'il y avait quantité de gens d'esprit qui s'y voyaient réduits, quand ils ne voulaient pas faire usage de leurs talents ; que c'était à moi d'examiner de quoi j'étais capable ; qu'il m'assurait de son secours et de ses conseils dans toutes mes entreprises.

Cela est bien vague, monsieur Lescaut, lui dis-je ; mes besoins demanderaient un remède plus présent, car que voulez-vous que je dise à Manon ? À propos de Manon, reprit-il, qu'est-ce qui vous embarrasse ? N'avez-vous pas toujours, avec elle, de quoi finir vos inquiétudes quand vous le voudrez ? Une fille comme elle devrait nous entretenir, vous, elle et moi. Il me coupa la réponse que cette impertinence méritait, pour continuer de me dire qu'il me garantissait avant le soir mille écus à partager entre nous, si je voulais suivre son conseil ; qu'il connaissait un seigneur, si libéral sur le chapitre des plaisirs[6], qu'il était sûr que mille écus ne lui coûteraient rien pour obtenir les faveurs d'une fille telle que Manon[4]. Je l'arrêtai. J'avais meilleure opinion de vous, lui répondis-je ; je m'étais figuré que le motif que vous aviez eu, pour m'accorder votre amitié, était un sentiment tout opposé à celui où vous êtes maintenant. Il me confessa impudemment qu'il avait toujours pensé de même, et que, sa sœur ayant une fois violé les lois de son sexe, quoique en faveur de l'homme qu'il aimait le plus, il ne s'était réconcilié avec elle que dans l'espérance de tirer parti de sa mauvaise conduite. Il me fut aisé de juger que jusqu'alors nous avions été ses dupes. Quelque émotion néanmoins que ce discours m'eût causée, le besoin que j'avais de lui m'obligea de répondre, en riant, que son conseil était une dernière ressource qu'il fallait remettre à l'extrémité. Je le priai de m'ouvrir quelque autre voie. Il me proposa de profiter de ma jeunesse et de la figure avantageuse que j'avais reçue de la nature, pour me mettre en liaison avec quelque dame vieille et libérale. Je ne goûtai pas non plus ce parti, qui m'aurait rendu infidèle à Manon. Je lui parlai du jeu[4], comme du moyen le plus facile, et le plus convenable à ma situation. Il me dit que le jeu, à la vérité, était une ressource, mais que cela demandait d'être expliqué ; qu'entreprendre de jouer simplement, avec les espérances communes, c'était le vrai moyen d'achever ma perte ; que de prétendre exercer seul, et sans être soutenu des petits moyens qu'un habile homme emploie pour corriger la fortune, était un métier trop dangereux ; qu'il y avait une troisième voie, qui était celle de l'association, mais que ma jeunesse lui faisait craindre que messieurs les Confédérés[4] ne me jugeassent point encore les qualités propres à la Ligue[4]. Il me promit néanmoins ses bons offices auprès d'eux ; et ce que je n'aurais pas attendu de lui, il m'offrit quelque argent, lorsque je me trouverais pressé du besoin. L'unique grâce que je lui demandai, dans les circonstances, fut de ne rien apprendre à Manon de la perte que j'avais faite, et du sujet de notre conversation.

Je sortis de chez lui, moins satisfait encore que je n'y étais entré ; je me repentis même de lui avoir confié mon secret. Il n'avait rien fait, pour moi, que je n'eusse pu obtenir de même sans cette ouverture, et je craignais mortellement qu'il ne manquât à la promesse qu'il m'avait faite de ne rien découvrir à Manon. J'avais lieu d'appréhender, aussi, par la déclaration de ses sentiments, qu'il ne formât le dessein de tirer parti d'elle, suivant ses propres termes, en l'enlevant de mes mains, ou, du moins, en lui conseillant de me quitter pour s'attacher à quelque amant plus riche et plus heureux. Je fis là-dessus mille réflexions, qui n'aboutirent qu'à me tourmenter et à renouveler le désespoir où j'avais été le matin. Il me vint plusieurs fois à l'esprit d'écrire à mon père, et de feindre une nouvelle conversion, pour obtenir de lui quelque secours d'argent ; mais je me rappelai aussitôt que, malgré toute sa bonté, il m'avait resserré six mois dans une étroite prison, pour ma première faute ; j'étais bien sûr qu'après un éclat tel que l'avait dû causer ma fuite de Saint-Sulpice, il me traiterait beaucoup plus rigoureusement. Enfin, cette confusion de pensées en produisit une qui remit le calme tout d'un coup dans mon esprit, et que je m'étonnai de n'avoir pas eue plus tôt, ce fut de recourir à mon ami Tiberge, dans lequel j'étais bien certain de retrouver toujours le même fond de zèle et d'amitié. Rien n'est plus admirable, et ne fait plus d'honneur à la vertu, que la confiance avec laquelle on s'adresse aux personnes dont on connaît parfaitement la probité. On sent qu'il n'y a point de risque à courir. Si elles ne sont pas toujours en état d'offrir du secours, on est sûr qu'on en obtiendra du moins de la bonté et de la compassion. Le cœur, qui se ferme avec tant de soin au reste des hommes, s'ouvre naturellement en leur présence, comme une fleur s'épanouit à la lumière du soleil, dont elle n'attend qu'une douce influence.

Je regardai comme un effet de la protection du Ciel de m'être souvenu si à propos de Tiberge, et je résolus de chercher les moyens de le voir avant la fin du jour. Je retournai sur-le-champ au logis, pour lui écrire un mot, et lui marquer un lieu propre à notre entretien. Je lui recommandais le silence et la discrétion, comme un des plus importants services qu'il pût me rendre dans la situation de mes affaires. La joie que l'espérance de le voir m'inspirait effaça les traces du chagrin que Manon n'aurait pas manqué d'apercevoir sur mon visage. Je lui parlai de notre malheur de Chaillot comme d'une bagatelle qui ne devait pas l'alarmer ; et Paris étant le lieu du monde où elle se voyait avec le plus de plaisir, elle ne fut pas fâchée de m'entendre dire qu'il était à propos d'y demeurer, jusqu'à ce qu'on eût réparé à Chaillot quelques légers effets de l'incendie. Une heure après, je reçus la réponse de Tiberge, qui me promettait de se rendre au lieu de l'assignation [7]. J'y courus avec impatience. Je sentais néanmoins quelque honte d'aller paraître aux yeux d'un ami, dont la seule présence devait être un reproche de mes désordres, mais l'opinion que j'avais de la bonté de son cœur et l'intérêt de Manon soutinrent ma hardiesse.

Je l'avais prié de se trouver au jardin du Palais-Royal [2]. Il y était avant moi. Il vint m'embrasser, aussitôt qu'il m'eut aperçu. Il me tint serré longtemps entre ses bras, et je sentis mon visage mouillé de ses larmes [4]. Je lui dis que je ne me présentais à lui qu'avec confusion, et que je portais dans le cœur un vif sentiment de mon ingratitude ; que la première chose dont je le conjurais était de m'apprendre s'il m'était encore permis de le regarder comme mon ami, après avoir mérité si justement de perdre son estime et son affection. Il me répondit, du ton le plus tendre, que rien n'était capable de le faire renoncer à cette qualité ; que mes malheurs mêmes, et si je lui permettais de le dire, mes fautes et mes désordres, avaient redoublé sa tendresse pour moi ; mais que c'était une tendresse mêlée de la plus vive douleur, telle qu'on la sent pour une personne chère, qu'on voit toucher à sa perte sans pouvoir la secourir.

Nous nous assîmes sur un banc. Hélas ! lui dis-je, avec un soupir parti du fond du cœur, votre compassion doit être excessive, mon cher Tiberge, si vous m'assurez qu'elle est égale à mes peines. J'ai honte de vous les laisser voir, car je confesse que la cause n'en est pas glorieuse, mais l'effet en est si triste qu'il n'est pas besoin de m'aimer autant que vous faites pour en être attendri. Il me demanda, comme une marque d'amitié, de lui raconter sans déguisement ce qui m'était arrivé depuis mon départ de Saint-Sulpice. Je le satisfis ; et loin d'altérer quelque chose à la vérité, ou de diminuer mes fautes pour les faire trouver plus excusables, je lui parlai de ma passion avec toute la force qu'elle m'inspirait. Je la lui représentai comme un de ces coups particuliers du destin qui s'attache à la ruine d'un misérable, et dont il est aussi impossible à la vertu de se défendre qu'il l'a été à la sagesse de les prévoir. Je lui fis une vive peinture de mes agitations, de mes craintes, du désespoir où j'étais deux heures avant que de le voir, et de celui dans lequel j'allais retomber, si j'étais abandonné par mes amis aussi impitoyablement que par la fortune ; enfin, j'attendris tellement le bon Tiberge, que je le vis aussi affligé par la compassion que je l'étais par le sentiment de mes peines. Il ne se lassait point de m'embrasser, et de m'exhorter à prendre du courage et de la consolation, mais, comme il supposait toujours qu'il fallait me séparer de Manon, je lui fis entendre nettement que c'était cette séparation même que je regardais comme la plus grande de mes infortunes, et que j'étais disposé à souffrir, non seulement le dernier excès de la misère, mais la mort la plus cruelle, avant que de recevoir un remède plus insupportable que tous mes maux ensemble.

Expliquez-vous donc, me dit-il : quelle espèce de

secours suis-je capable de vous donner, si vous vous révoltez contre toutes mes propositions ! Je n'osais lui déclarer que c'était de sa bourse que j'avais besoin. Il le comprit pourtant à la fin, et m'ayant confessé qu'il croyait m'entendre, il demeura quelque temps suspendu, avec l'air d'une personne qui balance. Ne croyez pas, reprit-il bientôt, que ma rêverie vienne d'un refroidissement de zèle et d'amitié. Mais à quelle alternative me réduisez-vous, s'il faut que je vous refuse le seul secours que vous voulez accepter, ou que je blesse mon devoir en vous l'accordant ? car n'est-ce pas prendre part à votre désordre, que de vous y faire persévérer ? Cependant, continua-t-il, après avoir réfléchi un moment, je m'imagine que c'est peut-être l'état violent où l'indigence vous jette, qui ne vous laisse pas assez de liberté pour choisir le meilleur parti ; il faut un esprit tranquille pour goûter la sagesse et la vérité. Je trouverai le moyen de vous faire avoir quelque argent. Permettez-moi, mon cher Chevalier, ajouta-t-il en m'embrassant, d'y mettre seulement une condition : c'est que vous m'apprendrez le lieu de votre demeure, et que vous souffrirez que je fasse du moins mes efforts pour vous ramener à la vertu, que je sais que vous aimez, et dont il n'y a que la violence de vos passions qui vous écarte. Je lui accordai sincèrement tout ce qu'il souhaitait, et je le priai de plaindre la malignité de mon sort, qui me faisait profiter si mal des conseils d'un ami si vertueux. Il me mena aussitôt chez un banquier de sa connaissance, qui m'avança cent pistoles sur son billet[4], car il n'était rien moins qu'en argent comptant. J'ai déjà dit qu'il n'était pas riche. Son bénéfice valait mille écus[3], mais, comme c'était la première année qu'il le possédait, il n'avait encore rien touché du revenu : c'était sur les fruits futurs qu'il me faisait cette avance.

Je sentis tout le prix de sa générosité. J'en fus touché, jusqu'au point de déplorer l'aveuglement d'un amour fatal, qui me faisait violer tous les devoirs. La vertu eut assez de force pendant quelques moments pour s'élever dans mon cœur contre ma passion, et j'aperçus du moins, dans cet instant de lumière, la honte et l'indignité de mes chaînes. Mais ce combat fut léger et dura peu. La vue de Manon m'aurait fait précipiter du ciel, et je m'étonnai, en me retrouvant près d'elle, que j'eusse pu traiter un moment de honteuse une tendresse si juste pour un objet si charmant.

Manon était une créature d'un caractère extraordinaire. Jamais fille n'eut moins d'attachement qu'elle pour l'argent, mais elle ne pouvait être tranquille un moment, avec la crainte d'en manquer. C'était du plaisir et des passe-temps qu'il lui fallait. Elle n'eût jamais voulu toucher un sou, si l'on pouvait se divertir sans qu'il en coûte. Elle ne s'informait pas même quel était le fonds de nos richesses, pourvu qu'elle pût passer agréablement la journée, de sorte que, n'étant ni excessivement livrée au jeu ni capable d'être éblouie par le faste des grandes dépenses, rien n'était plus facile que de la satisfaire, en lui faisant naître tous les jours des amusements de son goût. Mais c'était une chose si nécessaire pour elle, d'être ainsi occupée par le plaisir, qu'il n'y avait pas le moindre fond à faire, sans cela, sur son humeur et sur ses inclinations. Quoiqu'elle m'aimât tendrement, et que je fusse le seul, comme elle en convenait volontiers, qui pût lui faire goûter parfaitement les douceurs de l'amour, j'étais presque certain que sa tendresse ne tiendrait point contre de certaines craintes. Elle m'aurait préféré à toute la terre avec une fortune médiocre ; mais je ne doutais nullement qu'elle ne m'abandonnât pour quelque nouveau B... lorsqu'il ne me resterait que de la constance et de la fidélité à lui offrir. Je résolus donc de régler si bien ma dépense particulière que je fusse toujours en état de fournir aux siennes, et de me priver plutôt de mille choses nécessaires que de la borner même pour le superflu. Le carrosse m'effrayait plus que tout le reste ; car il n'y avait point d'apparence de pouvoir entretenir des chevaux et un cocher. Je découvris ma peine à M. Lescaut. Je ne lui avais point caché que j'eusse reçu cent pistoles d'un ami. Il me répéta que, si je voulais tenter le hasard du jeu, il ne désespérait point qu'en sacrifiant de bonne grâce une centaine de francs[4] pour traiter ses associés, je ne pusse être admis, à sa recommandation, dans la Ligue de l'Industrie[4, 7]. Quelque répugnance que j'eusse à tromper, je me laissai entraîner par une cruelle nécessité.

M. Lescaut me présenta, le soir même, comme un de ses parents ; il ajouta que j'étais d'autant mieux disposé à réussir, que j'avais besoin des plus grandes faveurs de la fortune. Cependant, pour faire connaître que ma misère n'était pas celle d'un homme de néant, il leur dit que j'étais dans le dessein de leur donner à souper. L'offre fut acceptée. Je les traitai magnifiquement. On s'entretint longtemps de la gentillesse de ma figure et de mes heureuses dispositions. On prétendit qu'il y avait beaucoup à espérer de moi, parce qu'ayant quelque chose dans la physionomie qui sentait l'honnête homme, personne ne se défierait de mes artifices. Enfin, on rendit grâce à M. Lescaut d'avoir procuré à l'Ordre un novice de mon mérite[4], et l'on chargea un des chevaliers de me donner, pendant quelques jours, les instructions nécessaires. Le principal théâtre de mes exploits devait être l'hôtel de Transylvanie[2, 4, 6], où il y avait une table de pharaon dans une salle et divers autres jeux de cartes et de dés dans la galerie[4]. Cette académie se tenait au profit de M. le prince de R...[6], qui demeurait alors à Clagny[2], et la plupart de ses officiers étaient de notre société. Le dirai-je à ma honte ? Je profitai en peu de temps des leçons de mon maître. J'acquis surtout beaucoup d'habileté à faire une volte-face, à filer la carte, et m'aidant fort bien d'une longue paire de manchettes, j'escamotais assez légèrement pour tromper les yeux des plus habiles, et ruiner sans affectation quantité d'honnêtes joueurs[4]. Cette adresse extraordinaire hâta si fort les progrès de ma fortune, que je me trouvai en peu de semaines des sommes considérables, outre celles que je partageais de bonne foi avec mes associés. Je ne craignis plus, alors, de découvrir à Manon notre perte de Chaillot, et, pour la consoler, en lui apprenant cette fâcheuse nouvelle, je louai une maison garnie, où nous nous établîmes avec un air d'opulence et de sécurité.

Tiberge n'avait pas manqué, pendant ce temps-là, de me rendre de fréquentes visites. Sa morale ne finissait point. Il recommençait sans cesse à me représenter le tort que je faisais à ma conscience, à mon honneur et à ma fortune. Je recevais ses avis avec amitié, et quoique je n'eusse pas la moindre disposition à les suivre, je lui savais bon gré de son zèle, parce que j'en connaissais la source. Quelquefois je le raillais agréablement, dans la présence même de Manon, et je l'exhortais à n'être pas plus scrupuleux qu'un grand nombre d'évêques et d'autres prêtres, qui savent accorder fort bien une maîtresse avec un bénéfice[3]. Voyez, lui disais-je, en lui montrant les yeux de la mienne, et dites-moi s'il y a des fautes qui ne soient pas justifiées par une si belle cause. Il prenait patience. Il la poussa même assez loin ; mais lorsqu'il vit que mes richesses augmentaient, et que non seulement je lui avais restitué ses cent pistoles, mais qu'ayant loué une nouvelle maison et doublé ma dépense, j'allais me replonger plus que jamais dans les plaisirs, il changea entièrement de ton et de manières. Il se plaignit de mon endurcissement ; il me menaça des châtiments du Ciel, et il me prédit une partie des malheurs qui ne tardèrent guère à m'arriver. Il est impossible, me dit-il, que les richesses qui servent à l'entretien de vos désordres vous soient venues par des voies légitimes. Vous les avez acquises injustement ; elles vous seront ravies de même. La plus terrible punition de Dieu serait de vous en laisser jouir tranquillement. Tous mes conseils, ajouta-t-il, vous ont été inutiles ; je ne prévois que trop qu'ils vous seraient bientôt importuns. Adieu, ingrat et faible ami. Puissent vos criminels plaisirs s'évanouir comme une ombre ! Puisse votre fortune et votre argent périr sans ressource, et vous rester seul et nu, pour sentir la vanité des biens qui vous ont follement enivré ! C'est alors que vous me trouverez disposé à vous aimer et à vous servir, mais je romps aujourd'hui tout commerce avec vous, et je déteste[7] la vie que vous menez. Ce fut dans ma chambre, aux yeux de Manon, qu'il me fit cette harangue apostolique. Il se leva pour se retirer. Je voulus le retenir, mais je fus arrêté par Manon, qui me dit que c'était un fou qu'il fallait laisser sortir.

Son discours ne laissa pas de faire quelque impression sur moi. Je remarque ainsi les diverses occasions où mon cœur sentit un retour vers le bien, parce que c'est à ce souvenir que j'ai dû ensuite une partie de ma force dans les plus malheureuses circonstances de ma vie. Les caresses de Manon dissipèrent, en un moment, le chagrin que cette scène m'avait causé. Nous continuâmes de mener une vie toute composée de plaisir et d'amour. L'augmentation de nos richesses redoubla notre affection ; Vénus et la Fortune n'avaient point d'esclaves plus heureux et[7] plus tendres. Dieux ! pourquoi nommer le monde un lieu de misères, puisqu'on y peut goûter de si charmantes délices ? Mais, hélas ! leur faible est de passer trop vite. Quelle autre félicité voudrait-on se proposer, si elles étaient de nature à durer toujours ? Les nôtres eurent le sort commun, c'est-à-dire de durer peu, et d'être suivies par des regrets amers. J'avais fait, au jeu, des gains si considérables, que je pensais à placer une partie de mon argent. Mes domestiques n'ignoraient pas mes succès, surtout mon valet de chambre et la suivante de Manon, devant lesquels nous nous entretenions souvent sans défiance. Cette fille était jolie ; mon valet en était amoureux. Ils avaient affaire à des maîtres jeunes et faciles, qu'ils s'imaginèrent pouvoir tromper aisément. Ils en conçurent le dessein, et ils l'exécutèrent si malheureusement pour nous, qu'ils nous mirent dans un état dont il ne nous a jamais été possible de nous relever.

M. Lescaut nous ayant un jour donné à souper, il était environ minuit lorsque nous retournâmes au logis. J'appelai mon valet, et Manon sa femme de chambre : ni l'un ni l'autre ne parurent. On nous dit qu'ils n'avaient point été vus dans la maison depuis huit heures, et qu'ils étaient sortis après avoir fait transporter quelques caisses, suivant les ordres qu'ils disaient avoir reçus de moi. Je pressentis une partie de la vérité, mais je ne formai point de soupçons qui ne fussent surpassés par ce que j'aperçus en entrant dans ma chambre. La serrure de mon cabinet avait été forcée, et mon argent enlevé, avec tous mes habits. Dans le temps que je réfléchissais, seul, sur cet accident, Manon vint, tout effrayée, m'apprendre qu'on avait fait le même ravage dans son appartement. Le coup me parut si cruel qu'il n'y eut qu'un effort extraordinaire de raison qui m'empêcha de me livrer aux cris et aux pleurs. La crainte de communiquer mon désespoir à Manon me fit affecter de prendre un visage tranquille. Je lui dis, en badinant, que je me vengerais sur quelque dupe à l'hôtel de Transylvanie. Cependant, elle me sembla si sensible à notre malheur, que sa tristesse eut bien plus de force pour m'affliger, que ma joie feinte n'en avait eu pour l'empêcher d'être trop abattue. Nous sommes perdus ! me dit-elle, les larmes aux yeux. Je m'efforçai en vain de la consoler par mes caresses ; mes propres pleurs trahissaient mon désespoir et ma consternation. En effet, nous étions ruinés si absolument, qu'il ne nous restait pas une chemise.

Je pris le parti d'envoyer chercher sur-le-champ M. Lescaut. Il me conseilla d'aller, à l'heure même, chez M. le Lieutenant de Police et M. le Grand Prévôt de Paris [5]. J'y allai, mais ce fut pour mon plus grand malheur ; car outre que cette démarche et celles que je fis faire à ces deux officiers de justice ne produisirent rien, je donnai le temps à Lescaut d'entretenir sa sœur, et de lui inspirer, pendant mon absence, une horrible résolution. Il lui parla de M. de G... M... [6], vieux voluptueux, qui payait prodiguement les plaisirs, et il lui fit envisager tant d'avantages à se mettre à sa solde, que, troublée comme elle était par notre disgrâce, elle entra dans tout ce qu'il entreprit de lui persuader [1]. Cet honorable marché fut conclu avant mon retour, et l'exécution remise au lendemain, après que Lescaut aurait prévenu M. de G... M... Je le trouvai qui m'attendait au logis ; mais Manon s'était couchée dans son appartement*, et elle avait donné ordre à son laquais de me dire qu'ayant besoin d'un peu de repos, elle me priait de la laisser seule pendant cette nuit. Lescaut me quitta, après m'avoir offert quelques pistoles[4] que j'acceptai. Il était près de quatre heures, lorsque je me mis au lit, et m'y étant encore occupé longtemps des moyens de rétablir ma fortune, je m'endormis si tard, que je ne pus me réveiller que vers onze heures ou midi. Je me levai promptement pour aller m'informer de la santé de Manon ; on me dit qu'elle était sortie, une heure auparavant, avec son frère, qui l'était venu prendre dans un carrosse de louage. Quoiqu'une telle partie, faite avec Lescaut, me parût mystérieuse, je me fis violence pour suspendre mes soupçons. Je laissai couler quelques heures, que je passai à lire. Enfin, n'étant plus le maître de mon inquiétude, je me promenai à grands pas dans nos appartements. J'aperçus, dans celui de Manon, une lettre cachetée qui était sur sa table. L'adresse était à moi, et l'écriture de sa main. Je l'ouvris avec un frisson mortel ; elle était dans ces termes :

Je te jure, mon cher Chevalier, que tu es l'idole de mon cœur[7], et qu'il n'y a que toi au monde que je puisse aimer de la façon dont je t'aime ; mais ne vois-tu pas, ma pauvre chère âme[7], que, dans l'état où nous sommes réduits, c'est une sotte vertu que la fidélité ? Crois-tu qu'on puisse être bien tendre lorsqu'on manque de pain ? La faim me causerait quelque méprise fatale ; je rendrais quelque jour le dernier soupir, en croyant en pousser un d'amour. Je t'adore, compte là-dessus ; mais laisse-moi, pour quelque temps, le ménagement de notre fortune. Malheur à qui

* Partie de la maison qu'un de ses occupants habite personnellement.

va tomber dans mes filets[7] ! Je travaille pour rendre mon Chevalier riche et heureux. Mon frère t'apprendra des nouvelles de ta Manon, et qu'elle a pleuré de la nécessité de te quitter.

Je demeurai, après cette lecture, dans un état qui me serait difficile à décrire car j'ignore encore aujourd'hui par quelle espèce de sentiments je fus alors agité. Ce fut une de ces situations uniques auxquelles on n'a rien éprouvé qui soit semblable. On ne saurait les expliquer aux autres, parce qu'ils n'en ont pas l'idée ; et l'on a peine à se les bien démêler à soi-même, parce qu'étant seules de leur espèce, cela ne se lie à rien dans la mémoire, et ne peut même être rapproché d'aucun sentiment connu. Cependant, de quelque nature que fussent les miens, il est certain qu'il devait y entrer de la douleur, du dépit, de la jalousie et de la honte. Heureux s'il n'y fût pas entré encore plus d'amour ! Elle m'aime, je le veux croire ; mais ne faudrait-il pas, m'écriai-je, qu'elle fût un monstre pour me haïr ? Quels droits eut-on jamais sur un cœur que je n'aie pas sur le sien ? Que me reste-t-il à faire pour elle, après tout ce que je lui ai sacrifié ? Cependant elle m'abandonne ! et l'ingrate se croit à couvert de mes reproches en me disant qu'elle ne cesse pas de m'aimer ! Elle appréhende la faim. Dieu d'amour ! quelle grossièreté de sentiments ! et que c'est répondre mal à ma délicatesse ! Je ne l'ai pas appréhendée, moi qui m'y expose si volontiers pour elle en renonçant à ma fortune et aux douceurs de la maison de mon père ; moi qui me suis retranché jusqu'au nécessaire pour satisfaire ses petites humeurs et ses caprices. Elle m'adore, dit-elle. Si tu m'adorais, ingrate, je sais bien de qui tu aurais pris des conseils ; tu ne m'aurais pas quitté, du moins, sans me dire adieu. C'est à moi qu'il faut demander quelles peines cruelles on sent à se séparer de ce qu'on adore. Il faudrait avoir perdu l'esprit pour s'y exposer volontairement.

Mes plaintes furent interrompues par une visite à laquelle je ne m'attendais pas. Ce fut celle de Lescaut.

Bourreau ! lui dis-je en mettant l'épée à la main, où est Manon ? qu'en as-tu fait ? Ce mouvement l'effraya ; il me répondit que, si c'était ainsi que je le recevais lorsqu'il venait me rendre compte du service le plus considérable qu'il eût pu me rendre, il allait se retirer, et ne remettrait jamais le pied chez moi. Je courus à la porte de la chambre, que je fermai soigneusement. Ne t'imagine pas, lui dis-je en me tournant vers lui, que tu puisses me prendre encore une fois pour dupe et me tromper par des fables. Il faut défendre ta vie, ou me faire retrouver Manon. Là ! que vous êtes vif ! repartit-il ; c'est l'unique sujet qui m'amène. Je viens vous annoncer un bonheur auquel vous ne pensez pas, et pour lequel vous reconnaîtrez peut-être que vous m'avez quelque obligation. Je voulus être éclairci sur-le-champ.

Il me raconta que Manon, ne pouvant soutenir la crainte de la misère, et surtout l'idée d'être obligée tout d'un coup à la réforme de notre équipage*, l'avait prié de lui procurer la connaissance de M. de G... M..., qui passait pour un homme généreux. Il n'eut garde de me dire que le conseil était venu de lui, ni qu'il eût préparé les voies, avant que de l'y conduire. Je l'y ai menée ce matin, continua-t-il, et cet honnête homme a été si charmé de son mérite, qu'il l'a invitée d'abord à lui tenir compagnie à sa maison de campagne, où il est allé passer quelques jours. Moi, ajouta Lescaut, qui ai pénétré tout d'un coup de quel avantage cela pouvait être pour vous, je lui ai fait entendre adroitement que Manon avait essuyé des pertes considérables, et j'ai tellement piqué sa générosité, qu'il a commencé par lui faire un présent de deux cents pistoles [4]. Je lui ai dit que cela était honnête pour le présent, mais que l'avenir amènerait à ma sœur de grands besoins ; qu'elle s'était chargée, d'ailleurs, du soin d'un jeune frère, qui nous était resté sur les bras après la mort de nos père et

* La suppression du carrosse.

mère, et que, s'il la croyait digne de son estime, il ne la laisserait pas souffrir dans ce pauvre enfant qu'elle regardait comme la moitié d'elle-même. Ce récit n'a pas manqué de l'attendrir. Il s'est engagé à louer une maison commode, pour vous et pour Manon, car c'est vous-même qui êtes ce pauvre petit frère orphelin. Il a promis de vous meubler proprement [7], et de vous fournir, tous les mois quatre cents bonnes livres [4], qui en feront, si je compte bien, quatre mille huit cents à la fin de chaque année. Il a laissé ordre à son intendant, avant que de partir pour sa campagne, de chercher une maison, et de la tenir prête pour son retour. Vous reverrez alors Manon, qui m'a chargé de vous embrasser mille fois pour elle, et de vous assurer qu'elle vous aime plus que jamais.

Je m'assis, en rêvant à cette bizarre disposition de mon sort. Je me trouvai dans un partage de sentiments, et par conséquent dans une incertitude si difficile à terminer, que je demeurai longtemps sans répondre à quantité de questions que Lescaut me faisait l'une sur l'autre. Ce fut dans ce moment que l'honneur et la vertu me firent sentir encore les pointes du remords, et que je jetai les yeux, en soupirant, vers Amiens, vers la maison de mon père, vers Saint-Sulpice et vers tous les lieux où j'avais vécu dans l'innocence. Par quel immense espace n'étais-je pas séparé de cet heureux état ! Je ne le voyais plus que de loin, comme une ombre qui s'attirait encore mes regrets et mes désirs, mais trop faible pour exciter mes efforts. Par quelle fatalité [4], disais-je, suis-je devenu si criminel ? L'amour est une passion innocente ; comment s'est-il changé, pour moi, en une source de misères et de désordres ? Qui m'empêchait de vivre tranquille et vertueux avec Manon ? Pourquoi ne l'épousais-je point, avant que d'obtenir rien de son amour ? Mon père, qui m'aimait si tendrement, n'y aurait-il pas consenti si je l'en eusse pressé avec des instances légitimes ? Ah ! mon père l'aurait chérie lui-même, comme une fille charmante, trop digne d'être la femme de son fils ; je serais heureux avec l'amour de Manon, avec l'affection de mon père, avec l'estime des honnêtes gens, avec les biens de la fortune et la tranquillité de la vertu. Revers funeste ! Quel est l'infâme personnage qu'on vient ici me proposer ? Quoi ! j'irai partager... Mais y a-t-il à balancer, si c'est Manon qui l'a réglé, et si je la perds sans cette complaisance ? Monsieur Lescaut, m'écriai-je en fermant les yeux, comme pour écarter de si chagrinantes réflexions, si vous avez eu dessein de me servir, je vous rends grâces. Vous auriez pu prendre une voie plus honnête ; mais c'est une chose finie*, n'est-ce pas ? Ne pensons donc plus qu'à profiter de vos soins et à remplir votre projet. Lescaut, à qui ma colère, suivie d'un fort long silence, avait causé de l'embarras, fut ravi de me voir prendre un parti tout différent de celui qu'il avait appréhendé sans doute ; il n'était rien moins que brave, et j'en eus de meilleures preuves dans la suite. Oui, oui, se hâta-t-il de me répondre, c'est un fort bon service que je vous ai rendu, et vous verrez que nous en tirerons plus d'avantage que vous ne vous y attendez. Nous concertâmes de quelle manière nous pourrions prévenir les défiances que M. de G... M... pouvait concevoir de notre fraternité, en me voyant plus grand et un peu plus âgé peut-être qu'il ne se l'imaginait. Nous ne trouvâmes point d'autre moyen, que de prendre devant lui un air simple et provincial, et de lui faire croire que j'étais dans le dessein d'entrer dans l'état ecclésiastique, et que j'allais pour cela tous les jours au collège. Nous résolûmes aussi que je me mettrais fort mal, la première fois que je serais admis à l'honneur de le saluer. Il revint à la ville trois ou quatre jours après ; il conduisit lui-même Manon dans la maison que son intendant avait eu soin de préparer. Elle fit avertir aussitôt Lescaut de son retour ; et celui-ci m'en ayant donné avis, nous nous rendîmes tous deux chez elle. Le vieil amant en était déjà sorti.

* Une affaire engagée sans retour.

Malgré la résignation avec laquelle je m'étais soumis à ses volontés, je ne pus réprimer le murmure de mon cœur en la revoyant. Je lui parus triste et languissant. La joie de la retrouver ne l'emportait pas tout à fait sur le chagrin de son infidélité. Elle, au contraire, paraissait transportée du plaisir de me revoir. Elle me fit des reproches de ma froideur. Je ne pus m'empêcher de laisser échapper les noms de perfide et d'infidèle, que j'accompagnai d'autant de soupirs. Elle me railla d'abord de ma simplicité ; mais, lorsqu'elle vit mes regards s'attacher toujours tristement sur elle, et la peine que j'avais à digérer un changement si contraire à mon humeur et à mes désirs, elle passa seule dans son cabinet. Je la suivis un moment après. Je l'y trouvai tout en pleurs ; je lui demandai ce qui les causait. Il t'est bien aisé de le voir, me dit-elle, comment veux-tu que je vive, si ma vue n'est plus propre qu'à te causer un air sombre et chagrin ? Tu ne m'as pas fait une seule caresse, depuis une heure que tu es ici, et tu as reçu les miennes avec la majesté du Grand Turc au Sérail.

Écoutez, Manon, lui répondis-je en l'embrassant, je ne puis vous cacher que j'ai le cœur mortellement affligé. Je ne parle point à présent des alarmes où votre fuite imprévue m'a jeté, ni de la cruauté que vous avez eue de m'abandonner sans un mot de consolation, après avoir passé la nuit dans un autre lit que moi. Le charme de votre présence m'en ferait bien oublier davantage. Mais croyez-vous que je puisse penser sans soupirs, et même sans larmes, continuai-je en en versant quelques-unes, à la triste et malheureuse vie que vous voulez que je mène dans cette maison ? Laissons ma naissance et mon honneur à part : ce ne sont plus des raisons si faibles qui doivent entrer en concurrence avec un amour tel que le mien ; mais cet amour même, ne vous imaginez-vous pas qu'il gémit de se voir si mal récompensé, ou plutôt traité si cruellement par une ingrate et dure maîtresse ?... Elle m'interrompit : tenez, dit-elle, mon Chevalier, il est inutile de me tourmenter par des reproches qui me percent le cœur, lorsqu'ils viennent de vous. Je vois ce qui vous blesse. J'avais espéré que vous consentiriez au projet que j'avais fait pour rétablir un peu notre fortune, et c'était pour ménager votre délicatesse que j'avais commencé à l'exécuter sans votre participation ; mais j'y renonce, puisque vous ne l'approuvez pas. Elle ajouta qu'elle ne me demandait qu'un peu de complaisance, pour le reste du jour ; qu'elle avait déjà reçu deux cents pistoles de son vieil amant, et qu'il lui avait promis de lui apporter le soir un beau collier de perles, avec d'autres bijoux, et par-dessus cela, la moitié de la pension annuelle qu'il lui avait promise. Laissez-moi seulement le temps, me dit-elle, de recevoir ses présents ; je vous jure qu'il ne pourra se vanter des avantages que je lui ai donnés sur moi, car je l'ai remis jusqu'à présent à la ville*. Il est vrai qu'il m'a baisé plus d'un million de fois les mains ; il est juste qu'il paye ce plaisir, et ce ne sera point trop que cinq ou six mille francs [4], en proportionnant le prix à ses richesses et à son âge.

Sa résolution me fut beaucoup plus agréable que l'espérance des cinq mille livres. J'eus lieu de reconnaître que mon cœur n'avait point encore perdu tout sentiment d'honneur, puisqu'il était si satisfait d'échapper à l'infamie. Mais j'étais né pour les courtes joies et les longues douleurs. La Fortune ne me délivra d'un précipice que pour me faire tomber dans un autre. Lorsque j'eus marqué à Manon, par mille caresses, combien je me croyais heureux de son changement, je lui dis qu'il fallait en instruire M. Lescaut, afin que nos mesures se prissent de concert. Il en murmura d'abord ; mais les quatre ou cinq mille livres d'argent comptant [4] le firent entrer gaiement dans nos vues. Il fut donc réglé que nous nous trouverions tous à souper avec M. de G... M..., et cela pour deux raisons : l'une, pour nous

* Fait attendre jusqu'au moment où, de la campagne, ils seraient revenus à la ville.

donner le plaisir d'une scène agréable en me faisant passer pour un écolier, frère de Manon ; l'autre, pour empêcher ce vieux libertin de s'émanciper trop avec ma maîtresse, par le droit qu'il croirait s'être acquis en payant si libéralement d'avance. Nous devions nous retirer, Lescaut et moi, lorsqu'il monterait à la chambre où il comptait de passer la nuit ; et Manon, au lieu de le suivre, nous promit de sortir, et de la venir passer avec moi. Lescaut se chargea du soin d'avoir exactement un carrosse à la porte.

L'heure du souper étant venue, M. de G.... M... ne se fit pas attendre longtemps. Lescaut était avec sa sœur, dans la salle. Le premier compliment du vieillard fut d'offrir à sa belle un collier, des bracelets et des pendants de perles, qui valaient au moins mille écus [4]. Il lui compta ensuite, en beaux louis d'or, la somme de deux mille quatre cents livres, qui faisaient la moitié de la pension [4]. Il assaisonna son présent de quantité de douceurs dans le goût de la vieille Cour [4]. Manon ne put lui refuser quelques baisers ; c'était autant de droits qu'elle acquérait sur l'argent qu'il lui mettait entre les mains. J'étais à la porte, où je prêtais l'oreille, en attendant que Lescaut m'avertît d'entrer.

Il vint me prendre par la main, lorsque Manon eut serré l'argent et les bijoux, et me conduisant vers M. de G... M..., il m'ordonna de lui faire la révérence. J'en fis deux ou trois des plus profondes. Excusez, monsieur, lui dit Lescaut, c'est un enfant fort neuf [7]. Il est bien éloigné, comme vous voyez, d'avoir les airs de Paris ; mais nous espérons qu'un peu d'usage le façonnera. Vous aurez l'honneur de voir ici souvent monsieur, ajouta-t-il, en se tournant vers moi ; faites bien votre profit d'un si bon modèle. Le vieil amant parut prendre plaisir à me voir. Il me donna deux ou trois petits coups sur la joue, en me disant que j'étais un joli garçon, mais qu'il fallait être sur mes gardes à Paris, où les jeunes gens se laissent aller facilement à la débauche. Lescaut l'assura que j'étais naturellement si sage, que je ne parlais que de me faire prêtre, et que tout mon plaisir était à faire de petites chapelles*. Je lui trouve de l'air de Manon, reprit le vieillard en me haussant le menton avec la main. Je répondis d'un air niais : Monsieur, c'est que nos deux chairs se touchent de bien proche ; aussi, j'aime ma sœur Manon comme un autre moi-même. L'entendez-vous ? dit-il à Lescaut, il a de l'esprit. C'est dommage que cet enfant-là n'ait pas un peu plus de monde[7]. Oh ! monsieur, repris-je, j'en ai vu beaucoup chez nous dans les églises, et je crois bien que j'en trouverai, à Paris, de plus sots que moi. Voyez, ajouta-t-il, cela est admirable pour un enfant de province. Toute notre conversation fut à peu près du même goût, pendant le souper. Manon, qui était badine, fut sur le point, plusieurs fois, de gâter tout par ses éclats de rire. Je trouvai l'occasion, en soupant, de lui raconter sa propre histoire, et le mauvais sort qui le menaçait. Lescaut et Manon tremblaient pendant mon récit, surtout lorsque je faisais son portrait au naturel ; mais l'amour-propre l'empêcha de s'y reconnaître, et je l'achevai si adroitement, qu'il fut le premier à le trouver fort risible. Vous verrez que ce n'est pas sans raison que je me suis étendu sur cette ridicule scène. Enfin, l'heure du sommeil étant arrivée, il parla d'amour et d'impatience. Nous nous retirâmes, Lescaut et moi ; on le conduisit à sa chambre, et Manon, étant sortie sous prétexte d'un besoin, nous vint joindre à la porte. Le carrosse, qui nous attendait trois ou quatre maisons plus bas, s'avança pour nous recevoir. Nous nous éloignâmes en un instant du quartier.

Quoiqu'à mes propres yeux cette action fût une véritable friponnerie, ce n'était pas la plus injuste que je crusse avoir à me reprocher. J'avais plus de scrupule sur l'argent que j'avais acquis au jeu. Cependant nous profitâmes aussi peu de l'un que de l'autre, et le Ciel permit que la plus légère de ces deux injustices fût la plus rigoureusement punie.

* Fabriquer des maquettes d'édifices religieux avec du plâtre et du tissu, comme les enfants.

M. de G... M... ne tarda pas longtemps à s'apercevoir qu'il était dupé. Je ne sais s'il fit, dès le soir même, quelques démarches pour nous découvrir, mais il eut assez de crédit pour n'en pas faire longtemps d'inutiles, et nous assez d'imprudence pour compter trop sur la grandeur de Paris et sur l'éloignement qu'il y avait de notre quartier au sien. Non seulement il fut informé de notre demeure et de nos affaires présentes, mais il apprit aussi qui j'étais, la vie que j'avais menée à Paris, l'ancienne liaison de Manon avec B..., la tromperie qu'elle lui avait faite, en un mot, toutes les parties scandaleuses de notre histoire. Il prit là-dessus la résolution de nous faire arrêter [4], et de nous traiter moins comme des criminels que comme de fieffés libertins. Nous étions encore au lit, lorsqu'un exempt de police [5] entra dans notre chambre avec une demi-douzaine de gardes [5]. Ils se saisirent d'abord de notre argent, ou plutôt de celui de M. de G... M..., et nous ayant fait lever brusquement, ils nous conduisirent à la porte, où nous trouvâmes deux carrosses [4], dans l'un desquels la pauvre Manon fut enlevée sans explication, et moi traîné dans l'autre à Saint-Lazare [1, 2, 5]. Il faut avoir éprouvé de tels revers, pour juger du désespoir qu'ils peuvent causer. Nos gardes eurent la dureté de ne me pas permettre d'embrasser Manon, ni de lui dire une parole. J'ignorai longtemps ce qu'elle était devenue. Ce fut sans doute un bonheur pour moi de ne l'avoir pas su d'abord, car une catastrophe si terrible m'aurait fait perdre le sens et, peut-être, la vie.

Ma malheureuse maîtresse fut donc enlevée, à mes yeux, et menée dans une retraite que j'ai horreur de nommer. Quel sort pour une créature toute charmante, qui eût occupé le premier trône du monde, si tous les hommes eussent eu mes yeux et mon cœur ! On ne l'y traita pas barbarement ; mais elle fut resserrée dans une étroite prison, seule, et condamnée à remplir tous les jours une certaine tâche de travail, comme une condition nécessaire pour obtenir quelque dégoûtante nourriture [5]. Je n'appris ce triste détail que longtemps après, lorsque j'eus essuyé moi-même plusieurs mois d'une rude et ennuyeuse pénitence. Mes gardes ne m'ayant point averti non plus du lieu où ils avaient ordre de me conduire, je ne connus mon destin qu'à la porte de Saint-Lazare. J'aurais préféré la mort, dans ce moment, à l'état où je me crus prêt de tomber. J'avais de terribles idées de cette maison. Ma frayeur augmenta lorsqu'en entrant les gardes visitèrent une seconde fois mes poches, pour s'assurer qu'il ne me restait ni armes, ni moyen de défense. Le supérieur parut à l'instant ; il était prévenu sur mon arrivée ; il me salua avec beaucoup de douceur [4]. Mon Père, lui dis-je, point d'indignités [5]. Je perdrai mille vies avant que d'en souffrir une. Non, non, monsieur, me répondit-il ; vous prendrez une conduite sage, et nous serons contents l'un de l'autre. Il me pria de monter dans une chambre haute. Je le suivis sans résistance. Les archers [5] nous accompagnèrent jusqu'à la porte, et le supérieur, y étant entré avec moi, leur fit signe de se retirer.

Je suis donc votre prisonnier ! lui dis-je. Eh bien, mon Père, que prétendez-vous faire de moi ? Il me dit qu'il était charmé de me voir prendre un ton raisonnable ; que son devoir serait de travailler à m'inspirer le goût de la vertu et de la religion, et le mien, de profiter de ses exhortations et de ses conseils ; que, pour peu que je voulusse répondre aux attentions qu'il aurait pour moi, je ne trouverais que du plaisir dans ma solitude. Ah ! du plaisir ! repris-je ; vous ne savez pas, mon Père, l'unique chose qui est capable de m'en faire goûter ! Je le sais, reprit-il ; mais j'espère que votre inclination [7] changera. Sa réponse me fit comprendre qu'il était instruit de mes aventures, et peut-être de mon nom. Je le priai de m'éclaircir. Il me dit naturellement qu'on l'avait informé de tout.

Cette connaissance fut le plus rude de tous mes châtiments. Je me mis à verser un ruisseau de larmes, avec toutes les marques d'un affreux désespoir. Je ne pouvais me consoler d'une humiliation qui allait me rendre la fable de toutes les personnes de ma connaissance, et la honte de ma famille. Je passai ainsi huit jours dans le plus profond abattement sans être capable de rien entendre, ni de m'occuper d'autre chose que de mon opprobre. Le souvenir même de Manon n'ajoutait rien à ma douleur. Il n'y entrait, du moins, que comme un sentiment qui avait précédé cette nouvelle peine, et la passion dominante de mon âme était la honte et la confusion. Il y a peu de personnes qui connaissent la force de ces mouvements particuliers du cœur. Le commun des hommes n'est sensible qu'à cinq ou six passions, dans le cercle desquelles leur vie se passe, et où toutes leurs agitations se réduisent. Ôtez-leur l'amour et la haine, le plaisir et la douleur, l'espérance et la crainte, ils ne sentent plus rien. Mais les personnes d'un caractère plus noble peuvent être remuées de mille façons différentes ; il semble qu'elles aient plus de cinq sens, et qu'elles puissent recevoir des idées et des sensations qui passent les bornes ordinaires de la nature ; et comme elles ont un sentiment de cette grandeur qui les élève au-dessus du vulgaire, il n'y a rien dont elles soient plus jalouses. De là vient qu'elles souffrent si impatiemment le mépris et la risée, et que la honte est une de leurs plus violentes passions [8].

J'avais ce triste avantage à Saint-Lazare. Ma tristesse parut si excessive au supérieur, qu'en appréhendant les suites, il crut devoir me traiter avec beaucoup de douceur et d'indulgence [4]. Il me visitait deux ou trois fois le jour. Il me prenait souvent avec lui, pour faire un tour de jardin, et son zèle s'épuisait en exhortations et en avis salutaires. Je les recevais avec douceur ; je lui marquais même de la reconnaissance. Il en tirait l'espoir de ma conversion. Vous êtes d'un naturel si doux et si aimable, me dit-il un jour, que je ne puis comprendre les désordres dont on vous accuse. Deux choses m'étonnent : l'une, comment, avec de si bonnes qualités, vous avez pu vous livrer à l'excès du libertinage ; et l'autre que j'admire encore plus, comment vous recevez si volontiers mes conseils et mes instructions, après avoir vécu plusieurs années dans l'habitude du désordre. Si c'est repentir, vous êtes un exemple signalé des miséricordes du Ciel ; si c'est bonté naturelle, vous avez du moins un excellent fond de caractère[4], qui me fait espérer que nous n'aurons pas besoin de vous retenir ici longtemps, pour vous ramener à une vie honnête et réglée. Je fus ravi de lui voir cette opinion de moi. Je résolus de l'augmenter par une conduite qui pût le satisfaire entièrement, persuadé que c'était le plus sûr moyen d'abréger ma prison. Je lui demandai des livres. Il fut surpris que, m'ayant laissé le choix de ceux que je voulais lire, je me déterminai pour quelques auteurs sérieux. Je feignis de m'appliquer à l'étude avec le dernier attachement, et je lui donnai ainsi, dans toutes les occasions, des preuves du changement qu'il désirait.

Cependant il n'était qu'extérieur. Je dois le confesser à ma honte, je jouai, à Saint-Lazare, un personnage d'hypocrite. Au lieu d'étudier, quand j'étais seul, je ne m'occupais qu'à gémir de ma destinée ; je maudissais ma prison et la tyrannie qui m'y retenait. Je n'eus pas plutôt quelque relâche du côté de cet accablement où m'avait jeté la confusion, que je retombai dans les tourments de l'amour. L'absence de Manon, l'incertitude de son sort, la crainte de ne la revoir jamais étaient l'unique objet de mes tristes méditations. Je me la figurais dans les bras de G... M..., car c'était la pensée que j'avais eue d'abord ; et, loin de m'imaginer qu'il lui eût fait le même traitement qu'à moi, j'étais persuadé qu'il ne m'avait fait éloigner que pour la posséder tranquillement. Je passais ainsi des jours et des nuits dont la longueur me paraissait éternelle. Je n'avais d'espérance que dans le succès de mon hypocrisie. J'observais soigneusement le visage et les discours du supérieur, pour m'assurer de ce qu'il pensait de moi, et je me faisais une étude de lui plaire, comme à l'arbitre de ma destinée. Il me fut aisé de reconnaître que j'étais parfaitement dans ses bonnes grâces. Je ne doutai plus qu'il ne fût disposé à me rendre service. Je pris un jour la hardiesse de lui demander si c'était de lui que mon élargissement dépendait. Il me dit qu'il n'en était pas absolument le maître, mais que, sur son témoignage, il espérait que M. de G... M..., à la sollicitation duquel M. le Lieutenant général de Police m'avait fait renfermer, consentirait à me rendre la liberté. Puis-je me flatter, repris-je doucement, que deux mois de prison, que j'ai déjà essuyés, lui paraîtront une expiation suffisante ? Il me promit de lui en parler, si je le souhaitais. Je le priai instamment de me rendre ce bon office. Il m'apprit, deux jours après, que G... M... avait été si touché du bien qu'il avait entendu de moi, que non seulement il paraissait être dans le dessein de me laisser voir le jour, mais qu'il avait même marqué beaucoup d'envie de me connaître plus particulièrement, et qu'il se proposait de me rendre une visite dans ma prison. Quoique sa présence ne pût m'être agréable, je la regardais comme un acheminement prochain à ma liberté.

Il vint effectivement à Saint-Lazare. Je lui trouvai l'air plus grave et moins sot qu'il ne l'avait eu dans la maison de Manon. Il me tint quelques discours de bon sens sur ma mauvaise conduite. Il ajouta, pour justifier apparemment ses propres désordres, qu'il était permis à la faiblesse des hommes de se procurer certains plaisirs que la nature exige, mais que la friponnerie et les artifices honteux méritaient d'être punis. Je l'écoutai avec un air de soumission dont il parut satisfait. Je ne m'offensai pas même de lui entendre lâcher quelques railleries sur ma fraternité avec Lescaut et Manon, et sur les petites chapelles dont il supposait, me dit-il, que j'avais dû faire un grand nombre à Saint-Lazare, puisque je trouvais tant de plaisir à cette pieuse occupation. Mais il lui échappa, malheureusement pour lui et pour moi-même, de me dire que Manon en aurait fait aussi, sans doute, de fort jolies à l'Hôpital. Malgré le frémissement que le nom d'Hôpital me causa, j'eus encore le pouvoir de le prier, avec douceur, de s'expliquer. Hé oui ! reprit-il, il y a deux mois qu'elle apprend la sagesse à l'Hôpital Général[2, 5], et je souhaite qu'elle en ait tiré autant de profit que vous à Saint-Lazare.

Quand j'aurais eu une prison éternelle, ou la mort

même présente à mes yeux, je n'aurais pas été le maître de mon transport, à cette affreuse nouvelle. Je me jetai sur lui avec une si furieuse rage que j'en perdis la moitié de mes forces. J'en eus assez néanmoins pour le renverser par terre, et pour le prendre à la gorge. Je l'étranglais, lorsque le bruit de sa chute, et quelques cris aigus, que je lui laissais à peine la liberté de pousser, attirèrent le supérieur et plusieurs religieux dans ma chambre. On le délivra de mes mains. J'avais presque perdu moi-même la force et la respiration. Ô Dieu ! m'écriai-je, en poussant mille soupirs ; justice du Ciel ! faut-il que je vive un moment, après une telle infamie ? Je voulus me jeter encore sur le barbare qui venait de m'assassiner. On m'arrêta. Mon désespoir, mes cris et mes larmes passaient toute imagination. Je fis des choses si étonnantes, que tous les assistants, qui en ignoraient la cause, se regardaient les uns les autres avec autant de frayeur que de surprise. M. de G... M... rajustait pendant ce temps-là sa perruque et sa cravate, et dans le dépit d'avoir été si maltraité, il ordonnait au supérieur de me resserrer plus étroitement que jamais, et de me punir par tous les châtiments qu'on sait être propres à Saint-Lazare. Non, monsieur, lui dit le supérieur ; ce n'est point avec une personne de la naissance de M. le Chevalier que nous en usons de cette manière. Il est si doux, d'ailleurs, et si honnête, que j'ai peine à comprendre qu'il se soit porté à cet excès sans de fortes raisons. Cette réponse acheva de déconcerter M. de G... M... Il sortit en disant qu'il saurait faire plier et le supérieur, et moi, et tous ceux qui oseraient lui résister.

Le supérieur, ayant ordonné à ses religieux de le conduire, demeura seul avec moi. Il me conjura de lui apprendre promptement d'où venait ce désordre. Ô mon Père, lui dis-je, en continuant de pleurer comme un enfant, figurez-vous la plus horrible cruauté, imaginez-vous la plus détestable de toutes les barbaries, c'est l'action que l'indigne G... M... a eu la lâcheté de commettre. Oh ! il m'a percé le cœur. Je n'en reviendrai jamais. Je veux vous raconter tout, ajoutai-je en sanglotant. Vous êtes bon, vous aurez pitié de moi. Je lui fis un récit abrégé de la longue et insurmontable passion que j'avais pour Manon, de la situation florissante de notre fortune avant que nous eussions été dépouillés par nos propres domestiques, des offres que G... M... avait faites à ma maîtresse, de la conclusion de leur marché, et de la manière dont il avait été rompu. Je lui représentai les choses, à la vérité, du côté le plus favorable pour nous : Voilà, continuai-je, de quelle source est venu le zèle de M. de G... M... pour ma conversion. Il a eu le crédit [4] de me faire ici renfermer, par un pur motif de vengeance. Je lui pardonne, mais, mon Père, ce n'est pas tout : il a fait enlever cruellement la plus chère moitié de moi-même, il l'a fait mettre honteusement à l'Hôpital, il a eu l'impudence de me l'annoncer aujourd'hui de sa propre bouche. À l'Hôpital, mon Père ! Ô Ciel ! ma charmante maîtresse, ma chère reine à l'Hôpital, comme la plus infâme de toutes les créatures ! Où trouverai-je assez de force pour ne pas mourir de douleur et de honte ? Le bon Père, me voyant dans cet excès d'affliction, entreprit de me consoler [4]. Il me dit qu'il n'avait jamais compris mon aventure de la manière dont je la racontais ; qu'il avait su, à la vérité, que je vivais dans le désordre, mais qu'il s'était figuré que ce qui avait obligé M. de G... M... d'y prendre intérêt, était quelque liaison d'estime et d'amitié avec ma famille ; qu'il ne s'en était expliqué à lui-même que sur ce pied ; que ce que je venais de lui apprendre mettrait beaucoup de changement dans mes affaires, et qu'il ne doutait point que le récit qu'il avait dessein d'en faire à M. le Lieutenant général de Police ne pût contribuer à ma liberté. Il me demanda ensuite pourquoi je n'avais pas encore pensé à donner de mes nouvelles à ma famille, puisqu'elle n'avait point eu de part à ma captivité. Je satisfis à cette objection par quelques raisons prises de la douleur que j'avais appréhendé de causer à mon père, et de la honte que j'en aurais ressentie moi-même. Enfin il me promit d'aller de ce pas chez le Lieutenant de Police, ne fût-ce, ajouta-t-il, que pour prévenir quelque chose de pis, de la part de M. de G... M..., qui est sorti de cette maison fort mal satisfait, et qui est assez considéré pour se faire redouter.

J'attendis le retour du Père avec toutes les agitations d'un malheureux qui touche au moment de sa sentence. C'était pour moi un supplice inexprimable de me représenter Manon à l'Hôpital[5]. Outre l'infamie de cette demeure, j'ignorais de quelle manière elle y était traitée, et le souvenir de quelques particularités que j'avais entendues de cette maison d'horreur renouvelait à tous moments mes transports. J'étais tellement résolu de la secourir, à quelque prix et par quelque moyen que ce pût être, que j'aurais mis le feu à Saint-Lazare, s'il m'eût été impossible d'en sortir autrement. Je réfléchis donc sur les voies que j'avais à prendre, s'il arrivait que le Lieutenant général de Police continuât de m'y retenir malgré moi. Je mis mon industrie à toutes les épreuves ; je parcourus toutes les possibilités. Je ne vis rien qui pût m'assurer d'une évasion certaine, et je craignis d'être renfermé plus étroitement si je faisais une tentative malheureuse. Je me rappelai le nom de quelques amis, de qui je pouvais espérer du secours ; mais quel moyen de leur faire savoir ma situation ? Enfin, je crus avoir formé un plan si adroit qu'il pourrait réussir, et je remis à l'arranger encore mieux après le retour du Père supérieur, si l'inutilité de sa démarche me le rendait nécessaire. Il ne tarda point à revenir. Je ne vis pas, sur son visage, les marques de joie qui accompagnent une bonne nouvelle. J'ai parlé, me dit-il, à M. le Lieutenant général de Police, mais je lui ai parlé trop tard. M. de G... M... l'est allé voir en sortant d'ici, et l'a si fort prévenu contre vous, qu'il était sur le point de m'envoyer de nouveaux ordres pour vous resserrer davantage.

Cependant, lorsque je lui ai appris le fond de vos affaires, il a paru s'adoucir beaucoup, et riant un peu de l'incontinence du vieux M. de G... M..., il m'a dit qu'il fallait vous laisser ici six mois pour le satisfaire ; d'autant mieux, a-t-il dit, que cette demeure [7] ne saurait vous être inutile. Il m'a recommandé de vous traiter honnêtement, et je vous réponds que vous ne vous plaindrez point de mes manières.

Cette explication du bon supérieur fut assez longue pour me donner le temps de faire une sage réflexion. Je conçus que je m'exposerais à renverser mes desseins si je lui marquais trop d'empressement pour ma liberté. Je lui témoignai, au contraire, que dans la nécessité de demeurer, c'était une douce consolation pour moi d'avoir quelque part à son estime. Je le priai ensuite, sans affectation, de m'accorder une grâce, qui n'était de nulle importance pour personne, et qui servirait beaucoup à ma tranquillité ; c'était de faire avertir un de mes amis, un saint ecclésiastique qui demeurait à Saint-Sulpice, que j'étais à Saint-Lazare, et de permettre que je reçusse quelquefois sa visite. Cette faveur me fut accordée sans délibérer. C'était mon ami Tiberge dont il était question ; non que j'espérasse de lui les secours nécessaires pour ma liberté, mais je voulais l'y faire servir comme un instrument éloigné, sans qu'il en eût même connaissance. En un mot, voici mon projet : je voulais écrire à Lescaut et le charger, lui et nos amis communs, du soin de me délivrer. La première difficulté était de lui faire tenir ma lettre ; ce devait être l'office de Tiberge. Cependant, comme il le connaissait pour le frère de ma maîtresse, je craignais qu'il n'eût peine à se charger de cette commission. Mon dessein était de renfermer ma lettre à Lescaut dans une autre lettre que je devais adresser à un honnête homme de ma connaissance, en le priant de rendre promptement la première à son adresse, et comme il était nécessaire que je visse Lescaut pour nous accorder dans nos mesures, je voulais lui marquer de venir à Saint-Lazare, et de demander à me voir sous le nom de mon frère aîné, qui était venu exprès à Paris pour prendre connaissance de mes affaires. Je remettais à convenir avec lui des moyens qui nous paraîtraient les plus expéditifs et les plus sûrs. Le Père supérieur fit avertir Tiberge du désir que j'avais de l'entretenir. Ce fidèle ami ne m'avait pas tellement perdu de vue qu'il ignorât mon aventure ; il savait que j'étais à Saint-Lazare, et peut-être n'avait-il pas été fâché de cette disgrâce qu'il croyait capable de me ramener au devoir. Il accourut aussitôt à ma chambre.

Notre entretien fut plein d'amitié [4]. Il voulut être informé de mes dispositions. Je lui ouvris mon cœur sans réserve, excepté sur le dessein de ma fuite. Ce n'est pas à vos yeux, cher ami, lui dis-je, que je veux paraître ce que je ne suis point. Si vous avez cru trouver ici un ami sage et réglé dans ses désirs, un libertin réveillé par les châtiments du Ciel, en un mot un cœur dégagé de l'amour et revenu des charmes de sa Manon, vous avez jugé trop favorablement de moi. Vous me revoyez tel que vous me laissâtes il y a quatre mois : toujours tendre, et toujours malheureux par cette fatale tendresse dans laquelle je ne me lasse point de chercher mon bonheur.

Il me répondit que l'aveu que je faisais me rendait inexcusable ; qu'on voyait bien des pécheurs qui s'enivraient du faux bonheur du vice jusqu'à le préférer hautement à celui de la vertu ; mais que c'était, du moins, à des images de bonheur qu'ils s'attachaient, et qu'ils étaient les dupes de l'apparence ; mais que, de reconnaître, comme je le faisais, que l'objet de mes attachements n'était propre qu'à me rendre coupable et malheureux, et de continuer à me précipiter volontairement dans l'infortune et dans le crime, c'était une contradiction d'idées et de conduite qui ne faisait pas honneur à ma raison.

Tiberge, repris-je, qu'il vous est aisé de vaincre, lorsqu'on n'oppose rien à vos armes ! Laissez-moi raisonner à mon tour. Pouvez-vous prétendre que ce que vous appelez le bonheur de la vertu [7] soit exempt de peines, de traverses et d'inquiétudes ? Quel nom donnerez-vous à la prison, aux croix, aux supplices et aux tortures des tyrans ? Direz-vous, comme font les mystiques, que ce qui tourmente le corps est un bonheur pour l'âme ? Vous n'oseriez le dire ; c'est un paradoxe insoutenable. Ce bonheur, que vous relevez tant, est donc mêlé de mille peines, ou pour parler plus juste, ce n'est qu'un tissu de malheurs au travers desquels on tend à la félicité. Or si la force de l'imagination fait trouver du plaisir dans ces maux mêmes, parce qu'ils peuvent conduire à un terme heureux qu'on espère, pourquoi traitez-vous de contradictoire et d'insensée, dans ma conduite, une disposition toute semblable ? J'aime Manon ; je tends au travers de mille douleurs à vivre heureux et tranquille auprès d'elle. La voie par où je marche est malheureuse ; mais l'espérance d'arriver à mon terme y répand toujours de la douceur, et je me croirai trop bien payé, par un moment passé avec elle, de tous les chagrins que j'essuie pour l'obtenir. Toutes choses me paraissent donc égales de votre côté et du mien ; ou s'il y a quelque différence, elle est encore à mon avantage, car le bonheur que j'espère est proche, et l'autre est éloigné ; le mien est de la nature des peines, c'est-à-dire sensible au corps, et l'autre est d'une nature inconnue, qui n'est certaine que par la foi.

Tiberge parut effrayé de ce raisonnement. Il recula de deux pas, en me disant, de l'air le plus sérieux, que, non seulement ce que je venais de dire blessait le bon sens, mais que c'était un malheureux sophisme d'impiété et d'irréligion[3] : car cette comparaison, ajouta-t-il, du terme de vos peines avec celui qui est proposé par la religion, est une idée des plus libertines[7] et des plus monstrueuses.

J'avoue, repris-je, qu'elle n'est pas juste ; mais prenez-y garde, ce n'est pas sur elle que porte mon raisonnement. J'ai eu dessein d'expliquer ce que vous regardez comme une contradiction, dans la persévérance d'un amour malheureux, et je crois avoir fort bien prouvé que, si c'en est une, vous ne sauriez vous en sauver plus que moi. C'est à cet égard seulement que j'ai traité les choses d'égales, et je soutiens encore qu'elles le sont. Répondrez-vous que le terme de la vertu est infiniment supérieur à celui de l'amour ? Qui refuse d'en convenir ? Mais est-ce de quoi il est question ? Ne s'agit-il pas de la force qu'ils ont, l'un et l'autre, pour faire supporter les peines ? Jugeons-en par l'effet. Combien trouve-t-on de déserteurs de la sévère vertu, et combien en trouverez-vous peu de l'amour ? Répondrez-vous encore que, s'il y a des peines dans l'exercice du bien, elles ne sont pas infaillibles et nécessaires ; qu'on ne trouve plus de tyrans ni de croix, et qu'on voit quantité de personnes vertueuses mener une vie douce et tranquille ? Je vous dirai de même qu'il y a des amours paisibles et fortunées, et, ce qui fait encore une différence qui m'est extrêmement avantageuse, j'ajouterai que l'amour, quoiqu'il trompe assez souvent, ne promet du moins que des satisfactions et des joies, au lieu que la religion veut qu'on s'attende à une pratique triste et mortifiante. Ne vous alarmez pas, ajoutai-je en voyant son zèle prêt à se chagriner. L'unique chose que je veux conclure ici, c'est qu'il n'y a point de plus mauvaise méthode pour dégoûter un cœur de l'amour, que de lui en décrier les douceurs et de lui promettre plus de bonheur dans l'exercice de la vertu. De la manière dont nous sommes faits, il est certain que notre félicité consiste dans le plaisir ; je défie qu'on s'en forme une autre idée ; or le cœur n'a pas besoin de se consulter longtemps pour sentir que, de tous les plaisirs, les plus doux sont ceux de l'amour. Il s'aperçoit bientôt qu'on le trompe lorsqu'on lui en promet ailleurs de plus charmants, et cette tromperie le dispose à se défier des promesses les plus solides. Prédicateurs, qui voulez me ramener à la vertu, dites-moi qu'elle est indispensablement nécessaire, mais ne me déguisez pas qu'elle est sévère et pénible. Établissez bien que les délices de l'amour sont passagères, qu'elles sont défendues, qu'elles seront suivies par d'éternelles peines, et ce qui fera peut-être encore plus d'impression sur moi, que, plus elles sont douces et charmantes, plus le Ciel sera magnifique à récompenser un si grand sacrifice, mais confessez qu'avec des cœurs tels que nous les avons, elles sont ici-bas nos plus parfaites félicités.

Cette fin de mon discours rendit sa bonne humeur à Tiberge. Il convint qu'il y avait quelque chose de raisonnable dans mes pensées. La seule objection qu'il ajouta fut de me demander pourquoi je n'entrais pas du moins dans mes propres principes, en sacrifiant mon amour à l'espérance de cette rémunération dont je me faisais une si grande idée. Ô cher ami ! lui répondis-je, c'est ici que je reconnais ma misère et ma faiblesse. Hélas ! oui, c'est mon devoir d'agir comme je raisonne ! mais l'action est-elle en mon pouvoir ? De quels secours n'aurais-je pas besoin pour oublier les charmes de Manon ? Dieu me pardonne, reprit Tiberge, je pense que voici encore un de nos jansénistes [3]. Je ne sais ce que je suis, répliquai-je, et je ne vois pas trop clairement ce qu'il faut être ; mais je n'éprouve que trop la vérité de ce qu'ils disent.

Cette conversation servit du moins à renouveler la pitié de mon ami. Il comprit qu'il y avait plus de faiblesse que de malignité dans mes désordres. Son amitié en fut plus disposée, dans la suite, à me donner des secours, sans lesquels j'aurais péri infailliblement de misère. Cependant, je ne lui fis pas la moindre ouverture du dessein que j'avais de m'échapper de Saint-Lazare. Je le priai seulement de se charger de ma lettre. Je l'avais préparée, avant qu'il fût venu, et je ne manquai point de prétextes pour colorer [7] la nécessité où j'étais d'écrire. Il eut la fidélité de la porter exactement, et Lescaut reçut, avant la fin du jour, celle qui était pour lui.

Il me vint voir le lendemain, et il passa heureusement sous le nom de mon frère. Ma joie fut extrême en l'apercevant dans ma chambre. J'en fermai la porte avec soin. Ne perdons pas un seul moment, lui dis-je ; apprenez-moi d'abord des nouvelles de Manon, et donnez-moi ensuite un bon conseil pour rompre mes fers. Il m'assura qu'il n'avait pas vu sa sœur depuis le jour qui avait précédé mon emprisonnement, qu'il n'avait appris son sort et le mien qu'à force d'informations et de soins ; que, s'étant présenté deux ou trois fois à l'Hôpital, on lui avait refusé la liberté de lui parler. Malheureux G... M... ! m'écriai-je, que tu me le paieras cher !

Pour ce qui regarde votre délivrance, continua Lescaut, c'est une entreprise moins facile que vous ne pensez. Nous passâmes hier la soirée, deux de mes amis et moi, à observer toutes les parties extérieures de cette maison, et nous jugeâmes que, vos fenêtres étant sur une cour entourée de bâtiments, comme vous nous l'aviez marqué, il y aurait bien de la difficulté à vous tirer de là. Vous êtes d'ailleurs au troisième étage, et nous ne pouvons introduire ici ni cordes ni échelles. Je ne vois donc nulle ressource du côté du dehors. C'est dans la maison même qu'il faudrait imaginer quelque artifice. Non, repris-je ; j'ai tout examiné, surtout depuis que ma clôture est un peu moins rigoureuse, par l'indulgence du supérieur. La porte de ma chambre ne se ferme plus avec la clef, j'ai la liberté de me promener dans les galeries des religieux ; mais tous les escaliers sont bouchés par des portes épaisses, qu'on a soin de tenir fermées la nuit et le jour, de sorte qu'il est impossible que la seule adresse puisse me sauver. Attendez, repris-je, après avoir un peu réfléchi sur une idée qui me parut excellente, pourriez-vous m'apporter un pistolet ? Aisément, me dit Lescaut ; mais voulez-vous tuer quelqu'un ? Je l'assurai que j'avais si peu dessein de tuer qu'il n'était pas même nécessaire que le pistolet fût chargé. Apportez-le-moi demain, ajoutai-je, et ne manquez pas de vous trouver le soir, à onze heures, vis-à-vis de la porte de cette maison, avec deux ou trois de nos amis. J'espère que je pourrai vous y rejoindre. Il me pressa en vain de lui en apprendre davantage. Je lui dis qu'une entreprise, telle que je la méditais, ne pouvait paraître raisonnable qu'après avoir réussi. Je le priai d'abréger sa visite, afin qu'il trouvât plus de facilité à me revoir le lendemain. Il fut admis avec aussi peu de peine que la première fois. Son air était grave, il n'y a personne qui ne l'eût pris pour un homme d'honneur.

Lorsque je me trouvai muni de l'instrument de ma liberté, je ne doutai presque plus du succès de mon projet. Il était bizarre et hardi ; mais de quoi n'étais-je pas capable, avec les motifs qui m'animaient ? J'avais remarqué, depuis qu'il m'était permis de sortir de ma chambre et de me promener dans les galeries, que le portier apportait chaque jour au soir les clefs de toutes les portes au supérieur, et qu'il régnait ensuite un profond silence dans la maison, qui marquait que tout le monde était retiré. Je pouvais aller sans obstacle, par une galerie de communication, de ma chambre à celle de ce Père. Ma résolution était de lui prendre ses clefs, en l'épouvantant avec mon pistolet s'il faisait difficulté de me les donner, et de m'en servir pour gagner la rue. J'en attendis le temps avec impatience. Le portier vint à l'heure ordinaire, c'est-à-dire un peu après neuf heures. J'en laissai passer encore une, pour m'assurer que tous les religieux et les domestiques étaient endormis. Je partis enfin, avec mon arme et une chandelle allumée. Je frappai d'abord doucement à la porte du Père, pour l'éveiller sans bruit. Il m'entendit au second coup, et s'imaginant, sans doute, que c'était quelque religieux qui se trouvait mal et qui avait besoin de secours, il se leva pour m'ouvrir. Il eut, néanmoins, la précaution de demander, au travers de la porte, qui c'était et ce qu'on voulait de lui. Je fus obligé de me nommer ; mais j'affectai un ton plaintif, pour lui faire comprendre que je ne me trouvais pas bien. Ah ! c'est vous, mon cher fils, me dit-il, en ouvrant la porte ; qu'est-ce donc qui vous amène si tard ? J'entrai dans sa chambre, et l'ayant tiré à l'autre bout opposé à la porte, je lui déclarai qu'il m'était impossible de demeurer plus longtemps à Saint-Lazare ; que la nuit était un temps commode pour sortir sans être aperçu, et que j'attendais de son amitié qu'il consentirait à m'ouvrir les portes, ou à me prêter ses clefs pour les ouvrir moi-même.

Ce compliment devait le surprendre. Il demeura quelque temps à me considérer, sans me répondre. Comme je n'en avais pas à perdre, je repris la parole pour lui dire que j'étais fort touché de toutes ses bontés, mais que, la liberté étant le plus cher de tous les biens, surtout pour moi à qui on la ravissait injustement, j'étais résolu de me la procurer cette nuit même, à quelque prix que ce fût ; et de peur qu'il ne lui prît envie d'élever la voix pour appeler du secours, je lui fis voir une honnête raison de silence, que je tenais sous mon justeau-corps*. Un pistolet ! me dit-il. Quoi ! mon fils, vous voulez m'ôter la vie, pour reconnaître la considération que j'ai eue pour vous ? À Dieu ne plaise, lui répondis-je. Vous avez trop d'esprit et de raison pour me mettre dans cette nécessité ; mais je veux être libre, et j'y suis si résolu que, si mon projet manque par votre faute, c'est fait de vous absolument. Mais, mon cher fils, reprit-il d'un air pâle et effrayé, que vous ai-je fait ? quelle raison avez-vous de vouloir ma mort ? Eh non ! répliquai-je avec impatience. Je n'ai pas dessein de vous tuer, si vous voulez vivre. Ouvrez-moi la porte, et je suis le meilleur de vos amis. J'aperçus les clefs qui étaient sur sa table. Je les pris et je le priai de me suivre, en faisant le moins de bruit qu'il pourrait. Il fut obligé de s'y résoudre. À mesure que nous avancions et qu'il ouvrait une porte, il me répétait avec un soupir : Ah ! mon fils, ah ! qui l'aurait cru ? Point de bruit, mon Père, répétais-je de mon côté à tout moment. Enfin nous arrivâmes à une espèce de barrière, qui est avant la grande porte de la rue. Je me croyais déjà libre, et j'étais derrière le Père, avec ma chandelle dans une main et mon pistolet dans l'autre. Pendant qu'il s'empressait d'ouvrir, un domestique, qui couchait dans une petite chambre voisine, entendant le bruit de quelques verrous, se lève et met la tête à sa porte. Le bon Père le crut apparemment capable de m'arrêter. Il lui ordonna, avec beaucoup d'imprudence, de venir

* Veste serrée à la taille et qui va jusqu'aux genoux, que portaient les jeunes gens de condition.

à son secours. C'était un puissant coquin, qui s'élança sur moi sans balancer. Je ne le marchandai* point ; je lui lâchai le coup au milieu de la poitrine. Voilà de quoi vous êtes cause, mon Père, dis-je assez fièrement à mon guide. Mais que cela ne vous empêche point d'achever, ajoutai-je en le poussant vers la dernière porte. Il n'osa refuser de l'ouvrir. Je sortis heureusement et je trouvai, à quatre pas, Lescaut qui m'attendait avec deux amis, suivant sa promesse.

Nous nous éloignâmes. Lescaut me demanda s'il n'avait pas entendu tirer un pistolet. C'est votre faute, lui dis-je ; pourquoi me l'apportiez-vous chargé ? Cependant je le remerciai d'avoir eu cette précaution, sans laquelle j'étais sans doute à Saint-Lazare pour longtemps. Nous allâmes passer la nuit chez un traiteur, où je me remis un peu de la mauvaise chère que j'avais faite depuis près de trois mois. Je ne pus néanmoins m'y livrer au plaisir. Je souffrais mortellement dans Manon. Il faut la délivrer, dis-je à mes trois amis. Je n'ai souhaité la liberté que dans cette vue. Je vous demande le secours de votre adresse ; pour moi, j'y emploierai jusqu'à ma vie. Lescaut, qui ne manquait pas d'esprit et de prudence, me représenta qu'il fallait aller bride en main** ; que mon évasion de Saint-Lazare, et le malheur qui m'était arrivé en sortant, causeraient infailliblement du bruit ; que le Lieutenant général de Police me ferait chercher, et qu'il avait les bras longs ; enfin, que si je ne voulais pas être exposé à quelque chose de pis que Saint-Lazare, il était à propos de me tenir couvert et renfermé pendant quelques jours, pour laisser au premier feu de mes ennemis le temps de s'éteindre. Son conseil était sage, mais il aurait fallu l'être aussi pour le suivre. Tant de lenteur et de ménagement ne s'accordait pas avec ma passion. Toute ma complaisance se réduisit à lui promettre que je passerais

* Je ne l'épargnai.

** Terme d'équitation : modérément, prudemment.

le jour suivant à dormir. Il m'enferma dans sa chambre, où je demeurai jusqu'au soir.

J'employai une partie de ce temps à former des projets et des expédients pour secourir Manon. J'étais bien persuadé que sa prison était encore plus impénétrable que n'avait été la mienne. Il n'était pas question de force et de violence, il fallait de l'artifice ; mais la déesse même de l'invention n'aurait pas su par où commencer. J'y vis si peu de jour, que je remis à considérer mieux les choses lorsque j'aurais pris quelques informations sur l'arrangement intérieur de l'Hôpital.

Aussitôt que la nuit m'eut rendu la liberté, je priai Lescaut de m'accompagner. Nous liâmes conversation avec un des portiers, qui nous parut homme de bon sens. Je feignis d'être un étranger qui avait entendu parler avec admiration de l'Hôpital Général, et de l'ordre qui s'y observe. Je l'interrogeai sur les plus minces détails, et de circonstances en circonstances, nous tombâmes sur les administrateurs [6], dont je le priai de m'apprendre les noms et les qualités. Les réponses qu'il me fit sur ce dernier article me firent naître une pensée dont je m'applaudis aussitôt, et que je ne tardai point à mettre en œuvre. Je lui demandai, comme une chose essentielle à mon dessein, si ces messieurs avaient des enfants. Il me dit qu'il ne pouvait m'en rendre un compte certain, mais que, pour M. de T... [6], qui était un des principaux, il lui connaissait un fils en âge d'être marié, qui était venu plusieurs fois à l'Hôpital avec son père. Cette assurance me suffisait. Je rompis presque aussitôt notre entretien, et je fis part à Lescaut, en retournant chez lui, du dessein que j'avais conçu. Je m'imagine, lui dis-je, que M. de T... le fils, qui est riche et de bonne famille, est dans un certain goût de plaisirs, comme la plupart des jeunes gens de son âge. Il ne saurait être ennemi des femmes, ni ridicule au point de refuser ses services pour une affaire d'amour. J'ai formé le dessein de l'intéresser à la liberté de Manon. S'il est honnête homme, et qu'il ait des sentiments, il nous accordera son secours par générosité.

S'il n'est point capable d'être conduit par ce motif, il fera du moins quelque chose pour une fille aimable, ne fût-ce que par l'espérance d'avoir part à ses faveurs. Je ne veux pas différer de le voir, ajoutai-je, plus longtemps que jusqu'à demain. Je me sens si consolé par ce projet, que j'en tire un bon augure. Lescaut convint lui-même qu'il y avait de la vraisemblance dans mes idées, et que nous pouvions espérer quelque chose par cette voie. J'en passai la nuit moins tristement.

Le matin étant venu, je m'habillai le plus proprement [7] qu'il me fut possible, dans l'état d'indigence où j'étais, et je me fis conduire dans un fiacre [4] à la maison de M. de T... Il fut surpris de recevoir la visite d'un inconnu. J'augurai bien de sa physionomie et de ses civilités. Je m'expliquai naturellement avec lui, et pour échauffer ses sentiments naturels, je lui parlai de ma passion et du mérite de ma maîtresse comme de deux choses qui ne pouvaient être égalées que l'une par l'autre. Il me dit que, quoiqu'il n'eût jamais vu Manon, il avait entendu parler d'elle, du moins s'il s'agissait de celle qui avait été la maîtresse du vieux G... M... Je ne doutai point qu'il ne fût informé de la part que j'avais eue à cette aventure, et pour le gagner de plus en plus, en me faisant un mérite de ma confiance, je lui racontai le détail de tout ce qui était arrivé à Manon et à moi. Vous voyez, monsieur, continuai-je, que l'intérêt de ma vie et celui de mon cœur sont maintenant entre vos mains. L'un ne m'est pas plus cher que l'autre. Je n'ai point de réserve avec vous, parce que je suis informé de votre générosité, et que la ressemblance de nos âges me fait espérer qu'il s'en trouvera quelqu'une dans nos inclinations. Il parut fort sensible à cette marque d'ouverture et de candeur. Sa réponse fut celle d'un homme qui a du monde et des sentiments ; ce que le monde ne donne pas toujours et qu'il fait perdre souvent. Il me dit qu'il mettait ma visite au rang de ses bonnes fortunes*, qu'il regarderait mon

* Des moments chanceux de son existence.

amitié comme une de ses plus heureuses acquisitions, et qu'il s'efforcerait de la mériter par l'ardeur de ses services[4]. Il ne promit pas de me rendre Manon, parce qu'il n'avait, me dit-il, qu'un crédit médiocre et mal assuré ; mais il m'offrit de me procurer le plaisir de la voir, et de faire tout ce qui serait en sa puissance pour la remettre entre mes bras. Je fus plus satisfait de cette incertitude de son crédit que je ne l'aurais été d'une pleine assurance de remplir tous mes désirs. Je trouvai, dans la modération de ses offres, une marque de franchise dont je fus charmé. En un mot, je me promis tout de ses bons offices. La seule promesse de me faire voir Manon m'aurait fait tout entreprendre pour lui. Je lui marquai quelque chose de ces sentiments, d'une manière qui le persuada aussi que je n'étais pas d'un mauvais naturel. Nous nous embrassâmes avec tendresse, et nous devînmes amis, sans autre raison que la bonté de nos cœurs et une simple disposition qui porte un homme tendre et généreux à aimer un autre homme qui lui ressemble. Il poussa les marques de son estime bien plus loin, car, ayant combiné* mes aventures, et jugeant qu'en sortant de Saint-Lazare je ne devais pas me trouver à mon aise, il m'offrit sa bourse, et il me pressa de l'accepter. Je ne l'acceptai point ; mais je lui dis : C'est trop, mon cher Monsieur. Si, avec tant de bonté et d'amitié, vous me faites revoir ma chère Manon, je vous suis attaché pour toute ma vie. Si vous me rendez tout à fait cette chère créature, je ne croirai pas être quitte en versant tout mon sang pour vous servir.

Nous ne nous séparâmes qu'après être convenus du temps et du lieu où nous devions nous retrouver. Il eut la complaisance de ne pas me remettre plus loin que l'après-midi du même jour. Je l'attendis dans un café[4], où il vint me rejoindre vers les quatre heures, et nous prîmes ensemble le chemin de l'Hôpital. Mes

* Ayant redessiné mentalement tout l'enchaînement de...

genoux étaient tremblants en traversant les cours. Puissance d'amour ! disais-je, je reverrai donc l'idole de mon cœur, l'objet de tant de pleurs et d'inquiétudes ! Ciel ! conservez-moi assez de vie pour aller jusqu'à elle, et disposez après cela de ma fortune et de mes jours ; je n'ai plus d'autre grâce à vous demander.

M. de T... parla à quelques concierges* de la maison qui s'empressèrent de lui offrir tout ce qui dépendait d'eux pour sa satisfaction. Il se fit montrer le quartier où Manon avait sa chambre, et l'on nous y conduisit avec une clef d'une grandeur effroyable, qui servit à ouvrir sa porte. Je demandai au valet qui nous menait, et qui était celui qu'on avait chargé du soin de la servir, de quelle manière elle avait passé le temps dans cette demeure. Il nous dit que c'était une douceur angélique ; qu'il n'avait jamais reçu d'elle un mot de dureté ; qu'elle avait versé continuellement des larmes pendant les six premières semaines après son arrivée, mais que, depuis quelque temps, elle paraissait prendre son malheur avec plus de patience, et qu'elle était occupée à coudre du matin jusqu'au soir, à la réserve de quelques heures qu'elle employait à la lecture. Je lui demandai encore si elle avait été entretenue proprement. Il m'assura que le nécessaire, du moins, ne lui avait jamais manqué[5].

Nous approchâmes de sa porte. Mon cœur battait violemment. Je dis à M. de T... : Entrez seul et prévenez-la sur ma visite, car j'appréhende qu'elle ne soit trop saisie en me voyant tout d'un coup. La porte nous fut ouverte. Je demeurai dans la galerie. J'entendis néanmoins leurs discours. Il lui dit qu'il venait lui apporter un peu de consolation, qu'il était de mes amis, et qu'il prenait beaucoup d'intérêt à notre bonheur. Elle lui demanda, avec le plus vif empressement, si elle apprendrait de lui ce que j'étais devenu. Il lui promit de m'amener à ses pieds, aussi tendre, aussi fidèle qu'elle

* Parfois et ici : geôliers.

pouvait le désirer. Quand ? reprit-elle. Aujourd'hui même, lui dit-il ; ce bienheureux moment ne tardera point ; il va paraître à l'instant si vous le souhaitez. Elle comprit que j'étais à la porte. J'entrai, lorsqu'elle y accourait avec précipitation. Nous nous embrassâmes avec cette effusion de tendresse qu'une absence de trois mois [1] fait trouver si charmante à de parfaits amants. Nos soupirs, nos exclamations interrompues, mille noms d'amour répétés languissamment de part et d'autre, formèrent, pendant un quart d'heure, une scène qui attendrissait M. de T... Je vous porte envie, me dit-il, en nous faisant asseoir ; il n'y a point de sort glorieux auquel je ne préférasse une maîtresse si belle et si passionnée. Aussi mépriserais-je tous les empires du monde, lui répondis-je, pour m'assurer le bonheur d'être aimé d'elle.

Tout le reste d'une conversation si désirée ne pouvait manquer d'être infiniment tendre. La pauvre Manon me raconta ses aventures, et je lui appris les miennes. Nous pleurâmes amèrement en nous entretenant de l'état où elle était, et de celui d'où je ne faisais que sortir. M. de T... nous consola par de nouvelles promesses de s'employer ardemment pour finir nos misères. Il nous conseilla de ne pas rendre cette première entrevue trop longue, pour lui donner plus de facilités à nous en procurer d'autres. Il eut beaucoup de peine à nous faire goûter ce conseil ; Manon, surtout, ne pouvait se résoudre à me laisser partir. Elle me fit remettre cent fois sur ma chaise ; elle me retenait par les habits et par les mains. Hélas ! dans quel lieu me laissez-vous ! disait-elle. Qui peut m'assurer de vous revoir ? M. de T... lui promit de la venir voir souvent avec moi. Pour le lieu, ajouta-t-il agréablement, il ne faut plus l'appeler l'Hôpital ; c'est Versailles, depuis qu'une personne qui mérite l'empire de tous les cœurs y est renfermée.

Je fis, en sortant, quelques libéralités au valet qui la servait, pour l'engager à lui rendre ses soins avec zèle. Ce garçon avait l'âme moins basse et moins dure que ses pareils. Il avait été témoin de notre entrevue ; ce tendre spectacle l'avait touché. Un louis d'or [4], dont je lui fis présent, acheva de me l'attacher. Il me prit à l'écart, en descendant dans les cours. Monsieur, me dit-il, si vous me voulez prendre à votre service, ou me donner une honnête récompense pour me dédommager de la perte de l'emploi que j'occupe ici, je crois qu'il me sera facile de délivrer Mademoiselle Manon. J'ouvris l'oreille à cette proposition, et quoique je fusse dépourvu de tout, je lui fis des promesses fort au-dessus de ses désirs. Je comptais bien qu'il me serait toujours aisé de récompenser un homme de cette étoffe. Sois persuadé, lui dis-je, mon ami, qu'il n'y a rien que je ne fasse pour toi, et que ta fortune est aussi assurée que la mienne. Je voulus savoir quels moyens il avait dessein d'employer. Nul autre, me dit-il, que de lui ouvrir le soir la porte de sa chambre, et de vous la conduire jusqu'à celle de la rue, où il faudra que vous soyez prêt à la recevoir. Je lui demandai s'il n'était point à craindre qu'elle ne fût reconnue en traversant les galeries et les cours. Il confessa qu'il y avait quelque danger, mais il me dit qu'il fallait bien risquer quelque chose. Quoique je fusse ravi de le voir si résolu, j'appelai M. de T... pour lui communiquer ce projet, et la seule raison qui semblait pouvoir le rendre douteux. Il y trouva plus de difficulté que moi. Il convint qu'elle pouvait absolument s'échapper de cette manière ; mais, si elle est reconnue, continua-t-il, si elle est arrêtée en fuyant, c'est peut-être fait d'elle pour toujours. D'ailleurs, il vous faudrait donc quitter Paris sur-le-champ, car vous ne seriez jamais assez caché aux recherches. On les redoublerait, autant par rapport à vous qu'à elle. Un homme s'échappe aisément, quand il est seul, mais il est presque impossible de demeurer inconnu avec une jolie femme. Quelque solide que me parût ce raisonnement, il ne put l'emporter, dans mon esprit, sur un espoir si proche de mettre Manon en liberté. Je le dis à M. de T..., et je le priai de pardonner un peu d'imprudence et de témérité à l'amour. J'ajoutai que mon dessein était, en effet, de quitter Paris, pour m'arrêter, comme j'avais déjà fait, dans quelque village voisin. Nous convînmes donc, avec le valet, de ne pas remettre son entreprise plus loin qu'au jour suivant, et pour la rendre aussi certaine qu'il était en notre pouvoir, nous résolûmes d'apporter des habits d'homme, dans la vue de faciliter notre sortie. Il n'était pas aisé de les faire entrer, mais je ne manquai pas d'invention pour en trouver le moyen. Je priai seulement M. de T... de mettre le lendemain deux vestes légères l'une sur l'autre, et je me chargeai de tout le reste.

Nous retournâmes le matin à l'Hôpital. J'avais avec moi, pour Manon, du linge, des bas, etc., et par-dessus mon juste-au-corps, un surtout* qui ne laissait rien voir de trop enflé dans mes poches. Nous ne fûmes qu'un moment dans sa chambre. M. de T... lui laissa une de ses deux vestes ; je lui donnai mon juste-au-corps, le surtout me suffisant pour sortir. Il ne se trouva rien de manque à son ajustement, excepté la culotte que j'avais malheureusement oubliée. L'oubli de cette pièce nécessaire nous eût, sans doute, apprêté à rire si l'embarras où il nous mettait eût été moins sérieux. J'étais au désespoir qu'une bagatelle de cette nature fût capable de nous arrêter. Cependant, je pris mon parti, qui fut de sortir moi-même sans culotte. Je laissai la mienne à Manon. Mon surtout était long, et je me mis, à l'aide de quelques épingles, en état de passer décemment la porte. Le reste du jour me parut d'une longueur insupportable. Enfin, la nuit étant venue, nous nous rendîmes un peu au-dessous de la porte de l'Hôpital, dans un carrosse [4]. Nous n'y fûmes pas longtemps sans voir Manon paraître avec son conducteur. Notre portière étant ouverte, ils montèrent tous deux à l'instant. Je reçus ma chère maîtresse dans mes bras. Elle tremblait comme une feuille. Le cocher me demanda où il fallait toucher. Touche au bout du monde, lui

* Grosse casaque qu'on mettait, en hiver, par-dessus tous les autres habits.

dis-je, et mène-moi quelque part où je ne puisse jamais être séparé de Manon.

Ce transport, dont je ne fus pas le maître, faillit de m'attirer un fâcheux embarras. Le cocher fit réflexion à mon langage, et lorsque je lui dis ensuite le nom de la rue où nous voulions être conduits, il me répondit qu'il craignait que je ne l'engageasse dans une mauvaise affaire, qu'il voyait bien que ce beau jeune homme, qui s'appelait Manon, était une fille que j'enlevais de l'Hôpital, et qu'il n'était pas d'humeur à se perdre pour l'amour de moi. La délicatesse de ce coquin n'était qu'une envie de me faire payer la voiture plus cher. Nous étions trop près de l'Hôpital pour ne pas filer doux. Tais-toi, lui dis-je, il y a un louis d'or[4] à gagner pour toi. Il m'aurait aidé, après cela, à brûler l'Hôpital même. Nous gagnâmes la maison où demeurait Lescaut. Comme il était tard, M. de T... nous quitta en chemin, avec promesse de nous revoir le lendemain. Le valet demeura seul avec nous.

Je tenais Manon si étroitement serrée entre mes bras que nous n'occupions qu'une place dans le carrosse. Elle pleurait de joie, et je sentais ses larmes qui mouillaient mon visage mais, lorsqu'il fallut descendre pour entrer chez Lescaut, j'eus avec le cocher un nouveau démêlé, dont les suites furent funestes. Je me repentis de lui avoir promis un louis, non seulement parce que le présent était excessif, mais par une autre raison bien plus forte, qui était l'impuissance de le payer. Je fis appeler Lescaut. Il descendit de sa chambre pour venir à la porte. Je lui dis à l'oreille dans quel embarras je me trouvais. Comme il était d'une humeur brusque, et nullement accoutumé à ménager un fiacre[4], il me répondit que je me moquais. Un louis d'or ! ajouta-t-il. Vingt coups de canne à ce coquin-là ! J'eus beau lui représenter doucement qu'il allait nous perdre, il m'arracha ma canne, avec l'air d'en vouloir maltraiter le cocher. Celui-ci, à qui il était peut-être arrivé de tomber quelquefois sous la main d'un garde du corps ou d'un mousquetaire, s'enfuit de peur, avec son carrosse, en criant que je l'avais trompé, mais que j'aurais de ses nouvelles. Je lui répétai inutilement d'arrêter. Sa fuite me causa une extrême inquiétude. Je ne doutai point qu'il n'avertît le commissaire. Vous me perdez, dis-je à Lescaut. Je ne serais pas en sûreté chez vous ; il faut nous éloigner pour le moment. Je prêtai le bras à Manon pour marcher, et nous sortîmes promptement de cette dangereuse rue. Lescaut nous tint compagnie. C'est quelque chose d'admirable [7] que la manière dont la Providence enchaîne les événements. À peine avions-nous marché cinq ou six minutes, qu'un homme, dont je ne découvris point le visage, reconnut Lescaut. Il le cherchait sans doute aux environs de chez lui, avec le malheureux dessein qu'il exécuta. C'est Lescaut, dit-il, en lui lâchant un coup de pistolet ; il ira souper ce soir avec les anges. Il se déroba aussitôt. Lescaut tomba, sans le moindre mouvement de vie. Je pressai Manon de fuir, car nos secours étaient inutiles à un cadavre, et je craignais d'être arrêté par le guet [5], qui ne pouvait tarder à paraître. J'enfilai, avec elle et le valet, la première petite rue qui croisait. Elle était si éperdue que j'avais de la peine à la soutenir. Enfin j'aperçus un fiacre [4] au bout de la rue. Nous y montâmes, mais lorsque le cocher me demanda où il fallait nous conduire, je fus embarrassé à lui répondre. Je n'avais point d'asile assuré ni d'ami de confiance à qui j'osasse avoir recours. J'étais sans argent, n'ayant guère plus d'une demi-pistole dans ma bourse [4]. La frayeur et la fatigue avaient tellement incommodé Manon qu'elle était à demi pâmée près de moi. J'avais, d'ailleurs, l'imagination remplie du meurtre de Lescaut, et je n'étais pas encore sans appréhension de la part du guet. Quel parti prendre ? Je me souvins heureusement de l'auberge de Chaillot, où j'avais passé quelques jours avec Manon, lorsque nous étions allés dans ce village pour y demeurer. J'espérai non seulement d'y être en sûreté, mais d'y pouvoir vivre quelque temps sans être pressé de payer. Mène-nous à Chaillot, dis-je au cocher. Il refusa d'y aller si tard, à moins d'une pistole : autre sujet d'embarras. Enfin nous convînmes de six francs ; c'était toute la somme qui restait dans ma bourse.

Je consolais Manon, en avançant ; mais, au fond, j'avais le désespoir dans le cœur. Je me serais donné mille fois la mort, si je n'eusse pas eu, dans mes bras, le seul bien qui m'attachait à la vie. Cette seule pensée me remettait. Je la tiens du moins, disais-je ; elle m'aime, elle est à moi. Tiberge a beau dire, ce n'est pas là un fantôme de bonheur. Je verrais périr tout l'univers sans y prendre intérêt. Pourquoi ? Parce que je n'ai plus d'affection de reste. Ce sentiment était vrai ; cependant, dans le temps que je faisais si peu de cas des biens du monde, je sentais que j'aurais eu besoin d'en avoir du moins une petite partie, pour mépriser encore plus souverainement tout le reste. L'amour est plus fort que l'abondance, plus fort que les trésors et les richesses, mais il a besoin de leur secours ; et rien n'est plus désespérant, pour un amant délicat, que de se voir ramené par là, malgré lui, à la grossièreté des âmes les plus basses.

Il était onze heures quand nous arrivâmes à Chaillot. Nous fûmes reçus à l'auberge comme des personnes de connaissance ; on ne fut pas surpris de voir Manon en habit d'homme, parce qu'on est accoutumé, à Paris et aux environs, de voir prendre aux femmes toutes sortes de formes. Je la fis servir aussi proprement que si j'eusse été dans la meilleure fortune. Elle ignorait que je fusse mal en argent ; je me gardai bien de lui en rien apprendre, étant résolu de retourner seul à Paris, le lendemain, pour chercher quelque remède à cette fâcheuse espèce de maladie.

Elle me parut pâle et maigrie, en soupant. Je ne m'en étais point aperçu à l'Hôpital, parce que la chambre où je l'avais vue n'était pas des plus claires. Je lui demandai si ce n'était point encore un effet de la frayeur qu'elle avait eue en voyant assassiner son frère. Elle m'assura que, quelque touchée qu'elle fût de cet accident, sa pâleur ne venait que d'avoir essuyé pendant trois mois mon absence. Tu m'aimes donc extrêmement ? lui répondis-je. Mille fois plus que je ne puis dire, reprit-elle. Tu ne me quitteras donc plus jamais ? ajoutai-je. Non, jamais, répliqua-t-elle ; et cette assurance fut confirmée par tant de caresses et de serments, qu'il me parut impossible, en effet, qu'elle pût jamais les oublier. J'ai toujours été persuadé qu'elle était sincère ; quelle raison aurait-elle eue de se contrefaire jusqu'à ce point ? Mais elle était encore plus volage, ou plutôt elle n'était plus rien, et elle ne se reconnaissait pas elle-même, lorsque, ayant devant les yeux des femmes qui vivaient dans l'abondance, elle se trouvait dans la pauvreté et dans le besoin. J'étais à la veille d'en avoir une dernière preuve qui a surpassé toutes les autres, et qui a produit la plus étrange aventure qui soit jamais arrivée à un homme de ma naissance et de ma fortune.

Comme je la connaissais de cette humeur, je me hâtai le lendemain d'aller à Paris. La mort de son frère et la nécessité d'avoir du linge et des habits pour elle et pour moi étaient de si bonnes raisons que je n'eus pas besoin de prétextes. Je sortis de l'auberge, avec le dessein, dis-je à Manon et à mon hôte, de prendre un carrosse de louage[1] ; mais c'était une gasconnade. La nécessité m'obligeant d'aller à pied, je marchai fort vite jusqu'au Cours-la-Reine[2], où j'avais dessein de m'arrêter. Il fallait bien prendre un moment de solitude et de tranquillité pour m'arranger et prévoir ce que j'allais faire à Paris.

Je m'assis sur l'herbe. J'entrai dans une mer de raisonnements et de réflexions, qui se réduisirent peu à peu à trois principaux articles. J'avais besoin d'un secours présent, pour un nombre infini de nécessités présentes. J'avais à chercher quelque voie qui pût, du moins, m'ouvrir des espérances pour l'avenir, et ce qui n'était pas de moindre importance, j'avais des informations et des mesures à prendre pour la sûreté de Manon et pour la mienne. Après m'être épuisé en projets et en combinaisons sur ces trois chefs, je jugeai encore à propos d'en retrancher les deux derniers. Nous n'étions pas mal à couvert, dans une chambre de Chaillot, et pour les besoins futurs, je crus qu'il serait temps d'y penser lorsque j'aurais satisfait aux présents.

Il était donc question de remplir actuellement ma bourse. M. de T... m'avait offert généreusement la sienne, mais j'avais une extrême répugnance à le remettre moi-même sur cette matière. Quel personnage, que d'aller exposer sa misère à un étranger, et de le prier de nous faire part de son bien ! Il n'y a qu'une âme lâche qui en soit capable, par une bassesse qui l'empêche d'en sentir l'indignité, ou un chrétien humble, par un excès de générosité qui le rend supérieur à cette honte. Je n'étais ni un homme lâche, ni un bon chrétien ; j'aurais donné la moitié de mon sang pour éviter cette humiliation. Tiberge, disais-je, le bon Tiberge, me refusera-t-il ce qu'il aura le pouvoir de me donner ? Non, il sera touché de ma misère ; mais il m'assassinera par sa morale. Il faudra essuyer ses reproches, ses exhortations, ses menaces ; il me fera acheter ses secours si cher, que je donnerais encore une partie de mon sang plutôt que de m'exposer à cette scène fâcheuse qui me laissera du trouble et des remords. Bon ! reprenais-je, il faut donc renoncer à tout espoir, puisqu'il ne me reste point d'autre voie, et que je suis si éloigné de m'arrêter à ces deux-là, que je verserais plus volontiers la moitié de mon sang que d'en prendre une, c'est-à-dire tout mon sang plutôt que de les prendre toutes deux ? Oui, mon sang tout entier, ajoutai-je, après une réflexion d'un moment ; je le donnerais plus volontiers, sans doute, que de me réduire à de basses supplications. Mais il s'agit bien ici de mon sang ! Il s'agit de la vie et de l'entretien de Manon, il s'agit de son amour et de sa fidélité. Qu'ai-je à mettre en balance avec elle ? Je n'y ai rien mis jusqu'à présent. Elle me tient lieu de gloire, de bonheur et de fortune. Il y a bien des choses, sans doute, que je donnerais ma vie pour obtenir ou pour éviter, mais estimer une chose plus que ma vie n'est pas une raison pour l'estimer autant que Manon. Je ne fus pas longtemps à me déterminer, après ce raisonnement. Je continuai mon chemin, résolu d'aller d'abord chez Tiberge, et de là chez M. de T...

En entrant à Paris, je pris un fiacre[4], quoique je n'eusse pas de quoi le payer ; je comptais sur les secours que j'allais solliciter. Je me fis conduire au Luxembourg[2], d'où j'envoyai avertir Tiberge que j'étais à l'attendre. Il satisfit mon impatience par sa promptitude. Je lui appris l'extrémité de mes besoins, sans nul détour. Il me demanda si les cent pistoles[4] que je lui avais rendues me suffiraient, et, sans m'opposer un seul mot de difficulté, il me les alla chercher dans le moment, avec cet air ouvert et ce plaisir à donner qui n'est connu que de l'amour et de la véritable amitié[4]. Quoique je n'eusse pas eu le moindre doute du succès de ma demande, je fus surpris de l'avoir obtenue à si bon marché, c'est-à-dire sans qu'il m'eût querellé sur mon impénitence. Mais je me trompais, en me croyant tout à fait quitte de ses reproches, car lorsqu'il eut achevé de me compter son argent et que je me préparais à le quitter, il me pria de faire avec lui un tour d'allée. Je ne lui avais point parlé de Manon ; il ignorait qu'elle fût en liberté ; ainsi sa morale ne tomba que sur la fuite téméraire de Saint-Lazare et sur la crainte où il était qu'au lieu de profiter des leçons de sagesse que j'y avais reçues, je ne reprisse le train du désordre. Il me dit qu'étant allé pour me visiter à Saint-Lazare, le lendemain de mon évasion, il avait été frappé au-delà de toute expression en apprenant la manière dont j'en étais sorti ; qu'il avait eu là-dessus un entretien avec le Supérieur ; que ce bon père n'était pas encore remis de son effroi ; qu'il avait eu néanmoins la générosité de déguiser à M. le Lieutenant général de Police les circonstances de mon départ, et qu'il avait empêché que la mort du portier ne fût connue au-dehors ; que je n'avais donc, de ce côté-là, nul sujet d'alarme, mais que, s'il me restait le moindre sentiment de sagesse, je profiterais de cet heureux tour que le Ciel donnait à mes affaires ; que je devais commencer par écrire à mon père, et me remettre bien avec lui ; et que, si je voulais suivre une fois son conseil, il était d'avis que je quittasse Paris, pour retourner dans le sein de ma famille.

J'écoutai son discours jusqu'à la fin. Il y avait là bien des choses satisfaisantes. Je fus ravi, premièrement, de n'avoir rien à craindre du côté de Saint-Lazare. Les rues de Paris me redevenaient un pays libre. En second lieu, je m'applaudis de ce que Tiberge n'avait pas la moindre idée de la délivrance de Manon et de son retour avec moi. Je remarquais même qu'il avait évité de me parler d'elle, dans l'opinion, apparemment, qu'elle me tenait moins au cœur, puisque je paraissais si tranquille sur son sujet. Je résolus, sinon de retourner dans ma famille, du moins d'écrire à mon père, comme il me le conseillait, et de lui témoigner que j'étais disposé à rentrer dans l'ordre de mes devoirs et de ses volontés. Mon espérance était de l'engager à m'envoyer de l'argent, sous prétexte de faire mes exercices à l'Académie, car j'aurais eu peine à lui persuader que je fusse dans la disposition de retourner à l'état ecclésiastique. Et dans le fond, je n'avais nul éloignement pour ce que je voulais lui promettre. J'étais bien aise, au contraire, de m'appliquer à quelque chose d'honnête et de raisonnable, autant que ce dessein pourrait s'accorder avec mon amour. Je faisais mon compte de vivre avec ma maîtresse, et de faire en même temps mes exercices ; cela était fort compatible. Je fus si satisfait de toutes ces idées que je promis à Tiberge de faire partir, le jour même, une lettre pour mon père. J'entrai effectivement dans un bureau d'écriture[2], en le quittant, et j'écrivis d'une manière si tendre et si soumise, qu'en relisant ma lettre, je me flattai d'obtenir quelque chose du cœur paternel.

Quoique je fusse en état de prendre et de payer un fiacre après avoir quitté Tiberge, je me fis un plaisir de marcher fièrement à pied en allant chez M. de.T... Je trouvais de la joie dans cet exercice de ma liberté, pour laquelle mon ami m'avait assuré qu'il ne me restait rien à craindre. Cependant il me revint tout d'un coup à l'esprit que ses assurances ne regardaient que Saint-Lazare, et que j'avais, outre cela, l'affaire de l'Hôpital sur les bras, sans compter la mort de Lescaut, dans laquelle j'étais mêlé, du moins comme témoin. Ce souvenir m'effraya si vivement que je me retirai dans la première allée, d'où je fis appeler un carrosse [4]. J'allai droit chez M. de T..., que je fis rire de ma frayeur. Elle me parut risible à moi-même, lorsqu'il m'eut appris que je n'avais rien à craindre du côté de l'Hôpital, ni de celui de Lescaut. Il me dit que, dans la pensée qu'on pourrait le soupçonner d'avoir eu part à l'enlèvement de Manon, il était allé le matin à l'Hôpital, et qu'il avait demandé à la voir en feignant d'ignorer ce qui était arrivé ; qu'on était si éloigné de nous accuser, ou lui, ou moi, qu'on s'était empressé, au contraire, de lui apprendre cette aventure comme une étrange nouvelle, et qu'on admirait qu'une fille aussi jolie que Manon eût pris le parti de fuir avec un valet : qu'il s'était contenté de répondre froidement qu'il n'en était pas surpris, et qu'on fait tout pour la liberté. Il continua de me raconter qu'il était allé de là chez Lescaut, dans l'espérance de m'y trouver avec ma charmante maîtresse ; que l'hôte de la maison, qui était un carrossier*, lui avait protesté qu'il n'avait vu ni elle ni moi ; mais qu'il n'était pas étonnant que nous n'eussions point paru chez lui, si c'était pour Lescaut que nous devions y venir, parce que nous aurions sans doute appris qu'il venait d'être tué à peu près dans le même temps. Sur quoi, il n'avait pas refusé d'expliquer ce qu'il savait de la cause et des circonstances de cette mort. Environ deux heures auparavant, un garde du corps [5], des amis de Lescaut, l'était venu voir et lui avait proposé de jouer. Lescaut avait gagné si rapidement que l'autre s'était trouvé cent écus [4] de moins en une heure, c'est-à-dire tout son argent. Ce malheureux, qui se voyait

* Artisan qui fabrique et vend des carrosses.

sans un sou, avait prié Lescaut de lui prêter la moitié de la somme qu'il avait perdue ; et sur quelques difficultés nées à cette occasion, ils s'étaient querellés avec une animosité extrême. Lescaut avait refusé de sortir pour mettre l'épée à la main, et l'autre avait juré, en le quittant, de lui casser la tête : ce qu'il avait exécuté le soir même. M. de T... eut l'honnêteté d'ajouter qu'il avait été fort inquiet par rapport à nous et qu'il continuait de m'offrir ses services. Je ne balançai point à lui apprendre le lieu de notre retraite. Il me pria de trouver bon qu'il allât souper avec nous.

Comme il ne me restait qu'à prendre du linge et des habits pour Manon, je lui dis que nous pouvions partir à l'heure même, s'il voulait avoir la complaisance de s'arrêter un moment avec moi chez quelques marchands. Je ne sais s'il crut que je lui faisais cette proposition dans la vue d'intéresser sa générosité, ou si ce fut par le simple mouvement d'une belle âme, mais ayant consenti à partir aussitôt, il me mena chez les marchands qui fournissaient sa maison ; il me fit choisir plusieurs étoffes d'un prix plus considérable que je ne me l'étais proposé, et lorsque je me disposais à les payer, il défendit absolument aux marchands de recevoir un sou de moi. Cette galanterie [7] se fit de si bonne grâce que je crus pouvoir en profiter sans honte. Nous prîmes ensemble le chemin de Chaillot, où j'arrivai avec moins d'inquiétude que je n'en étais parti.

Le chevalier des Grieux ayant employé plus d'une heure à ce récit, je le priai de prendre un peu de relâche, et de nous tenir compagnie à souper. Notre attention lui fit juger que nous l'avions écouté avec plaisir. Il nous assura que nous trouverions quelque chose encore de plus intéressant dans la suite de son histoire, et lorsque nous eûmes fini de souper, il continua dans ces termes [6].

DEUXIÈME PARTIE

Ma présence et les politesses de M. de T... dissipèrent tout ce qui pouvait rester de chagrin à Manon. Oublions nos terreurs passées, ma chère âme, lui dis-je en arrivant, et recommençons à vivre plus heureux que jamais. Après tout, l'amour est un bon maître ; la fortune ne saurait nous causer autant de peines qu'il nous fait goûter de plaisirs. Notre souper fut une vraie scène de joie. J'étais plus fier et plus content, avec Manon et mes cent pistoles [4], que le plus riche partisan [4] de Paris avec ses trésors entassés. Il faut compter ses richesses par les moyens qu'on a de satisfaire ses désirs. Je n'en avais pas un seul à remplir ; l'avenir même me causait peu d'embarras. J'étais presque sûr que mon père ne ferait pas difficulté de me donner de quoi vivre honorablement à Paris, parce qu'étant dans ma vingtième année [1], j'entrais en droit d'exiger ma part du bien de ma mère. Je ne cachai point à Manon que le fond de mes richesses n'était que de cent pistoles. C'était assez pour attendre tranquillement une meilleure fortune, qui semblait ne me pouvoir manquer, soit par mes droits naturels ou par les ressources du jeu.

Ainsi, pendant les premières semaines [1], je ne pensai qu'à jouir de ma situation ; et la force de l'honneur, autant qu'un reste de ménagement pour la police, me faisant remettre de jour en jour à renouer avec les associés de l'hôtel de T..., je me réduisis à jouer dans quelques assemblées[4] moins décriées, où la faveur du sort m'épargna l'humiliation d'avoir recours à l'industrie[4]. J'allais passer à la ville une partie de l'après-midi, et je revenais souper à Chaillot, accompagné fort souvent de M. de T..., dont l'amitié croissait de jour en jour pour nous. Manon trouva des ressources contre l'ennui. Elle se lia, dans le voisinage, avec quelques jeunes personnes* que le printemps y avait ramenées. La promenade et les petits exercices de leur sexe faisaient alternativement leur occupation. Une partie de jeu, dont elles avaient réglé les bornes, fournissait aux frais de la voiture. Elles allaient prendre l'air au bois de Boulogne[2], et le soir, à mon retour, je retrouvais Manon plus belle, plus contente, et plus passionnée que jamais.

Il s'éleva néanmoins quelques nuages, qui semblèrent menacer l'édifice de mon bonheur. Mais ils furent nettement dissipés, et l'humeur folâtre de Manon rendit le dénouement si comique, que je trouve encore de la douceur dans un souvenir qui me représente sa tendresse et les agréments de son esprit.

Le seul valet qui composait notre domestique** me prit un jour à l'écart pour me dire, avec beaucoup d'embarras, qu'il avait un secret d'importance à me communiquer. Je l'encourageai à parler librement. Après quelques détours, il me fit entendre qu'un seigneur étranger semblait avoir pris beaucoup d'amour pour Mademoiselle Manon. Le trouble de mon sang se fit sentir dans toutes mes veines[8]. En a-t-elle pour lui ? interrompis-je plus brusquement que la prudence ne permettait pour m'éclaircir. Ma vivacité l'effraya. Il me répondit, d'un air inquiet, que sa pénétration n'avait pas été si loin, mais qu'ayant observé, depuis plusieurs jours, que cet étranger venait assidûment au bois de Boulogne, qu'il y descendait de son carrosse,

* Jeunes filles.
** Notre domesticité.

et que, s'engageant seul dans les contre-allées, il paraissait chercher l'occasion de voir ou de rencontrer mademoiselle, il lui était venu à l'esprit de faire quelque liaison avec ses gens, pour apprendre le nom de leur maître ; qu'ils le traitaient de prince italien [6], et qu'ils le soupçonnaient eux-mêmes de quelque aventure galante ; qu'il n'avait pu se procurer d'autres lumières, ajouta-t-il en tremblant, parce que le Prince, étant alors sorti du bois, s'était approché familièrement de lui, et lui avait demandé son nom ; après quoi, comme s'il eût deviné qu'il était à notre service, il l'avait félicité d'appartenir à la plus charmante personne du monde.

J'attendais impatiemment la suite de ce récit. Il le finit par des excuses timides, que je n'attribuai qu'à mes imprudentes agitations. Je le pressai en vain de continuer sans déguisement. Il me protesta qu'il ne savait rien de plus, et que, ce qu'il venait de me raconter étant arrivé le jour précédent, il n'avait pas revu les gens du prince. Je le rassurai, non seulement par des éloges, mais par une honnête récompense, et sans lui marquer la moindre défiance de Manon, je lui recommandai, d'un ton plus tranquille, de veiller sur toutes les démarches de l'étranger.

Au fond, sa frayeur me laissa de cruels doutes. Elle pouvait lui avoir fait supprimer une partie de la vérité. Cependant, après quelques réflexions, je revins de mes alarmes, jusqu'à regretter d'avoir donné cette marque de faiblesse. Je ne pouvais faire un crime à Manon d'être aimée. Il y avait beaucoup d'apparence qu'elle ignorait sa conquête ; et quelle vie allais-je mener si j'étais capable d'ouvrir si facilement l'entrée de mon cœur à la jalousie ? Je retournai à Paris le jour suivant, sans avoir formé d'autre dessein que de hâter le progrès [7] de ma fortune en jouant plus gros jeu, pour me mettre en état de quitter Chaillot au premier sujet d'inquiétude. Le soir, je n'appris rien de nuisible à mon repos. L'étranger avait reparu au bois de Boulogne, et prenant droit de ce qui s'y était passé la veille pour se rapprocher de mon confident, il lui avait parlé de son amour, mais dans des termes qui ne supposaient aucune intelligence avec Manon. Il l'avait interrogé sur mille détails. Enfin, il avait tenté de le mettre dans ses intérêts par des promesses considérables, et tirant une lettre qu'il tenait prête, il lui avait offert inutilement quelques louis d'or pour la rendre à sa maîtresse[4].

Deux jours se passèrent sans aucun autre incident. Le troisième fut plus orageux. J'appris, en arrivant de la ville assez tard, que Manon, pendant sa promenade, s'était écartée un moment de ses compagnes, et que l'étranger, qui la suivait à peu de distance, s'étant approché d'elle au signe qu'elle lui en avait fait, elle lui avait remis une lettre qu'il avait reçue avec des transports de joie. Il n'avait eu le temps de les exprimer qu'en baisant amoureusement les caractères, parce qu'elle s'était aussitôt dérobée. Mais elle avait paru d'une gaieté extraordinaire pendant le reste du jour, et depuis qu'elle était rentrée au logis, cette humeur ne l'avait pas abandonnée. Je frémis, sans doute, à chaque mot. Es-tu bien sûr, dis-je tristement à mon valet, que tes yeux ne t'aient pas trompé ? Il prit le Ciel à témoin de sa bonne foi. Je ne sais à quoi les tourments de mon cœur m'auraient porté si Manon, qui m'avait entendu rentrer, ne fût venue au-devant de moi avec un air d'impatience et des plaintes de ma lenteur. Elle n'attendit point ma réponse pour m'accabler de caresses, et lorsqu'elle se vit seule avec moi, elle me fit des reproches fort vifs de l'habitude que je prenais de revenir si tard. Mon silence lui laissant la liberté de continuer, elle me dit que, depuis trois semaines, je n'avais pas passé une journée entière avec elle ; qu'elle ne pouvait soutenir de si longues absences ; qu'elle me demandait du moins un jour, par intervalles ; et que, dès le lendemain, elle voulait me voir près d'elle du matin au soir. J'y serai, n'en doutez pas, lui répondis-je d'un ton assez brusque. Elle marqua peu d'attention pour mon chagrin, et dans le mouvement de sa joie, qui me parut en effet d'une vivacité singulière, elle me fit mille peintures plaisantes de la manière dont elle avait passé le jour. Étrange fille ! me disais-je à moi-même ; que dois-je attendre de ce prélude ? L'aventure de notre première séparation me revint à l'esprit. Cependant je croyais voir, dans le fond de sa joie et de ses caresses, un air de vérité qui s'accordait avec les apparences.

Il ne me fut pas difficile de rejeter la tristesse, dont je ne pus me défendre pendant notre souper, sur une perte que je me plaignis d'avoir faite au jeu. J'avais regardé comme un extrême avantage que l'idée de ne pas quitter Chaillot le jour suivant fût venue d'elle-même. C'était gagner du temps pour mes délibérations. Ma présence éloignait toutes sortes de craintes pour le lendemain, et si je ne remarquais rien qui m'obligeât de faire éclater mes découvertes, j'étais déjà résolu de transporter, le jour d'après, mon établissement à la ville, dans un quartier où je n'eusse rien à démêler avec les princes. Cet arrangement me fit passer une nuit plus tranquille, mais il ne m'ôtait pas la douleur d'avoir à trembler pour une nouvelle infidélité.

À mon réveil, Manon me déclara que, pour passer le jour dans notre appartement, elle ne prétendait pas que j'en eusse l'air plus négligé, et qu'elle voulait que mes cheveux fussent accommodés de ses propres mains. Je les avais fort beaux. C'était un amusement qu'elle s'était donné plusieurs fois ; mais elle y apporta plus de soins que je ne lui en avais jamais vu prendre. Je fus obligé, pour la satisfaire, de m'asseoir devant sa toilette, et d'essuyer toutes les petites recherches qu'elle imagina pour ma parure. Dans le cours de son travail, elle me faisait tourner souvent le visage vers elle, et s'appuyant des deux mains sur mes épaules, elle me regardait avec une curiosité avide. Ensuite, exprimant sa satisfaction par un ou deux baisers, elle me faisait reprendre ma situation pour continuer son ouvrage. Ce badinage nous occupa jusqu'à l'heure du dîner. Le goût qu'elle y avait pris m'avait paru si naturel, et sa gaieté sentait si peu l'artifice, que ne pouvant concilier des apparences si constantes avec le projet d'une noire trahison, je fus tenté plusieurs fois de lui ouvrir mon cœur, et de me décharger d'un fardeau qui commençait à me peser. Mais je me flattais, à chaque instant, que l'ouverture viendrait d'elle, et je m'en faisais d'avance un délicieux triomphe.

Nous rentrâmes dans son cabinet. Elle se mit à rajuster mes cheveux, et ma complaisance me faisait céder à toutes ses volontés, lorsqu'on vint l'avertir que le prince de... demandait à la voir. Ce nom m'échauffa jusqu'au transport. Quoi donc ? m'écriai-je en la repoussant. Qui ? Quel prince ? Elle ne répondit point à mes questions. Faites-le monter, dit-elle froidement au valet ; et se tournant vers moi : Cher amant, toi que j'adore, reprit-elle d'un ton enchanteur, je te demande un moment de complaisance, un moment, un seul moment. Je t'en aimerai mille fois plus. Je t'en saurai gré toute ma vie.

L'indignation et la surprise me lièrent la langue. Elle répétait ses instances, et je cherchais des expressions pour les rejeter avec mépris. Mais, entendant ouvrir la porte de l'antichambre, elle empoigna d'une main mes cheveux, qui étaient flottants sur mes épaules, elle prit de l'autre son miroir de toilette ; elle employa toute sa force pour me traîner dans cet état jusqu'à la porte du cabinet, et l'ouvrant du genou, elle offrit à l'étranger, que le bruit semblait avoir arrêté au milieu de la chambre, un spectacle qui ne dut pas lui causer peu d'étonnement. Je vis un homme fort bien mis, mais d'assez mauvaise mine. Dans l'embarras où le jetait cette scène, il ne laissa pas de faire une profonde révérence. Manon ne lui donna pas le temps d'ouvrir la bouche. Elle lui présenta son miroir : Voyez, monsieur, lui dit-elle, regardez-vous bien, et rendez-moi justice. Vous me demandez de l'amour. Voici l'homme que j'aime, et que j'ai juré d'aimer toute ma vie. Faites la comparaison vous-même. Si vous croyez lui pouvoir disputer mon cœur, apprenez-moi donc sur quel fondement, car je vous déclare qu'aux yeux de votre servante très humble, tous les princes d'Italie ne valent pas un des cheveux que je tiens.

Pendant cette folle harangue, qu'elle avait apparemment méditée, je faisais des efforts inutiles pour me dégager, et prenant pitié d'un homme de considération, je me sentais porté à réparer ce petit outrage par mes politesses. Mais, s'étant remis assez facilement, sa réponse, que je trouvai un peu grossière, me fit perdre cette disposition. Mademoiselle, mademoiselle, lui dit-il avec un sourire forcé, j'ouvre en effet les yeux, et je vous trouve bien moins novice que je ne me l'étais figuré. Il se retira aussitôt sans jeter les yeux sur elle, en ajoutant, d'une voix plus basse, que les femmes de France ne valaient pas mieux que celles d'Italie. Rien ne m'invitait, dans cette occasion, à lui faire prendre une meilleure idée du beau sexe.

Manon quitta mes cheveux, se jeta dans un fauteuil, et fit retentir la chambre de longs éclats de rire. Je ne dissimulerai pas que je fus touché, jusqu'au fond du cœur, d'un sacrifice que je ne pouvais attribuer qu'à l'amour. Cependant la plaisanterie me parut excessive. Je lui en fis des reproches. Elle me raconta que mon rival, après l'avoir obsédée pendant plusieurs jours au bois de Boulogne, et lui avoir fait deviner ses sentiments par des grimaces, avait pris le parti de lui en faire une déclaration ouverte, accompagnée de son nom et de tous ses titres, dans une lettre qu'il lui avait fait remettre par le cocher qui la conduisait avec ses compagnes ; qu'il lui promettait, au-delà des monts, une brillante fortune et des adorations éternelles[2] ; qu'elle était revenue à Chaillot dans la résolution de me communiquer cette aventure, mais qu'ayant conçu que nous en pouvions tirer de l'amusement, elle n'avait pu résister à son imagination ; qu'elle avait offert au Prince italien, par une réponse flatteuse, la liberté de la voir chez elle, et qu'elle s'était fait un second plaisir de me faire entrer dans son plan, sans m'en avoir fait naître le moindre soupçon. Je ne lui dis pas un mot des lumières qui m'étaient venues par une autre voie, et l'ivresse de l'amour triomphant me fit tout approuver.

J'ai remarqué, dans toute ma vie, que le Ciel a toujours choisi, pour me frapper de ses plus rudes châtiments, le temps où ma fortune me semblait le mieux établie. Je me croyais si heureux, avec l'amitié de M. de T... et la tendresse de Manon, qu'on n'aurait pu me faire comprendre que j'eusse à craindre quelque nouveau malheur. Cependant, il s'en préparait un si funeste, qu'il m'a réduit à l'état où vous m'avez vu à Pacy, et par degrés à des extrémités si déplorables que vous aurez peine à croire mon récit fidèle.

Un jour que nous avions M. de T... à souper, nous entendîmes le bruit d'un carrosse[4] qui s'arrêtait à la porte de l'hôtellerie. La curiosité nous fit désirer de savoir qui pouvait arriver à cette heure. On nous dit que c'était le jeune G... M..., c'est-à-dire le fils de notre plus cruel ennemi, de ce vieux débauché qui m'avait mis à Saint-Lazare et Manon à l'Hôpital. Son nom me fit monter la rougeur au visage. C'est le Ciel qui me l'amène, dis-je à M. de T..., pour le punir de la lâcheté de son père. Il ne m'échappera pas que nous n'ayons mesuré nos épées. M. de T..., qui le connaissait et qui était même de ses meilleurs amis, s'efforça de me faire prendre d'autres sentiments pour lui. Il m'assura que c'était un jeune homme très aimable, et si peu capable d'avoir eu part à l'action de son père que je ne le verrais pas moi-même un moment sans lui accorder mon estime et sans désirer la sienne. Après avoir ajouté mille choses à son avantage, il me pria de consentir qu'il allât lui proposer de venir prendre place avec nous, et de s'accommoder du reste de notre souper. Il prévint l'objection du péril où c'était exposer Manon que de découvrir sa demeure au fils de notre ennemi, en protestant, sur son honneur et sur sa foi, que, lorsqu'il nous connaîtrait, nous n'aurions point de plus zélé défenseur. Je ne fis difficulté de rien, après de telles assurances. M. de T... ne nous l'amena point sans avoir pris un moment pour l'informer qui nous étions. Il entra d'un air qui nous prévint effectivement en sa faveur. Il m'embrassa. Nous nous assîmes. Il admira Manon, moi, tout ce qui nous appartenait, et il mangea d'un appétit qui fit honneur à notre souper. Lorsqu'on eut desservi, la conversation devint plus sérieuse. Il baissa les yeux pour nous parler de l'excès où son père s'était porté contre nous. Il nous fit les excuses les plus soumises. Je les abrège, nous dit-il, pour ne pas renouveler un souvenir qui me cause trop de honte. Si elles étaient sincères dès le commencement, elles le devinrent bien plus dans la suite, car il n'eut pas passé une demi-heure dans cet entretien, que je m'aperçus de l'impression que les charmes de Manon faisaient sur lui. Ses regards et ses manières s'attendrirent par degrés. Il ne laissa rien échapper néanmoins dans ses discours, mais, sans être aidé de la jalousie, j'avais trop d'expérience en amour pour ne pas discerner ce qui venait de cette source. Il nous tint compagnie pendant une partie de la nuit, et il ne nous quitta qu'après s'être félicité de notre connaissance, et nous avoir demandé la permission de venir nous renouveler quelquefois l'offre de ses services. Il partit le matin avec M. de T..., qui se mit avec lui dans son carrosse.

Je ne me sentais, comme j'ai dit, aucun penchant à la jalousie. J'avais plus de crédulité que jamais pour les serments de Manon. Cette charmante créature était si absolument maîtresse de mon âme que je n'avais pas un seul petit sentiment qui ne fût de l'estime et de l'amour. Loin de lui faire un crime d'avoir plu au jeune G... M..., j'étais ravi de l'effet de ses charmes, et je m'applaudissais d'être aimé d'une fille que tout le monde trouvait aimable [7]. Je ne jugeai pas même à propos de lui communiquer mes soupçons. Nous fûmes occupés, pendant quelques jours, du soin de faire ajuster ses habits, et à délibérer si nous pouvions aller à la comédie [4] sans appréhender d'être reconnus. M. de T... revint nous voir avant la fin de la semaine. Nous le consultâmes là-dessus. Il vit bien qu'il fallait dire oui, pour faire plaisir à Manon. Nous résolûmes d'y aller le même soir avec lui.

Cependant cette résolution ne put s'exécuter, car m'ayant tiré aussitôt en particulier : Je suis, me dit-il, dans le dernier embarras depuis que je ne vous ai vu, et la visite que je vous fais aujourd'hui en est une suite. G... M... aime votre maîtresse. Il m'en a fait confidence. Je suis son intime ami, et disposé en tout à le servir ; mais je ne suis pas moins le vôtre. J'ai considéré que ses intentions sont injustes et je les ai condamnées. J'aurais gardé son secret s'il n'avait dessein d'employer, pour plaire, que les voies communes, mais il est bien informé de l'humeur de Manon. Il a su, je ne sais d'où, qu'elle aime l'abondance et les plaisirs, et comme il jouit déjà d'un bien considérable, il m'a déclaré qu'il veut la tenter d'abord par un très gros présent et par l'offre de dix mille livres de pension [4]. Toutes choses égales, j'aurais peut-être eu beaucoup plus de violence à me faire pour le trahir, mais la justice s'est jointe en votre faveur à l'amitié ; d'autant plus qu'ayant été la cause imprudente de sa passion, en l'introduisant ici, je suis obligé de prévenir les effets du mal que j'ai causé.

Je remerciai M. de T... d'un service de cette importance, et je lui avouai, avec un parfait retour de confiance, que le caractère de Manon était tel que G... M... se le figurait, c'est-à-dire qu'elle ne pouvait supporter le nom de la pauvreté. Cependant, lui dis-je, lorsqu'il n'est question que du plus ou du moins, je ne la crois pas capable de m'abandonner pour un autre. Je suis en état de ne la laisser manquer de rien, et je compte que ma fortune va croître de jour en jour. Je ne crains qu'une chose, ajoutai-je, c'est que G... M... ne se serve de la connaissance qu'il a de notre demeure pour nous rendre quelque mauvais office. M. de T... m'assura que je devais être sans appréhension de ce côté-là ; que G... M... était capable d'une folie amoureuse, mais qu'il ne l'était point d'une bassesse ; que s'il avait la lâcheté d'en commettre une, il serait le premier, lui qui parlait, à l'en punir et à réparer par là le malheur qu'il avait eu d'y donner occasion. Je vous suis obligé de ce sentiment, repris-je, mais le mal serait fait et le remède fort incertain. Ainsi le parti le plus sage est de le prévenir, en quittant Chaillot pour prendre une autre demeure. Oui, reprit M. de T... Mais vous aurez peine à le faire aussi promptement qu'il faudrait, car G... M... doit être ici à midi ; il me le dit hier, et c'est ce qui m'a porté à venir si matin, pour vous informer de ses vues. Il peut arriver à tout moment.

Un avis si pressant me fit regarder cette affaire d'un œil plus sérieux. Comme il me semblait impossible d'éviter la visite de G... M..., et qu'il me le serait aussi, sans doute, d'empêcher qu'il ne s'ouvrît à Manon, je pris le parti de la prévenir moi-même sur le dessein de ce nouveau rival. Je m'imaginai que, me sachant instruit des propositions qu'il lui ferait, et les recevant à mes yeux, elle aurait assez de force pour les rejeter. Je découvris ma pensée à M. de T..., qui me répondit que cela était extrêmement délicat. Je l'avoue, lui dis-je, mais toutes les raisons qu'on peut avoir d'être sûr d'une maîtresse, je les ai de compter sur l'affection de la mienne. Il n'y aurait que la grandeur des offres qui pût l'éblouir, et je vous ai dit qu'elle ne connaît point l'intérêt. Elle aime ses aises, mais elle m'aime aussi, et, dans la situation où sont mes affaires, je ne saurais croire qu'elle me préfère le fils d'un homme qui l'a mise à l'Hôpital. En un mot, je persistai dans mon dessein, et m'étant retiré à l'écart avec Manon, je lui déclarai naturellement tout ce que je venais d'apprendre.

Elle me remercia de la bonne opinion que j'avais d'elle, et elle me promit de recevoir les offres de G... M... d'une manière qui lui ôterait l'envie de les renouveler. Non, lui dis-je, il ne faut pas l'irriter par une brusquerie. Il peut nous nuire. Mais tu sais assez, toi, friponne, ajoutai-je en riant, comment te défaire d'un amant désagréable ou incommode. Elle reprit, après avoir un peu rêvé : Il me vient un dessein admirable, s'écria-t-elle, et je suis toute glorieuse[7] de l'invention. G... M... est le fils de notre plus cruel ennemi ; il faut nous venger du père, non pas sur le fils, mais sur sa bourse. Je veux l'écouter, accepter ses présents, et me moquer de lui. Le projet est joli, lui dis-je, mais tu ne songes pas, mon pauvre enfant, que c'est le chemin qui nous a conduits droit à l'Hôpital. J'eus beau lui représenter le péril de cette entreprise, elle me dit qu'il ne s'agissait que de bien prendre nos mesures, et elle répondit à toutes mes objections. Donnez-moi un amant qui n'entre point aveuglément dans tous les caprices d'une maîtresse adorée, et je conviendrai que j'eus tort de céder si facilement. La résolution fut prise de faire une dupe de G... M..., et par un tour bizarre de mon sort, il arriva que je devins la sienne.

Nous vîmes paraître son carrosse[4] vers les onze heures. Il nous fit des compliments fort recherchés sur la liberté qu'il prenait de venir dîner avec nous. Il ne fut pas surpris de trouver M. de T..., qui lui avait promis la veille de s'y rendre aussi, et qui avait feint quelques affaires pour se dispenser de venir dans la même voiture. Quoiqu'il n'y eût pas un seul de nous qui ne portât la trahison dans le cœur, nous nous mîmes à table avec un air de confiance et d'amitié. G... M... trouva aisément l'occasion de déclarer ses sentiments à Manon. Je ne dus pas lui paraître gênant, car je m'absentai exprès pendant quelques minutes. Je m'aperçus, à mon retour, qu'on ne l'avait pas désespéré par un excès de rigueur. Il était de la meilleure humeur du monde. J'affectai de le paraître aussi. Il riait intérieurement de ma simplicité, et moi de la sienne. Pendant tout l'après-midi, nous fûmes l'un pour l'autre une scène fort agréable. Je lui ménageai encore, avant son départ, un moment d'entretien particulier avec Manon, de sorte qu'il eut lieu de s'applaudir de ma complaisance autant que de la bonne chère.

Aussitôt qu'il fut monté en carrosse avec M. de T..., Manon accourut à moi, les bras ouverts, et m'embrassa en éclatant de rire. Elle me répéta ses discours et ses propositions, sans y changer un mot. Ils se réduisaient à ceci : il l'adorait. Il voulait partager avec elle quarante mille livres de rente dont il jouissait déjà, sans compter ce qu'il attendait après la mort de son père [4]. Elle allait être maîtresse de son cœur et de sa fortune, et, pour gage de ses bienfaits, il était prêt à lui donner un carrosse [4], un hôtel meublé, une femme de chambre, trois laquais et un cuisinier [4]. Voilà un fils, dis-je à Manon, bien autrement généreux que son père. Parlons de bonne foi, ajoutai-je ; cette offre ne vous tente-t-elle point ? Moi ? répondit-elle, en ajustant à sa pensée deux vers de Racine :

Moi ! vous me soupçonnez de cette perfidie ?
Moi ! je pourrais souffrir un visage odieux,
Qui rappelle toujours l'Hôpital à mes yeux ?

Non, repris-je, en continuant la parodie :

J'aurais peine à penser que l'Hôpital, Madame,
Fût un trait dont l'Amour l'eût gravé dans votre âme [8].

Mais c'en est un bien séduisant qu'un hôtel meublé avec un carrosse et trois laquais ; et l'amour en a peu d'aussi forts. Elle me protesta que son cœur était à moi pour toujours, et qu'il ne recevrait jamais d'autres traits que les miens. Les promesses qu'il m'a faites, me dit-elle, sont un aiguillon [7] de vengeance, plutôt qu'un trait d'amour. Je lui demandai si elle était dans le dessein d'accepter l'hôtel et le carrosse. Elle me répondit qu'elle n'en voulait qu'à son argent. La difficulté était d'obtenir l'un sans l'autre. Nous résolûmes d'attendre l'entière explication du projet de G... M..., dans une lettre qu'il avait promis de lui écrire. Elle la reçut en effet le lendemain, par un laquais sans livrée, qui se procura fort adroitement l'occasion de lui parler sans témoins. Elle lui dit d'attendre sa réponse, et elle vint m'apporter aussitôt sa lettre. Nous l'ouvrîmes ensemble. Outre les lieux communs de tendresse, elle contenait le détail des promesses de mon rival. Il ne bornait point sa dépense. Il s'engageait à lui compter dix mille francs[4], en prenant possession de l'hôtel*, et à réparer tellement les diminutions de cette somme, qu'elle l'eût toujours devant elle en argent comptant. Le jour de l'inauguration n'était pas reculé trop loin : il ne lui en demandait que deux pour les préparatifs, et il lui marquait le nom de la rue et de l'hôtel, où il lui promettait de l'attendre l'après-midi du second jour, si elle pouvait se dérober de mes mains. C'était l'unique point sur lequel il la conjurait de le tirer d'inquiétude ; il paraissait sûr de tout le reste, mais il ajoutait que, si elle prévoyait de la difficulté à m'échapper, il trouverait le moyen de rendre sa fuite aisée.

G... M... était plus fin que son père ; il voulait tenir sa proie avant que de compter ses espèces. Nous délibérâmes sur la conduite que Manon avait à tenir. Je fis encore des efforts pour lui ôter cette entreprise de la tête et je lui en représentai tous les dangers. Rien ne fut capable d'ébranler sa résolution.

Elle fit une courte réponse à G... M..., pour l'assurer qu'elle ne trouverait pas de difficulté à se rendre à Paris le jour marqué, et qu'il pouvait l'attendre avec certitude. Nous réglâmes ensuite que je partirais sur-le-champ pour aller louer un nouveau logement dans quelque village, de l'autre côté de Paris, et que je transporterais avec moi notre petit équipage ; que le lendemain après-midi, qui était le temps de son assignation, elle se rendrait de bonne heure à Paris ; qu'après avoir reçu les présents de G... M..., elle le prierait instamment de la conduire à la Comédie[2, 4] ; qu'elle prendrait avec elle tout ce qu'elle pourrait porter de la somme, et qu'elle chargerait du reste mon valet, qu'elle voulait mener avec elle. C'était toujours le même qui l'avait délivrée de l'Hôpital, et qui nous était infiniment attaché. Je devais me trouver, avec un fiacre, à l'entrée de la rue Saint-André-des-Arcs, et l'y laisser vers les sept heures, pour m'avancer dans l'obscurité à la porte

* Au moment où elle prendrait possession de l'hôtel.

de la Comédie. Manon me promettait d'inventer des prétextes pour sortir un instant de sa loge, et de l'employer à descendre pour me rejoindre. L'exécution du reste était facile. Nous aurions regagné mon fiacre en un moment, et nous serions sortis de Paris par le faubourg Saint-Antoine, qui était le chemin de notre nouvelle demeure[2].

Ce dessein, tout extravagant qu'il était, nous parut assez bien arrangé. Mais il y avait, dans le fond, une folle imprudence à s'imaginer que, quand il eût réussi le plus heureusement du monde, nous eussions jamais pu nous mettre à couvert des suites. Cependant, nous nous exposâmes avec la plus téméraire confiance. Manon partit avec Marcel : c'est ainsi que se nommait notre valet. Je la vis partir avec douleur. Je lui dis en l'embrassant : Manon, ne me trompez point ; me serez-vous fidèle ? Elle se plaignit tendrement de ma défiance, et elle me renouvela tous ses serments.

Son compte était d'arriver à Paris sur les trois heures. Je partis après elle. J'allais me morfondre, le reste de l'après-midi, dans le café de Féré[2, 4], au pont Saint-Michel ; j'y demeurai jusqu'à la nuit. J'en sortis alors pour prendre un fiacre[4], que je postai, suivant notre projet, à l'entrée de la rue Saint-André-des-Arcs ; ensuite je gagnai à pied la porte de la Comédie. Je fus surpris de n'y pas trouver Marcel, qui devait être à m'attendre. Je pris patience pendant une heure, confondu dans une foule de laquais, et l'œil ouvert sur tous les passants. Enfin, sept heures étant sonnées, sans que j'eusse rien aperçu qui eût rapport à nos desseins, je pris un billet de parterre pour aller voir si je découvrirais Manon et G... M... dans les loges. Ils n'y étaient ni l'un ni l'autre. Je retournai à la porte, où je passai encore un quart d'heure, transporté d'impatience et d'inquiétude. N'ayant rien vu paraître, je rejoignis mon fiacre, sans pouvoir m'arrêter à la moindre résolution. Le cocher, m'ayant aperçu, vint quelques pas au-devant de moi pour me dire, d'un air mystérieux, qu'une jolie demoiselle m'attendait depuis une heure dans le carrosse ; qu'elle m'avait demandé, à des signes qu'il avait bien reconnus, et qu'ayant appris que je devais revenir, elle avait dit qu'elle ne s'impatienterait point à m'attendre. Je me figurai aussitôt que c'était Manon. J'approchai ; mais je vis un joli petit visage, qui n'était pas le sien. C'était une étrangère, qui me demanda d'abord si elle n'avait pas l'honneur de parler à M. le chevalier des Grieux. Je lui dis que c'était mon nom. J'ai une lettre à vous rendre, reprit-elle, qui vous instruira du sujet qui m'amène, et par quel rapport j'ai l'avantage de connaître votre nom. Je la priai de me donner le temps de la lire dans un cabaret voisin. Elle voulut me suivre, et elle me conseilla de demander une chambre à part. De qui vient cette lettre ? lui dis-je en montant : elle me remit à la lecture*.

Je reconnus la main de Manon. Voici à peu près ce qu'elle me marquait : G... M... l'avait reçue avec une politesse et une magnificence au-delà de toutes ses idées. Il l'avait comblée de présents ; il lui faisait envisager un sort de reine. Elle m'assurait néanmoins qu'elle ne m'oubliait pas dans cette nouvelle splendeur ; mais que, n'ayant pu faire consentir G... M... à la mener ce soir à la Comédie, elle remettait à un autre jour le plaisir de me voir ; et que, pour me consoler un peu de la peine qu'elle prévoyait que cette nouvelle pouvait me causer, elle avait trouvé le moyen de me procurer une des plus jolies filles de Paris, qui serait la porteuse de son billet. *Signé,* votre fidèle amante, MANON LESCAUT.

Il y avait quelque chose de si cruel et de si insultant pour moi dans cette lettre, que demeurant suspendu quelque temps entre la colère et la douleur, j'entrepris de faire un effort pour oublier éternellement mon ingrate et parjure maîtresse. Je jetai les yeux sur la fille qui était devant moi : elle était extrêmement jolie, et j'aurais souhaité qu'elle l'eût été assez pour me rendre parjure et infidèle à mon tour. Mais je n'y trouvai point

* Elle me demanda de lire d'abord la lettre.

ces yeux fins et languissants, ce port divin, ce teint de la composition de l'Amour, enfin ce fonds inépuisable de charmes que la nature avait prodigués à la perfide Manon. Non, non, lui dis-je en cessant de la regarder, l'ingrate qui vous envoie savait fort bien qu'elle vous faisait faire une démarche inutile. Retournez à elle, et dites-lui de ma part qu'elle jouisse de son crime, et qu'elle en jouisse, s'il se peut, sans remords. Je l'abandonne sans retour, et je renonce en même temps à toutes les femmes, qui ne sauraient être aussi aimables qu'elle, et qui sont, sans doute, aussi lâches et d'aussi mauvaise foi. Je fus alors sur le point de descendre et de me retirer, sans prétendre davantage à Manon, et la jalousie mortelle qui me déchirait le cœur se déguisant en une morne et sombre tranquillité, je me crus d'autant plus proche de ma guérison que je ne sentais nul de ces mouvements violents dont j'avais été agité dans les mêmes occasions. Hélas ! j'étais la dupe de l'amour autant que je croyais l'être de G... M... et de Manon.

Cette fille qui m'avait apporté la lettre, me voyant prêt à descendre l'escalier, me demanda ce que je voulais donc qu'elle rapportât à M. de G... M... et à la dame qui était avec lui. Je rentrai dans la chambre à cette question, et par un changement incroyable à ceux qui n'ont jamais senti de passions violentes, je me trouvai, tout d'un coup, de la tranquillité où je croyais être, dans un transport terrible de fureur. Va, lui dis-je, rapporte au traître G... M... et à sa perfide maîtresse le désespoir où ta maudite lettre m'a jeté, mais apprends-leur qu'ils n'en riront pas longtemps, et que je les poignarderai tous deux de ma propre main. Je me jetai sur une chaise. Mon chapeau tomba d'un côté, et ma canne de l'autre. Deux ruisseaux de larmes amères commencèrent à couler de mes yeux. L'accès de rage que je venais de sentir se changea dans une profonde douleur ; je ne fis plus que pleurer, en poussant des gémissements et des soupirs. Approche, mon enfant, approche, m'écriai-je en parlant à la jeune fille ; approche, puisque c'est toi qu'on envoie pour me consoler. Dis-moi si tu sais des consolations contre la rage et le désespoir, contre l'envie de se donner la mort à soi-même[7], après avoir tué deux perfides qui ne méritent pas de vivre. Oui, approche, continuai-je, en voyant qu'elle faisait vers moi quelques pas timides et incertains. Viens essuyer mes larmes, viens rendre la paix à mon cœur, viens me dire que tu m'aimes, afin que je m'accoutume à l'être d'une autre que de mon infidèle. Tu es jolie, je pourrai peut-être t'aimer à mon tour. Cette pauvre enfant, qui n'avait pas seize ou dix-sept ans, et qui paraissait avoir plus de pudeur que ses pareilles, était extraordinairement surprise d'une si étrange scène. Elle s'approcha néanmoins pour me faire quelques caresses, mais je l'écartai aussitôt, en la repoussant de mes mains. Que veux-tu de moi ? lui dis-je. Ah ! tu es une femme, tu es d'un sexe que je déteste et que je ne puis plus souffrir. La douceur de ton visage me menace encore de quelque trahison[8]. Va-t'en et laisse-moi seul ici. Elle me fit une révérence, sans oser rien dire, et elle se tourna pour sortir. Je lui criai de s'arrêter. Mais apprends-moi du moins, repris-je, pourquoi, comment, à quel dessein tu as été envoyée ici. Comment as-tu découvert mon nom et le lieu où tu pouvais me trouver ?

Elle me dit qu'elle connaissait de longue main M. de G... M... ; qu'il l'avait envoyé chercher à cinq heures, et qu'ayant suivi le laquais qui l'avait avertie, elle était allée dans une grande maison, où elle l'avait trouvé qui jouait au piquet[4] avec une jolie dame, et qu'ils l'avaient chargée tous deux de me rendre la lettre qu'elle m'avait apportée, après lui avoir appris qu'elle me trouverait dans un carrosse au bout de la rue Saint-André. Je lui demandai s'ils ne lui avaient rien dit de plus. Elle me répondit, en rougissant, qu'ils lui avaient fait espérer que je la prendrais pour me tenir compagnie. On t'a trompée, lui dis-je ; ma pauvre fille, on t'a trompée. Tu es une femme, il te faut un homme ; mais il t'en faut un qui soit riche et heureux, et ce n'est pas ici que tu le peux trouver. Retourne, retourne à M. de G... M... Il a tout ce qu'il faut pour être aimé des belles ; il a des hôtels meublés et des équipages à donner[4]. Pour moi, qui n'ai que de l'amour et de la constance à offrir, les femmes méprisent ma misère et font leur jouet de ma simplicité.

J'ajoutai mille choses, ou tristes ou violentes, suivant que les passions qui m'agitaient tour à tour cédaient ou emportaient le dessus. Cependant, à force de me tourmenter, mes transports diminuèrent assez pour faire place à quelques réflexions. Je comparai cette dernière infortune à celles que j'avais déjà essuyées dans le même genre, et je ne trouvai pas qu'il y eût plus à désespérer que dans les premières. Je connaissais Manon ; pourquoi m'affliger tant d'un malheur que j'avais dû prévoir[7] ? Pourquoi ne pas m'employer plutôt à chercher du remède ? Il était encore temps. Je devais du moins n'y pas épargner mes soins, si je ne voulais avoir à me reprocher d'avoir contribué, par ma négligence, à mes propres peines. Je me mis là-dessus à considérer tous les moyens qui pouvaient m'ouvrir un chemin à l'espérance.

Entreprendre de l'arracher avec violence des mains de G... M..., c'était un parti désespéré, qui n'était propre qu'à me perdre, et qui n'avait pas la moindre apparence de succès. Mais il me semblait que si j'eusse pu me procurer le moindre entretien avec elle, j'aurais gagné infailliblement quelque chose sur son cœur. J'en connaissais si bien tous les endroits sensibles ! J'étais si sûr d'être aimé d'elle ! Cette bizarrerie même de m'avoir envoyé une jolie fille pour me consoler, j'aurais parié qu'elle venait de son invention, et que c'était un effet de sa compassion pour mes peines. Je résolus d'employer toute mon industrie pour la voir. Parmi quantité de voies que j'examinai l'une après l'autre, je m'arrêtai à celle-ci. M. de T... avait commencé à me rendre service avec trop d'affection pour me laisser le moindre doute de sa sincérité et de son zèle. Je me proposai d'aller chez lui sur-le-champ, et de l'engager à faire appeler G... M..., sous le prétexte d'une affaire importante. Il ne me fallait qu'une demi-heure pour parler à Manon. Mon dessein était de me faire introduire dans sa chambre même, et je crus que cela me serait aisé dans l'absence de G... M... Cette résolution m'ayant rendu plus tranquille, je payai libéralement la jeune fille, qui était encore avec moi, et pour lui ôter l'envie de retourner chez ceux qui me l'avaient envoyée, je pris son adresse, en lui faisant espérer que j'irais passer la nuit avec elle. Je montai dans mon fiacre, et je me fis conduire à grand train chez M. de T... Je fus assez heureux pour l'y trouver. J'avais eu, là-dessus, de l'inquiétude en chemin. Un mot le mit au fait de mes peines et du service que je venais lui demander. Il fut si étonné d'apprendre que G... M... avait pu séduire Manon, qu'ignorant que j'avais eu part moi-même à mon malheur, il m'offrit généreusement de rassembler tous ses amis, pour employer leurs bras et leurs épées à la délivrance de ma maîtresse. Je lui fis comprendre que cet éclat pouvait être pernicieux à Manon et à moi. Réservons notre sang, lui dis-je, pour l'extrémité. Je médite une voie plus douce et dont je n'espère pas moins de succès. Il s'engagea, sans exception, à faire tout ce que je demanderais de lui ; et lui ayant répété qu'il ne s'agissait que de faire avertir G... M... qu'il avait à lui parler, et de le tenir dehors une heure ou deux, il partit aussitôt avec moi pour me satisfaire.

Nous cherchâmes de quel expédient il pourrait se servir pour l'arrêter si longtemps. Je lui conseillai de lui écrire d'abord un billet simple, daté d'un cabaret, par lequel il le prierait de s'y rendre aussitôt, pour une affaire si importante qu'elle ne pouvait souffrir de délai. J'observerai, ajoutai-je, le moment de sa sortie, et je m'introduirai sans peine dans la maison, n'y étant connu que de Manon et de Marcel, qui est mon valet. Pour vous, qui serez pendant ce temps-là avec G... M..., vous pourrez lui dire que cette affaire importante, pour laquelle vous souhaitez de lui parler, est un besoin d'argent, que vous venez de perdre le vôtre au jeu, et que vous avez joué beaucoup plus sur votre parole, avec le même malheur. Il lui faudra du temps pour vous mener à son coffre-fort, et j'en aurai suffisamment pour exécuter mon dessein.

M. de T... suivit cet arrangement de point en point. Je le laissai dans un cabaret, où il écrivit promptement sa lettre. J'allai me placer à quelques pas de la maison de Manon. Je vis arriver le porteur du message, et G... M... sortir à pied, un moment après, suivi d'un laquais. Lui ayant laissé le temps de s'éloigner de la rue, je m'avançai à la porte de mon infidèle, et malgré toute ma colère, je frappai avec le respect qu'on a pour un temple. Heureusement, ce fut Marcel qui vint m'ouvrir. Je lui fis signe de se taire. Quoique je n'eusse rien à craindre des autres domestiques, je lui demandai tout bas s'il pouvait me conduire dans la chambre où était Manon, sans que je fusse aperçu. Il me dit que cela était aisé en montant doucement par le grand escalier. Allons donc promptement, lui dis-je, et tâche d'empêcher, pendant que j'y serai, qu'il n'y monte personne. Je pénétrai sans obstacle jusqu'à l'appartement.

Manon était occupée à lire. Ce fut là que j'eus lieu d'admirer le caractère de cette étrange fille. Loin d'être effrayée et de paraître timide en m'apercevant, elle ne donna que ces marques légères de surprise dont on n'est pas le maître à la vue d'une personne qu'on croit éloignée. Ah ! c'est vous, mon amour, me dit-elle en venant m'embrasser avec sa tendresse ordinaire. Bon Dieu ! que vous êtes hardi ! Qui vous aurait attendu aujourd'hui dans ce lieu ? Je me dégageai de ses bras, et loin de répondre à ses caresses, je la repoussai avec dédain, et je fis deux ou trois pas en arrière pour m'éloigner d'elle. Ce mouvement ne laissa pas de la déconcerter. Elle demeura dans la situation où elle était et elle jeta les yeux sur moi en changeant de couleur. J'étais, dans le fond, si charmé de la revoir, qu'avec tant de justes sujets de colère, j'avais à peine la force d'ouvrir la bouche pour la quereller. Cependant mon cœur saignait du cruel outrage qu'elle m'avait fait. Je le rappelais vivement à ma mémoire, pour exciter mon dépit, et je tâchais de faire briller dans mes yeux un autre feu que celui de l'amour. Comme je demeurai quelque temps en silence, et qu'elle remarqua mon agitation, je la vis trembler, apparemment par un effet de sa crainte.

Je ne pus soutenir ce spectacle. Ah ! Manon, lui dis-je d'un ton tendre, infidèle et parjure Manon ! par où commencerai-je à me plaindre ? Je vous vois pâle et tremblante, et je suis encore si sensible à vos moindres peines, que je crains de vous affliger trop par mes reproches. Mais, Manon, je vous le dis, j'ai le cœur percé de la douleur de votre trahison. Ce sont là des coups qu'on ne porte point à un amant, quand on n'a pas résolu sa mort. Voici la troisième fois, Manon, je les ai bien comptées ; il est impossible que cela s'oublie. C'est à vous de considérer, à l'heure même, quel parti vous voulez prendre, car mon triste cœur n'est plus à l'épreuve d'un si cruel traitement. Je sens qu'il succombe et qu'il est prêt à se fendre de douleur. Je n'en puis plus, ajoutai-je en m'asseyant sur une chaise ; j'ai à peine la force de parler et de me soutenir.

Elle ne me répondit point, mais, lorsque je fus assis, elle se laissa tomber à genoux et elle appuya sa tête sur les miens, en cachant son visage de mes mains. Je sentis en un instant qu'elle les mouillait de ses larmes. Dieux ! de quels mouvements n'étais-je point agité ! Ah ! Manon, Manon, repris-je avec un soupir, il est bien tard de me donner des larmes, lorsque vous avez causé ma mort. Vous affectez une tristesse que vous ne sauriez sentir. Le plus grand de vos maux est sans doute ma présence, qui a toujours été importune à vos plaisirs. Ouvrez les yeux, voyez qui je suis ; on ne verse pas des pleurs si tendres pour un malheureux qu'on a trahi, et qu'on abandonne cruellement. Elle baisait mes mains sans changer de posture. Inconstante Manon, repris-je encore, fille ingrate et sans foi, où sont vos promesses et vos serments ? Amante mille fois volage et cruelle, qu'as-tu fait de cet amour que tu me jurais encore aujourd'hui ? Juste Ciel, ajoutai-je, est-ce ainsi qu'une infidèle se rit de vous, après vous avoir attesté si saintement ? C'est donc le parjure qui est récompensé ! Le désespoir et l'abandon sont pour la constance et la fidélité.

Ces paroles furent accompagnées d'une réflexion si amère, que j'en laissai échapper malgré moi quelques larmes. Manon s'en aperçut au changement de ma voix. Elle rompit enfin le silence. Il faut bien que je sois coupable, me dit-elle tristement, puisque j'ai pu vous causer tant de douleur et d'émotion ; mais que le Ciel me punisse si j'ai cru l'être, ou si j'ai eu la pensée de le devenir ! Ce discours me parut si dépourvu de sens et de bonne foi, que je ne pus me défendre d'un vif mouvement de colère. Horrible dissimulation ! m'écriai-je. Je vois mieux que jamais que tu n'es qu'une coquine et une perfide. C'est à présent que je connais ton misérable caractère. Adieu, lâche créature, continuai-je en me levant ; j'aime mieux mourir mille fois que d'avoir désormais le moindre commerce avec toi. Que le Ciel me punisse moi-même si je t'honore jamais du moindre regard ! Demeure avec ton nouvel amant, aime-le, déteste-moi, renonce à l'honneur, au bon sens ; je m'en ris, tout m'est égal.

Elle fut si épouvantée de ce transport, que, demeurant à genoux près de la chaise d'où je m'étais levé, elle me regardait en tremblant et sans oser respirer. Je fis encore quelques pas vers la porte, en tournant la tête, et tenant les yeux fixés sur elle. Mais il aurait fallu que j'eusse perdu tous sentiments d'humanité pour m'endurcir contre tant de charmes. J'étais si éloigné d'avoir cette force barbare que, passant tout d'un coup à l'extrémité opposée, je retournai vers elle, ou plutôt, je m'y précipitai sans réflexion. Je la pris entre mes bras, je lui donnai mille tendres baisers. Je lui demandai pardon de mon emportement. Je confessai que j'étais un brutal, et que je ne méritais pas le bonheur d'être aimé d'une fille comme elle. Je la fis asseoir, et, m'étant mis à genoux à mon tour, je la conjurai de m'écouter en cet état. Là, tout ce qu'un amant soumis et passionné peut imaginer de plus respectueux et de plus tendre, je le renfermai en peu de mots dans mes excuses. Je lui demandai en grâce de prononcer qu'elle me pardonnait. Elle laissa tomber ses bras sur mon cou, en disant que c'était elle-même qui avait besoin de ma bonté pour me faire oublier les chagrins qu'elle me causait, et qu'elle commençait à craindre avec raison que je ne goûtasse point ce qu'elle avait à me dire pour se justifier. Moi ! interrompis-je aussitôt, ah ! je ne vous demande point de justification. J'approuve tout ce que vous avez fait. Ce n'est point à moi d'exiger des raisons de votre conduite ; trop content, trop heureux, si ma chère Manon ne m'ôte point la tendresse de son cœur ! Mais, continuai-je, en réfléchissant sur l'état de mon sort, toute-puissante Manon ! vous qui faites à votre gré mes joies et mes douleurs, après vous avoir satisfait par mes humiliations et par les marques de mon repentir, ne me serait-il point permis de vous parler de ma tristesse et de mes peines ? Apprendrai-je de vous ce qu'il faut que je devienne aujourd'hui, et si c'est sans retour que vous allez signer ma mort, en passant la nuit avec mon rival ?

Elle fut quelque temps à méditer sa réponse : Mon Chevalier, me dit-elle, en reprenant un air tranquille, si vous vous étiez d'abord expliqué si nettement, vous vous seriez épargné bien du trouble et à moi une scène bien affligeante. Puisque votre peine ne vient que de votre jalousie, je l'aurais guérie en m'offrant à vous suivre sur-le-champ au bout du monde. Mais je me suis figuré que c'était la lettre que je vous ai écrite sous les yeux de M. de G... M... et la fille que nous vous avons envoyée qui causaient votre chagrin. J'ai cru que vous auriez pu regarder ma lettre comme une raillerie et cette fille, en vous imaginant qu'elle était allée vous trouver de ma part, comme une déclaration que je renonçais à vous pour m'attacher à G... M... C'est cette pensée qui m'a jetée tout d'un coup dans la consternation, car, quelque innocente que je fusse, je trouvais, en y pensant, que les apparences ne m'étaient pas favorables. Cependant, continua-t-elle, je veux que vous soyez mon juge, après que je vous aurai expliqué la vérité du fait.

Elle m'apprit alors tout ce qui lui était arrivé depuis qu'elle avait trouvé G... M..., qui l'attendait dans le lieu où nous étions. Il l'avait reçue effectivement comme la première princesse du monde. Il lui avait montré tous les appartements, qui étaient d'un goût et d'une propreté admirables. Il lui avait compté dix mille livres[4] dans son cabinet, et il y avait ajouté quelques bijoux, parmi lesquels étaient le collier et les bracelets de perles qu'elle avait déjà eus de son père. Il l'avait menée de là dans un salon qu'elle n'avait pas encore vu, où elle avait trouvé une collation exquise. Il l'avait fait servir par les nouveaux domestiques qu'il avait pris pour elle, en leur ordonnant de la regarder désormais comme leur maîtresse. Enfin, il lui avait fait voir le carrosse, les chevaux et tout le reste de ses présents ; après quoi, il lui avait proposé une partie de jeu, pour attendre le souper. Je vous avoue, continua-t-elle, que j'ai été frappée de cette magnificence. J'ai fait réflexion que ce serait dommage de nous priver tout d'un coup de tant de biens, en me contentant d'emporter les dix mille francs et les bijoux, que c'était une fortune toute faite pour vous et pour moi, et que nous pourrions vivre agréablement aux dépens de G... M... Au lieu de lui proposer la Comédie, je me suis mis dans la tête de le sonder sur votre sujet, pour pressentir quelles facilités nous aurions à nous voir, en supposant l'exécution de mon système. Je l'ai trouvé d'un caractère fort traitable. Il m'a demandé ce que je pensais de vous, et si je n'avais pas eu quelque regret à vous quitter. Je lui ai dit que vous étiez si aimable et que vous en aviez toujours usé si honnêtement avec moi, qu'il n'était pas naturel que je pusse vous haïr. Il a confessé que vous aviez du mérite, et qu'il s'était senti porté à désirer votre amitié. Il a voulu savoir de quelle manière je croyais que vous prendriez mon départ, surtout lorsque vous viendriez à savoir que j'étais entre ses mains. Je lui ai répondu que la date de notre amour était déjà si ancienne qu'il avait eu le temps de se refroidir un peu, que vous n'étiez pas d'ailleurs fort à votre aise, et que vous ne regarderiez peut-être pas ma perte comme un grand malheur, parce qu'elle vous déchargerait d'un fardeau qui vous pesait sur les bras. J'ai ajouté qu'étant tout à fait convaincue que vous agiriez pacifiquement, je n'avais pas fait difficulté de vous dire que je venais à Paris pour quelques affaires, que vous y aviez consenti et qu'y étant venu vous-même, vous n'aviez pas paru extrêmement inquiet, lorsque je vous avais quitté. Si je croyais, m'a-t-il dit, qu'il fût d'humeur à bien vivre avec moi, je serais le premier à lui offrir mes services et mes civilités. Je l'ai assuré que, du caractère dont je vous connaissais, je ne doutais point que vous n'y répondissiez honnêtement, surtout, lui ai-je dit, s'il pouvait vous servir dans vos affaires, qui étaient fort dérangées depuis que vous étiez mal avec votre famille. Il m'a interrompue, pour me protester qu'il vous rendrait tous les services qui dépendraient de lui, et que, si vous vouliez même vous embarquer dans un autre amour, il vous procurerait une jolie maîtresse, qu'il avait quittée pour s'attacher à moi. J'ai applaudi à son idée, ajouta-t-elle, pour prévenir plus parfaitement tous ses soupçons, et me confirmant de plus en plus dans mon projet, je ne souhaitais que de pouvoir trouver le moyen de vous en informer, de peur que vous ne fussiez trop alarmé lorsque vous me verriez manquer à notre assignation. C'est dans cette vue que je lui ai proposé de vous envoyer cette nouvelle maîtresse dès le soir même, afin d'avoir une occasion de vous écrire ; j'étais obligée d'avoir recours à cette adresse, parce que je ne pouvais espérer qu'il me laissât libre un moment. Il a ri de ma proposition. Il a appelé son laquais, et lui ayant demandé s'il pourrait retrouver sur-le-champ son ancienne maîtresse, il l'a envoyé de côté et d'autre pour la chercher. Il s'imaginait que c'était à Chaillot qu'il fallait qu'elle allât vous trouver, mais je lui ai appris qu'en vous quittant je vous avais promis de vous rejoindre à la Comédie, ou que, si quelque raison m'empêchait d'y aller, vous vous étiez engagé à m'attendre dans un carrosse au bout de la rue Saint-André ; qu'il valait mieux, par conséquent, vous envoyer là votre nouvelle amante, ne fût-ce que pour vous empêcher de vous y morfondre pendant toute la nuit. Je lui ai dit encore qu'il était à propos de vous écrire un mot pour vous avertir de cet échange, que vous auriez peine à comprendre sans cela. Il y a consenti, mais j'ai été obligée d'écrire en sa présence, et je me suis bien gardée de m'expliquer trop ouvertement dans ma lettre. Voilà, ajouta Manon, de quelle manière les choses se sont passées. Je ne vous déguise rien, ni de ma conduite, ni de mes desseins. La jeune fille est venue, je l'ai trouvée jolie, et comme je ne doutais point que mon absence ne vous causât de la peine, c'était sincèrement que je souhaitais qu'elle pût servir à vous désennuyer quelques moments, car la fidélité que je souhaite de vous est celle du cœur. J'aurais été ravie de pouvoir vous envoyer Marcel, mais je n'ai pu me procurer un moment pour l'instruire de ce que j'avais à vous faire savoir. Elle conclut enfin son récit, en m'apprenant l'embarras où G... M... s'était trouvé en recevant le billet de M. de T... Il a balancé, me dit-elle, s'il devait me quitter, et il m'a assuré que son retour ne tarderait point. C'est ce qui fait que je ne vous vois point ici sans inquiétude, et que j'ai marqué de la surprise à votre arrivée.

J'écoutai ce discours avec beaucoup de patience. J'y trouvais assurément quantité de traits cruels et mortifiants pour moi, car le dessein de son infidélité était si clair qu'elle n'avait pas même eu le soin de me le déguiser. Elle ne pouvait espérer que G... M... la laissât, toute la nuit, comme une vestale. C'était donc avec lui qu'elle comptait de la passer. Quel aveu pour un amant ! Cependant, je considérai que j'étais cause en partie de sa faute, par la connaissance que je lui avais donnée d'abord des sentiments que G... M... avait pour elle, et par la complaisance que j'avais eue d'entrer aveuglément dans le plan téméraire de son aventure. D'ailleurs, par un tour naturel de génie[7] qui m'est particulier, je fus touché de l'ingénuité[7] de son récit, et de cette manière bonne et ouverte avec laquelle elle me racontait jusqu'aux circonstances dont j'étais le plus offensé. Elle pèche sans malice, disais-je en moi-même ; elle est légère et imprudente, mais elle est droite et sincère[4]. Ajoutez que l'amour suffisait seul pour me fermer les yeux sur toutes ses fautes. J'étais trop satisfait de l'espérance de l'enlever le soir même à mon rival. Je lui dis néanmoins : Et la nuit, avec qui l'auriez-vous passée ? Cette question, que je lui fis tristement, l'embarrassa. Elle ne me répondit que par des mais et des si interrompus. J'eus pitié de sa peine, et rompant ce discours, je lui déclarai naturellement que j'attendais d'elle qu'elle me suivît à l'heure même. Je le veux bien, me dit-elle ; mais vous n'approuvez donc pas mon projet ? Ah ! n'est-ce pas assez, repartis-je, que j'approuve tout ce que vous avez fait jusqu'à présent ? Quoi ! nous n'emporterons pas même les dix mille francs ? répliqua-t-elle. Il me les a donnés. Ils sont à moi. Je lui conseillai d'abandonner tout, et de ne penser qu'à nous éloigner promptement, car, quoiqu'il y eût à peine une demi-heure que j'étais avec elle, je craignais le retour de G... M... Cependant, elle me fit de si pressantes instances pour me faire consentir à ne pas sortir les mains vides, que je crus lui devoir accorder quelque chose après avoir tant obtenu d'elle.

Dans le temps que nous nous préparions au départ, j'entendis frapper à la porte de la rue. Je ne doutai nullement que ce ne fût G... M..., et dans le trouble où cette pensée me jeta, je dis à Manon que c'était un homme mort s'il paraissait. Effectivement, je n'étais pas assez revenu de mes transports pour me modérer à sa vue. Marcel finit ma peine en m'apportant un billet qu'il avait reçu pour moi à la porte. Il était de M. de T... Il me marquait que, G... M... étant allé lui chercher de l'argent à sa maison, il profitait de son absence pour me communiquer une pensée fort plaisante : qu'il lui semblait que je ne pouvais me venger plus agréablement de mon rival qu'en mangeant son souper et en couchant, cette nuit même, dans le lit qu'il espérait d'occuper avec ma maîtresse ; que cela lui paraissait assez facile, si je pouvais m'assurer de trois ou quatre hommes qui eussent assez de résolution pour l'arrêter dans la rue, et de fidélité pour le garder à vue jusqu'au lendemain ; que, pour lui, il promettait de l'amuser encore une heure pour le moins, par des raisons qu'il tenait prêtes pour son retour. Je montrai ce billet à Manon, et je lui appris de quelle ruse je m'étais servi pour m'introduire librement chez elle. Mon invention et celle de M. de T... lui parurent admirables. Nous en rîmes à notre aise pendant quelques moments. Mais, lorsque je lui parlai de la dernière comme d'un badinage, je fus surpris qu'elle insistât sérieusement à me la proposer comme une chose dont l'idée la ravissait. En vain lui demandai-je où elle voulait que je trouvasse, tout d'un coup, des gens propres à arrêter G... M... et à le garder fidèlement. Elle me dit qu'il fallait du moins tenter, puisque M. de T... nous garantissait encore une heure, et pour réponse à mes autres objections, elle me dit que je faisais le tyran et que je n'avais pas de complaisance pour elle. Elle ne trouvait rien de si joli [7] que ce projet. Vous aurez son couvert à souper, me répétait-elle, vous coucherez dans ses draps, et, demain, de grand matin, vous enlèverez sa maîtresse et son argent. Vous serez bien vengé du père et du fils.

Je cédai à ses instances, malgré les mouvements secrets de mon cœur qui semblaient me présager une catastrophe malheureuse. Je sortis, dans le dessein de prier deux ou trois gardes du corps [5], avec lesquels Lescaut m'avait mis en liaison, de se charger du soin d'arrêter G... M... Je n'en trouvai qu'un au logis, mais c'était un homme entreprenant, qui n'eut pas plus tôt su de quoi il était question qu'il m'assura du succès. Il me demanda seulement dix pistoles [4], pour récompenser trois soldats aux gardes, qu'il prit la résolution d'employer, en se mettant à leur tête. Je le priai de ne pas perdre de temps. Il les assembla en moins d'un quart d'heure. Je l'attendais à sa maison, et lorsqu'il fut de retour avec ses associés, je le conduisis moi-même au coin d'une rue par laquelle G... M... devait nécessairement rentrer dans celle de Manon. Je lui recommandai de ne le pas maltraiter, mais de le garder si étroitement jusqu'à sept heures du matin, que je pusse être assuré qu'il ne lui échapperait pas. Il me dit que son dessein était de le conduire à sa chambre et de l'obliger à se déshabiller, ou même à se coucher dans son lit, tandis que lui et ses trois braves* passeraient la nuit à boire et à jouer. Je demeurai avec eux jusqu'au moment où je vis paraître G... M... et je me retirai alors quelques pas au-dessus, dans un endroit obscur, pour être témoin d'une scène si extraordinaire. Le garde du corps l'aborda, le pistolet au poing, et lui expliqua civilement qu'il n'en voulait ni à sa vie ni à son argent, mais que, s'il faisait la moindre difficulté de le suivre, ou s'il jetait le moindre cri, il allait lui brûler la cervelle. G... M..., le voyant soutenu par trois soldats, et craignant sans doute la bourre du pistolet**, ne fit pas de résistance. Je le vis emmener comme un mouton.

Je retournai aussitôt chez Manon, et pour ôter tout soupçon aux domestiques, je lui dis, en entrant, qu'il ne fallait pas attendre M. de G... M... pour souper, qu'il lui était survenu des affaires qui le retenaient malgré lui, et qu'il m'avait prié de venir lui en faire ses excuses et souper avec elle, ce que je regardais comme une grande faveur auprès d'une si belle dame. Elle seconda fort adroitement mon dessein. Nous nous mîmes à table. Nous y prîmes un air grave, pendant que les laquais demeurèrent à nous servir. Enfin, les ayant congédiés, nous passâmes une des plus charmantes soirées de notre vie. J'ordonnai en secret à Marcel de chercher un fiacre et de l'avertir de se trouver le

* Spadassins, coupe-jarrets (de l'italien *bravo*).

** Croyant que le pistolet était chargé à balle, alors qu'il ne l'est qu'à bourre (à blanc).

lendemain à la porte, avant six heures du matin. Je feignis de quitter Manon vers minuit ; mais étant rentré doucement, par le secours de Marcel, je me préparai à occuper le lit de G... M..., comme j'avais rempli sa place à table. Pendant ce temps-là, notre mauvais génie travaillait à nous perdre. Nous étions dans le délire du plaisir, et le glaive était suspendu sur nos têtes. Le fil qui le soutenait allait se rompre. Mais, pour faire mieux entendre toutes les circonstances de notre ruine, il faut en éclaircir la cause.

G... M... était suivi d'un laquais, lorsqu'il avait été arrêté par le garde du corps. Ce garçon, effrayé de l'aventure de son maître, retourna en fuyant sur ses pas, et la première démarche qu'il fit, pour le secourir, fut d'aller avertir le vieux G... M... de ce qui venait d'arriver. Une si fâcheuse nouvelle ne pouvait manquer de l'alarmer beaucoup : il n'avait que ce fils, et sa vivacité était extrême pour son âge. Il voulut savoir d'abord du laquais tout ce que son fils avait fait l'après-midi, s'il s'était querellé avec quelqu'un, s'il avait pris part au démêlé d'un autre, s'il s'était trouvé dans quelque maison suspecte. Celui-ci, qui croyait son maître dans le dernier danger et qui s'imaginait ne devoir plus rien ménager pour lui procurer du secours, découvrit tout ce qu'il savait de son amour pour Manon et la dépense qu'il avait faite pour elle, la manière dont il avait passé l'après-midi dans sa maison jusqu'aux environs de neuf heures, sa sortie et le malheur de son retour. C'en fut assez pour faire soupçonner au vieillard que l'affaire de son fils était une querelle d'amour. Quoiqu'il fût au moins dix heures et demie du soir, il ne balança point à se rendre aussitôt chez M. le Lieutenant de Police[5]. Il le pria de faire donner des ordres particuliers à toutes les escouades du guet[5], et lui en ayant demandé une pour se faire accompagner, il courut lui-même vers la rue où son fils avait été arrêté[4]. Il visita tous les endroits de la ville où il espérait de le pouvoir trouver, et n'ayant pu découvrir ses traces, il se fit conduire enfin à la maison de sa maîtresse, où il se figura qu'il pouvait être retourné.

J'allais me mettre au lit, lorsqu'il arriva [1]. La porte de la chambre étant fermée, je n'entendis point frapper à celle de la rue ; mais il entra suivi de deux archers [5], et s'étant informé inutilement de ce qu'était devenu son fils, il lui prit envie de voir sa maîtresse, pour tirer d'elle quelque lumière. Il monte à l'appartement, toujours accompagné de ses archers. Nous étions prêts à nous mettre au lit. Il ouvre la porte, et il nous glace le sang par sa vue. Ô Dieu ! c'est le vieux G... M..., dis-je à Manon. Je saute sur mon épée ; elle était malheureusement embarrassée dans mon ceinturon. Les archers, qui virent mon mouvement, s'approchèrent aussitôt pour me la saisir. Un homme en chemise est sans résistance. Ils m'ôtèrent tous les moyens de me défendre.

G... M..., quoique troublé par ce spectacle, ne tarda point à me reconnaître. Il remit encore plus aisément Manon. Est-ce une illusion ? nous dit-il gravement ; ne vois-je point le chevalier des Grieux et Manon Lescaut ? J'étais si enragé de honte et de douleur, que je ne lui fis pas de réponse. Il parut rouler, pendant quelque temps, diverses pensées dans sa tête, et comme si elles eussent allumé tout d'un coup sa colère, il s'écria en s'adressant à moi : Ah ! malheureux, je suis sûr que tu as tué mon fils ! Cette injure me piqua vivement. Vieux scélérat, lui répondis-je avec fierté, si j'avais eu à tuer quelqu'un de ta famille, c'est par toi que j'aurais commencé. Tenez-le bien, dit-il aux archers. Il faut qu'il me dise des nouvelles de mon fils ; je le ferai pendre demain, s'il ne m'apprend tout à l'heure ce qu'il en a fait. Tu me feras pendre ? repris-je. Infâme ! ce sont tes pareils qu'il faut chercher au gibet [4, 6]. Apprends que je suis d'un sang plus noble et plus pur que le tien. Oui, ajoutai-je, je sais ce qui est arrivé à ton fils, et si tu m'irrites davantage, je le ferai étrangler avant qu'il soit demain, et je te promets le même sort après lui.

Je commis une imprudence en lui confessant que je savais où était son fils ; mais l'excès de ma colère me fit faire cette indiscrétion. Il appela aussitôt cinq ou six autres archers, qui l'attendaient à la porte, et il leur ordonna de s'assurer de tous les domestiques de la maison. Ah ! monsieur le chevalier, reprit-il d'un ton railleur, vous savez où est mon fils et vous le ferez étrangler, dites-vous ? Comptez que nous y mettrons bon ordre. Je sentis aussitôt la faute que j'avais commise. Il s'approcha de Manon, qui était assise sur le lit en pleurant ; il lui dit quelques galanteries ironiques sur l'empire qu'elle avait sur le père et sur le fils, et sur le bon usage qu'elle en faisait. Ce vieux monstre d'incontinence voulut prendre quelques familiarités avec elle. Garde-toi de la toucher ! m'écriai-je, il n'y aurait rien de sacré qui te pût sauver de mes mains. Il sortit en laissant trois archers dans la chambre, auxquels il ordonna de nous faire prendre promptement nos habits.

Je ne sais quels étaient alors ses desseins sur nous. Peut-être eussions-nous obtenu la liberté en lui apprenant où était son fils. Je méditais, en m'habillant, si ce n'était pas le meilleur parti. Mais, s'il était dans cette disposition en quittant notre chambre, elle était bien changée lorsqu'il y revint. Il était allé interroger les domestiques de Manon, que les archers avaient arrêtés. Il ne put rien apprendre de ceux qu'elle avait reçus de son fils, mais, lorsqu'il sut que Marcel nous avait servis auparavant, il résolut de le faire parler en l'intimidant par des menaces.

C'était un garçon fidèle, mais simple et grossier. Le souvenir de ce qu'il avait fait à l'Hôpital, pour délivrer Manon, joint à la terreur que G... M... lui inspirait, fit tant d'impression sur son esprit faible qu'il s'imagina qu'on allait le conduire à la potence ou sur la roue. Il promit de découvrir tout ce qui était venu à sa connaissance, si l'on voulait lui sauver la vie [4] : G... M... se persuada là-dessus qu'il y avait quelque chose, dans nos affaires, de plus sérieux et de plus criminel qu'il n'avait eu lieu jusque-là de se le figurer. Il offrit à Marcel, non seulement la vie, mais des récompenses pour sa confession. Ce malheureux lui apprit une partie de notre dessein, sur lequel nous n'avions pas fait difficulté de nous entretenir devant lui, parce qu'il ignorait entièrement les changements que nous y avions faits à Paris ; mais il avait été informé, en partant de Chaillot, du plan de l'entreprise et du rôle qu'il y devait jouer. Il lui déclara donc que notre vue était de duper son fils, et que Manon devait recevoir, ou avait déjà reçu, dix mille francs, qui selon notre projet, ne retourneraient jamais aux héritiers de la maison de G... M...

Après cette découverte, le vieillard emporté remonta brusquement dans notre chambre. Il passa, sans parler, dans le cabinet, où il n'eut pas de peine à trouver la somme et les bijoux. Il revint à nous avec un visage enflammé, et, nous montrant ce qu'il lui plut de nommer notre larcin, il nous accabla de reproches outrageants. Il fit voir de près, à Manon, le collier de perles et les bracelets. Les reconnaissez-vous ? lui dit-il avec un sourire moqueur. Ce n'était pas la première fois que vous les eussiez vus. Les mêmes, sur ma foi. Ils étaient de votre goût, ma belle ; je me le persuade aisément. Les pauvres enfants ! ajouta-t-il. Ils sont bien aimables, en effet, l'un et l'autre ; mais ils sont un peu fripons. Mon cœur crevait de rage à ce discours insultant. J'aurais donné, pour être libre un moment... Juste Ciel ! que n'aurais-je pas donné ! Enfin, je me fis violence pour lui dire, avec une modération qui n'était qu'un raffinement de fureur : Finissons, monsieur, ces insolentes railleries. De quoi est-il question ? Voyons, que prétendez-vous faire de nous ? Il est question, monsieur le chevalier, me répondit-il, d'aller de ce pas au Châtelet[2, 5]. Il fera jour demain ; nous verrons plus clair dans nos affaires, et j'espère que vous me ferez la grâce, à la fin, de m'apprendre où est mon fils.

Je compris, sans beaucoup de réflexions, que c'était une chose d'une terrible conséquence pour nous d'être une fois renfermés au Châtelet. J'en prévis, en tremblant, tous les dangers. Malgré toute ma fierté, je reconnus qu'il fallait plier sous le poids de ma fortune et flatter mon plus cruel ennemi, pour en obtenir quelque chose par la soumission. Je le priai, d'un ton honnête, de m'écouter un moment. Je me rends justice, monsieur, lui dis-je. Je confesse que la jeunesse m'a fait commettre de grandes fautes, et que vous en êtes assez blessé pour vous plaindre. Mais, si vous connaissez la force de l'amour, si vous pouvez juger de ce que souffre un malheureux jeune homme à qui l'on enlève tout ce qu'il aime, vous me trouverez peut-être pardonnable d'avoir cherché le plaisir d'une petite vengeance, ou du moins, vous me croirez assez puni par l'affront que je viens de recevoir. Il n'est besoin ni de prison ni de supplice pour me forcer de vous découvrir où est Monsieur votre fils. Il est en sûreté. Mon dessein n'a pas été de lui nuire ni de vous offenser. Je suis prêt à vous nommer le lieu où il passe tranquillement la nuit, si vous me faites la grâce de nous accorder la liberté. Ce vieux tigre, loin d'être touché de ma prière, me tourna le dos en riant. Il lâcha seulement quelques mots, pour me faire comprendre qu'il savait notre dessein jusqu'à l'origine. Pour ce qui regardait son fils, il ajouta brutalement qu'il se retrouverait assez, puisque je ne l'avais pas assassiné. Conduisez-les au Petit-Châtelet [5], dit-il aux archers, et prenez garde que le Chevalier ne vous échappe. C'est un rusé, qui s'est déjà sauvé de Saint-Lazare.

Il sortit, et me laissa dans l'état que vous pouvez vous imaginer. Ô Ciel ! m'écriai-je, je recevrai avec soumission tous les coups qui viennent de ta main, mais qu'un malheureux coquin ait le pouvoir de me traiter avec cette tyrannie, c'est ce qui me réduit au dernier désespoir. Les archers nous prièrent de ne pas les faire attendre plus longtemps. Ils avaient un carrosse [4] à la porte. Je tendis la main à Manon pour descendre. Venez, ma chère reine, lui dis-je, venez vous soumettre à toute la rigueur de notre sort. Il plaira peut-être au Ciel de nous rendre quelque jour plus heureux.

Nous partîmes dans le même carrosse. Elle se mit dans mes bras. Je ne lui avais pas entendu prononcer un mot depuis le premier moment de l'arrivée de G... M... ; mais, se trouvant seule alors avec moi, elle me dit mille tendresses en se reprochant d'être la cause de mon malheur. Je l'assurai que je ne me plaindrais jamais de mon sort, tant qu'elle ne cesserait pas de m'aimer. Ce n'est pas moi qui suis à plaindre, continuai-je. Quelques mois de prison ne m'effraient nullement, et je préférerai toujours le Châtelet à Saint-Lazare. Mais c'est pour toi, ma chère âme, que mon cœur s'intéresse. Quel sort pour une créature si charmante ! Ciel, comment traitez-vous avec tant de rigueur le plus parfait de vos ouvrages ? Pourquoi ne sommes-nous pas nés, l'un et l'autre, avec des qualités conformes à notre misère ? Nous avons reçu de l'esprit, du goût, des sentiments. Hélas ! quel triste usage en faisons-nous, tandis que tant d'âmes basses et dignes de notre sort jouissent de toutes les faveurs de la fortune ! Ces réflexions me pénétraient de douleur ; mais ce n'était rien en comparaison de celles qui regardaient l'avenir, car je séchais de crainte pour Manon. Elle avait déjà été à l'Hôpital, et, quand elle en fût sortie par la bonne porte, je savais que les rechutes en ce genre étaient d'une conséquence extrêmement dangereuse. J'aurais voulu lui exprimer mes frayeurs ; j'appréhendais de lui en causer trop. Je tremblais pour elle, sans oser l'avertir du danger, et je l'embrassais en soupirant, pour l'assurer, du moins, de mon amour, qui était presque le seul sentiment que j'osasse exprimer. Manon, lui dis-je, parlez sincèrement ; m'aimerez-vous toujours ? Elle me répondit qu'elle était bien malheureuse que j'en pusse douter. Hé bien, repris-je, je n'en doute point, et je veux braver tous nos ennemis avec cette assurance. J'emploierai ma famille pour sortir du Châtelet ; et tout mon sang ne sera utile à rien si je ne vous en tire pas aussitôt que je serai libre.

Nous arrivâmes à la prison. On nous mit chacun dans un lieu séparé. Ce coup me fut moins rude, parce que je l'avais prévu. Je recommandai Manon au concierge, en lui apprenant que j'étais un homme de quelque distinction, et lui promettant une récompense considérable. J'embrassai ma chère maîtresse, avant que de la quitter. Je la conjurai de ne pas s'affliger excessivement et de ne rien craindre tant que je serais au monde. Je n'étais pas sans argent ; je lui en donnai une partie et je payai au concierge, sur ce qui me restait, un mois de grosse pension d'avance pour elle et pour moi [5].

Mon argent eut un fort bon effet. On me mit dans une chambre proprement meublée, et l'on m'assura que Manon en avait une pareille. Je m'occupai aussitôt des moyens de hâter ma liberté. Il était clair qu'il n'y avait rien d'absolument criminel dans mon affaire, et supposant même que le dessein de notre vol fût prouvé par la déposition de Marcel, je savais fort bien qu'on ne punit point les simples volontés. Je résolus d'écrire promptement à mon père, pour le prier de venir en personne à Paris. J'avais bien moins de honte, comme je l'ai dit, d'être au Châtelet qu'à Saint-Lazare ; d'ailleurs, quoique je conservasse tout le respect dû à l'autorité paternelle, l'âge et l'expérience avaient diminué beaucoup ma timidité. J'écrivis donc, et l'on ne fit pas difficulté, au Châtelet, de laisser sortir ma lettre ; mais c'était une peine que j'aurais pu m'épargner, si j'avais su que mon père devait arriver le lendemain à Paris.

Il avait reçu celle que je lui avais écrite huit jours auparavant. Il en avait ressenti une joie extrême ; mais, de quelque espérance que je l'eusse flatté au sujet de ma conversion, il n'avait pas cru devoir s'arrêter tout à fait à mes promesses. Il avait pris le parti de venir s'assurer de mon changement par ses yeux, et de régler sa conduite sur la sincérité de mon repentir. Il arriva le lendemain de mon emprisonnement. Sa première visite fut celle qu'il rendit à Tiberge, à qui je l'avais prié d'adresser sa réponse. Il ne put savoir de lui ni ma demeure ni ma condition présente ; il en apprit seulement mes principales aventures, depuis que je m'étais échappé de Saint-Sulpice. Tiberge lui parla fort avantageusement des dispositions que je lui avais marquées pour le bien, dans notre dernière entrevue. Il ajouta qu'il me croyait entièrement dégagé de Manon, mais qu'il était surpris, néanmoins, que je ne lui eusse pas donné de mes nouvelles depuis huit jours. Mon père n'était pas dupe ; il comprit qu'il y avait quelque chose qui échappait à la pénétration de Tiberge, dans le silence dont il se plaignait, et il employa tant de soins pour découvrir mes traces que, deux jours après son arrivée, il apprit que j'étais au Châtelet.

Avant que de recevoir sa visite, à laquelle j'étais fort éloigné de m'attendre sitôt, je reçus celle de M. le Lieutenant général de Police, ou pour expliquer les choses par leur nom, je subis l'interrogatoire [5]. Il me fit quelques reproches, mais ils n'étaient ni durs ni désobligeants. Il me dit, avec douceur, qu'il plaignait ma mauvaise conduite ; que j'avais manqué de sagesse en me faisant un ennemi tel que M. de G... M... ; qu'à la vérité il était aisé de remarquer qu'il y avait, dans mon affaire, plus d'imprudence et de légèreté que de malice ; mais que c'était néanmoins la seconde fois que je me trouvais sujet à son tribunal, et qu'il avait espéré que je fusse devenu plus sage, après avoir pris deux ou trois mois de leçons à Saint-Lazare. Charmé d'avoir affaire à un juge raisonnable [4], je m'expliquai avec lui d'une manière si respectueuse et si modérée, qu'il parut extrêmement satisfait de mes réponses. Il me dit que je ne devais pas me livrer trop au chagrin, et qu'il se sentait disposé à me rendre service, en faveur de ma naissance et de ma jeunesse. Je me hasardai à lui recommander Manon, et à lui faire l'éloge de sa douceur et de son bon naturel. Il me répondit, en riant, qu'il ne l'avait point encore vue, mais qu'on la représentait comme une dangereuse personne. Ce mot excita tellement ma tendresse que je lui dis mille choses passionnées pour la défense de ma pauvre maîtresse, et je ne pus m'empêcher de répandre quelques larmes. Il ordonna qu'on me reconduisît à ma chambre. Amour, amour ! s'écria ce grave magistrat en me voyant sortir, ne te réconcilieras-tu jamais avec la sagesse ?

J'étais à m'entretenir tristement de mes idées, et à réfléchir sur la conversation que j'avais eue avec M. le Lieutenant général de Police, lorsque j'entendis ouvrir la porte de ma chambre : c'était mon père. Quoique je dusse être à demi préparé à cette vue, puisque je m'y attendais quelques jours plus tard, je ne laissai pas d'en être frappé si vivement que je me serais précipité au fond de la terre, si elle s'était entrouverte à mes pieds. J'allai l'embrasser, avec toutes les marques d'une extrême confusion. Il s'assit sans que ni lui ni moi eussions encore ouvert la bouche.

Comme je demeurais debout, les yeux baissés et la tête découverte : Asseyez-vous, monsieur, me dit-il gravement, asseyez-vous. Grâce au scandale de votre libertinage et de vos friponneries, j'ai découvert le lieu de votre demeure. C'est l'avantage d'un mérite tel que le vôtre de ne pouvoir demeurer caché. Vous allez à la renommée par un chemin infaillible. J'espère que le terme en sera bientôt la Grève [2], et que vous aurez, effectivement, la gloire d'y être exposé à l'admiration de tout le monde.

Je ne répondis rien. Il continua : Qu'un père est malheureux, lorsque, après avoir aimé tendrement un fils et n'avoir rien épargné pour en faire un honnête homme, il n'y trouve, à la fin, qu'un fripon qui le déshonore ! On se console d'un malheur de fortune : le temps l'efface, et le chagrin diminue ; mais quel remède contre un mal qui augmente tous les jours, tel que les désordres d'un fils vicieux qui a perdu tous sentiments d'honneur [8] ? Tu ne dis rien, malheureux, ajouta-t-il ; voyez cette modestie contrefaite et cet air de douceur hypocrite ; ne le prendrait-on pas pour le plus honnête homme de sa race ?

Quoique je fusse obligé de reconnaître que je méritais une partie de ces outrages, il me parut néanmoins que c'était les porter à l'excès. Je crus qu'il m'était permis d'expliquer naturellement ma pensée. Je vous assure, monsieur, lui dis-je, que la modestie où vous me voyez devant vous n'est nullement affectée ; c'est la situation naturelle d'un fils bien né, qui respecte infiniment son père, et surtout un père irrité. Je ne prétends pas non plus passer pour l'homme le plus réglé de notre race. Je me connais digne de vos reproches, mais je vous conjure d'y mettre un peu plus de bonté et de ne pas me traiter comme le plus infâme de tous les hommes. Je ne mérite pas des noms si durs. C'est l'amour, vous le savez, qui a causé toutes mes fautes. Fatale passion ! Hélas ! n'en connaissez-vous pas la force, et se peut-il que votre sang, qui est la source du mien, n'ait jamais ressenti les mêmes ardeurs ? L'amour m'a rendu trop tendre, trop passionné, trop fidèle et, peut-être, trop complaisant pour les désirs d'une maîtresse toute charmante ; voilà mes crimes. En voyez-vous là quelqu'un qui vous déshonore ? Allons, mon cher père, ajoutai-je tendrement, un peu de pitié pour un fils qui a toujours été plein de respect et d'affection pour vous, qui n'a pas renoncé, comme vous pensez, à l'honneur et au devoir, et qui est mille fois plus à plaindre que vous ne sauriez vous l'imaginer. Je laissai tomber quelques larmes en finissant ces paroles.

Un cœur de père est le chef-d'œuvre de la nature ; elle y règne, pour ainsi parler, avec complaisance, et elle en règle elle-même tous les ressorts. Le mien, qui était avec cela homme d'esprit et de goût, fut si touché du tour que j'avais donné à mes excuses qu'il ne fut pas le maître de me cacher ce changement. Viens, mon pauvre chevalier, me dit-il, viens m'embrasser ; tu me fais pitié. Je l'embrassai ; il me serra d'une manière qui me fit juger de ce qui se passait dans son cœur[4, 8]. Mais quel moyen prendrons-nous donc, reprit-il, pour te tirer d'ici ? Explique-moi toutes tes affaires sans déguisement. Comme il n'y avait rien, après tout, dans le gros de ma conduite, qui pût me déshonorer absolument, du moins en la mesurant sur celle des jeunes gens d'un certain monde, et qu'une maîtresse ne passe point pour une infamie dans le siècle où nous sommes, non plus qu'un peu d'adresse à s'attirer la fortune du jeu, je fis sincèrement à mon père le détail de la vie que j'avais menée. A chaque faute dont je lui faisais l'aveu, j'avais soin de joindre des exemples célèbres, pour en diminuer la honte. Je vis avec une maîtresse, lui disais-je, sans être lié par les cérémonies du mariage : M. le duc de ... en entretient deux, aux yeux de tout Paris ; M. de ... en a une depuis dix ans, qu'il aime avec une fidélité qu'il n'a jamais eue pour sa femme ; les deux tiers des honnêtes gens de France se font honneur d'en avoir. J'ai usé de quelque supercherie au jeu : M. le marquis de ... et le comte de ... n'ont point d'autres revenus ; M. le prince de ... et M. le duc de ... sont les chefs d'une bande de chevaliers du même Ordre [6]. Pour ce qui regardait mes desseins sur la bourse des deux G... M..., j'aurais pu prouver aussi facilement que je n'étais pas sans modèles ; mais il me restait trop d'honneur pour ne pas me condamner moi-même, avec tous ceux dont j'aurais pu me proposer l'exemple [4, 8], de sorte que je priai mon père de pardonner cette faiblesse aux deux violentes passions qui m'avaient agité, la vengeance et l'amour. Il me demanda si je pouvais lui donner quelques ouvertures sur les plus courts moyens d'obtenir ma liberté, et d'une manière qui pût lui faire éviter l'éclat. Je lui appris les sentiments de bonté que le Lieutenant général de Police avait pour moi. Si vous trouvez quelques difficultés, lui dis-je, elles ne peuvent venir que de la part des G... M... ; ainsi, je crois qu'il serait à propos que vous prissiez la peine de les voir. Il me le promit. Je n'osai le prier de solliciter pour Manon. Ce ne fut point un défaut de hardiesse, mais un effet de la crainte où j'étais de le révolter par cette proposition, et de lui faire naître quelque dessein funeste à elle et à moi. Je suis encore à savoir si cette crainte n'a pas causé mes plus grandes infortunes en m'empêchant de tenter [7] les dispositions de mon père, et de faire des efforts pour lui en inspirer de favorables à ma malheureuse maîtresse. J'aurais peut-être excité encore une fois sa pitié. Je l'aurais mis en garde contre les impressions qu'il allait recevoir trop facilement du vieux G... M... Que sais-je ? Ma mauvaise destinée l'aurait peut-être emporté sur tous mes efforts, mais je n'aurais eu qu'elle, du moins, et la cruauté de mes ennemis, à accuser de mon malheur.

En me quittant, mon père alla faire une visite à M. de G... M... Il le trouva avec son fils, à qui le garde du corps avait honnêtement rendu la liberté. Je n'ai jamais su les particularités de leur conversation, mais il ne m'a été que trop facile d'en juger par ses mortels effets. Ils allèrent ensemble, je dis les deux pères, chez M. le Lieutenant général de Police[5], auquel ils demandèrent deux grâces : l'une, de me faire sortir sur-le-champ du Châtelet ; l'autre, d'enfermer Manon pour le reste de ses jours, ou de l'envoyer en Amérique. On commençait, dans le même temps, à embarquer quantité de gens sans aveu pour le Mississippi[5]. M. le Lieutenant général de Police leur donna sa parole de faire partir Manon par le premier vaisseau. M. de G... M... et mon père vinrent aussitôt m'apporter ensemble la nouvelle de ma liberté. M. de G... M... me fit un compliment civil sur le passé, et m'ayant félicité sur le bonheur que j'avais d'avoir un tel père, il m'exhorta à profiter désormais de ses leçons et de ses exemples. Mon père m'ordonna de lui faire des excuses de l'injure prétendue que j'avais faite à sa famille, et de le remercier de s'être employé avec lui pour mon élargissement. Nous sortîmes ensemble, sans avoir dit un mot de ma maîtresse. Je n'osai même parler d'elle aux guichetiers en leur présence. Hélas ! mes tristes recommandations eussent été bien inutiles ! L'ordre cruel était venu en même temps que celui de ma délivrance. Cette fille infortunée fut conduite, une heure après, à l'Hôpital, pour y être associée à quelques malheureuses qui étaient condamnées à subir le même sort. Mon père m'ayant obligé de le suivre à la maison où il avait pris sa demeure, il était presque six heures du soir lorsque je trouvai le moment de me dérober de ses yeux pour retourner au Châtelet.

Je n'avais dessein que de faire tenir quelques rafraîchissements à Manon, et de la recommander au concierge, car je ne me promettais pas que la liberté de la voir me fût accordée. Je n'avais point encore eu le temps, non plus, de réfléchir aux moyens de la délivrer.

Je demandai à parler au concierge. Il avait été content de ma libéralité et de ma douceur, de sorte qu'ayant quelque disposition à me rendre service, il me parla du sort de Manon comme d'un malheur dont il avait beaucoup de regret parce qu'il pouvait m'affliger. Je ne compris point ce langage. Nous nous entretînmes quelques moments sans nous entendre. A la fin, s'apercevant que j'avais besoin d'une explication, il me la donna, telle que j'ai déjà eu horreur de vous la dire, et que j'ai encore de la répéter [8]. Jamais apoplexie violente ne causa d'effet plus subit et plus terrible. Je tombai, avec une palpitation de cœur si douloureuse, qu'à l'instant que je perdis la connaissance, je me crus délivré de la vie pour toujours. Il me resta même quelque chose de cette pensée lorsque je revins à moi. Je tournai mes regards vers toutes les parties de la chambre et sur moi-même, pour m'assurer si je portais encore la malheureuse qualité d'homme vivant. Il est certain qu'en ne suivant que le mouvement naturel qui fait chercher à se délivrer de ses peines, rien ne pouvait me paraître plus doux que la mort, dans ce moment de désespoir et de consternation. La religion même ne pouvait me faire envisager rien de plus insupportable, après la vie, que les convulsions cruelles dont j'étais tourmenté. Cependant, par un miracle propre à l'amour, je retrouvai bientôt assez de force pour remercier le Ciel de m'avoir rendu la connaissance et la raison. Ma mort n'eût été utile qu'à moi. Manon avait besoin de ma vie pour la délivrer, pour la secourir, pour la venger. Je jurai de m'y employer sans ménagement.

Le concierge me donna toute l'assistance que j'eusse pu attendre du meilleur de mes amis [4]. Je reçus ses services avec une vive reconnaissance. Hélas ! lui dis-je, vous êtes donc touché de mes peines ? Tout le monde m'abandonne. Mon père même est sans doute un de mes plus cruels persécuteurs. Personne n'a pitié de moi. Vous seul, dans le séjour de la dureté et de la barbarie, vous marquez de la compassion pour le plus misérable de tous les hommes ! Il me conseillait de ne point paraître dans la rue sans être un peu remis du trouble où j'étais. Laissez, laissez, répondis-je en sortant ; je vous reverrai plus tôt que vous ne pensez. Préparez-moi le plus noir de vos cachots ; je vais travailler à le mériter [8]. En effet, mes premières résolutions n'allaient à rien moins qu'à me défaire des deux G... M... et du Lieutenant général de Police, et fondre ensuite à main armée sur l'Hôpital, avec tous ceux que je pourrais engager dans ma querelle. Mon père lui-même eût à peine été respecté, dans une vengeance qui me paraissait si juste, car le concierge ne m'avait pas caché que lui et G... M... étaient les auteurs de ma perte. Mais, lorsque j'eus fait quelques pas dans les rues, et que l'air eut un peu rafraîchi mon sang et mes humeurs [7], ma fureur fit place peu à peu à des sentiments plus raisonnables. La mort de nos ennemis eût été d'une faible utilité pour Manon, et elle m'eût exposé sans doute à me voir ôter tous les moyens de la secourir. D'ailleurs, aurais-je eu recours à un lâche assassinat ? Quelle autre voie pouvais-je m'ouvrir à la vengeance ? Je recueillis toutes mes forces et tous mes esprits pour travailler d'abord à la délivrance de Manon, remettant tout le reste après le succès de cette importante entreprise. Il me restait peu d'argent. C'était, néanmoins, un fondement nécessaire, par lequel il fallait commencer. Je ne voyais que trois personnes de qui j'en pusse attendre : M. de T..., mon père et Tiberge. Il y avait peu d'apparence d'obtenir quelque chose des deux derniers, et j'avais honte de fatiguer l'autre par mes importunités. Mais ce n'est point dans le désespoir qu'on garde des ménagements. J'allai sur-le-champ au Séminaire de Saint-Sulpice, sans m'embarrasser si j'y serais reconnu. Je fis appeler Tiberge. Ses premières paroles me firent comprendre qu'il ignorait encore mes dernières aventures. Cette idée me fit changer le dessein que j'avais, de l'attendrir par la compassion. Je lui parlai, en général, du plaisir que j'avais eu de revoir mon père, et je le priai ensuite de me prêter quelque argent, sous prétexte de payer, avant mon départ de Paris, quelques dettes que je souhaitais de tenir inconnues. Il me présenta aussitôt sa bourse. Je pris cinq cents francs sur six cents que j'y trouvai. Je lui offris mon billet ; il était trop généreux pour l'accepter[4].

Je tournai de là chez M. de T... Je n'eus point de réserve avec lui. Je lui fis l'exposition de mes malheurs et de mes peines : il en savait déjà jusqu'aux moindres circonstances, par le soin qu'il avait eu de suivre l'aventure du jeune G... M... ; il m'écouta néanmoins, et il me plaignit beaucoup. Lorsque je lui demandai ses conseils sur les moyens de délivrer Manon, il me répondit tristement qu'il y voyait si peu de jour, qu'à moins d'un secours extraordinaire du Ciel, il fallait renoncer à l'espérance, qu'il avait passé exprès à l'Hôpital, depuis qu'elle y était renfermée, qu'il n'avait pu obtenir lui-même la liberté de la voir ; que les ordres du Lieutenant général de Police étaient de la dernière rigueur, et que, pour comble d'infortune, la malheureuse bande où elle devait entrer était destinée à partir le surlendemain du jour où nous étions. J'étais si consterné de son discours qu'il eût pu parler une heure sans que j'eusse pensé à l'interrompre. Il continua de me dire qu'il ne m'était point allé voir au Châtelet, pour se donner plus de facilité à me servir lorsqu'on le croirait sans liaison avec moi ; que, depuis quelques heures que j'en étais sorti, il avait eu le chagrin d'ignorer où je m'étais retiré, et qu'il avait souhaité de me voir promptement pour me donner le seul conseil dont il semblait que je pusse espérer du changement dans le sort de Manon, mais un conseil dangereux, auquel il me priait de cacher éternellement qu'il eût part : c'était de choisir quelques braves qui eussent le courage d'attaquer les gardes de Manon lorsqu'ils seraient sortis de Paris avec elle. Il n'attendit point que je lui parlasse de mon indigence.

Voilà cent pistoles[4], me dit-il, en me présentant une bourse, qui pourront vous être de quelque usage. Vous me les remettrez, lorsque la fortune aura rétabli vos affaires. Il ajouta que, si le soin de sa réputation lui eût permis d'entreprendre lui-même la délivrance de ma maîtresse, il m'eût offert son bras et son épée[4].

Cette excessive générosité me toucha jusqu'aux larmes. J'employai, pour lui marquer ma reconnaissance, toute la vivacité que mon affliction me laissait de reste. Je lui demandai s'il n'y avait rien à espérer, par la voie des intercessions, auprès du Lieutenant général de Police. Il me dit qu'il y avait pensé, mais qu'il croyait cette ressource inutile, parce qu'une grâce de cette nature ne pouvait se demander sans motif, et qu'il ne voyait pas bien quel motif on pouvait employer pour se faire un intercesseur d'une personne grave et puissante ; que, si l'on pouvait se flatter de quelque chose de ce côté-là, ce ne pouvait être qu'en faisant changer de sentiment à M. de G... M... et à mon père, et en les engageant à prier eux-mêmes M. le Lieutenant général de Police de révoquer sa sentence. Il m'offrit de faire tous ses efforts pour gagner le jeune G... M..., quoiqu'il le crût un peu refroidi à son égard par quelques soupçons qu'il avait conçus de lui à l'occasion de notre affaire, et il m'exhorta à ne rien omettre, de mon côté, pour fléchir l'esprit de mon père.

Ce n'était pas une légère entreprise pour moi, je ne dis pas seulement par la difficulté que je devais naturellement trouver à le vaincre, mais par une autre raison qui me faisait même redouter ses approches : je m'étais dérobé de son logement contre ses ordres, et j'étais fort résolu de n'y pas retourner depuis que j'avais appris la triste destinée de Manon. J'appréhendais avec sujet qu'il ne me fît retenir malgré moi et qu'il ne me reconduisît de même en province. Mon frère aîné avait usé autrefois de cette méthode. Il est vrai que j'étais devenu plus âgé, mais l'âge était une faible raison contre la force. Cependant je trouvai une voie qui me sauvait du danger ; c'était de le faire appeler dans un endroit public, et de m'annoncer à lui sous un autre nom. Je pris aussitôt ce parti. M. de T... s'en alla chez G... M... et moi au Luxembourg, d'où j'envoyai avertir mon père qu'un gentilhomme de ses serviteurs était à l'attendre. Je craignais qu'il n'eût quelque peine à venir, parce que la nuit approchait. Il parut néanmoins peu après, suivi de son laquais. Je le priai de prendre une allée où nous puissions être seuls. Nous fîmes cent pas, pour le moins, sans parler. Il s'imaginait bien, sans doute, que tant de préparations ne s'étaient pas faites sans un dessein d'importance. Il attendait ma harangue, et je la méditais.

Enfin, j'ouvris la bouche. Monsieur, lui dis-je en tremblant, vous êtes un bon père. Vous m'avez comblé de grâces et vous m'avez pardonné un nombre infini de fautes. Aussi le Ciel m'est-il témoin que j'ai pour vous tous les sentiments du fils le plus tendre et le plus respectueux. Mais il me semble... que votre rigueur... Hé bien ! ma rigueur ? interrompit mon père, qui trouvait sans doute que je parlais lentement pour son impatience. Ah ! monsieur, repris-je, il me semble que votre rigueur est extrême, dans le traitement que vous avez fait à la malheureuse Manon. Vous vous en êtes rapporté à M. de G... M... Sa haine vous l'a représentée sous les plus noires couleurs. Vous vous êtes formé d'elle une affreuse idée. Cependant, c'est la plus douce et la plus aimable créature qui fût jamais. Que n'a-t-il plu au Ciel de vous inspirer l'envie de la voir un moment ! Je ne suis pas plus sûr qu'elle est charmante, que je le suis qu'elle vous l'aurait paru. Vous auriez pris parti pour elle ; vous auriez détesté les noirs artifices de G... M... ; vous auriez eu compassion d'elle et de moi. Hélas ! j'en suis sûr. Votre cœur n'est pas insensible ; vous vous seriez laissé attendrir. Il m'interrompit encore, voyant que je parlais avec une ardeur qui ne m'aurait pas permis de finir sitôt. Il voulut savoir à quoi j'avais dessein d'en venir par un discours si passionné. A vous demander la vie, répondis-je, que je ne puis conserver un moment si Manon part une fois pour

Voir *Au fil du texte*, p. XIII.

l'Amérique. Non, non, me dit-il d'un ton sévère ; j'aime mieux te voir sans vie que sans sagesse et sans honneur. N'allons donc pas plus loin ! m'écriai-je en l'arrêtant par le bras. Ôtez-la-moi, cette vie odieuse et insupportable, car, dans le désespoir où vous me jetez, la mort sera une faveur pour moi. C'est un présent digne de la main d'un père.

Je ne te donnerais que ce que tu mérites, répliqua-t-il. Je connais bien des pères qui n'auraient pas attendu si longtemps pour être eux-mêmes tes bourreaux, mais c'est ma bonté excessive qui t'a perdu.

Je me jetai à ses genoux. Ah ! s'il vous en reste encore, lui dis-je en les embrassant, ne vous endurcissez donc pas contre mes pleurs. Songez que je suis votre fils... Hélas ! souvenez-vous de ma mère. Vous l'aimiez si tendrement ! Auriez-vous souffert qu'on l'eût arrachée de vos bras ? Vous l'auriez défendue jusqu'à la mort. Les autres n'ont-ils pas un cœur comme vous ? Peut-on être barbare, après avoir une fois éprouvé ce que c'est que la tendresse et la douleur ?

Ne me parle pas davantage de ta mère, reprit-il d'une voix irritée ; ce souvenir échauffe mon indignation. Tes désordres la feraient mourir de douleur, si elle eût assez vécu pour les voir. Finissons cet entretien, ajouta-t-il ; il m'importune, et ne me fera point changer de résolution. Je retourne au logis ; je t'ordonne de me suivre. Le ton sec et dur avec lequel il m'intima cet ordre me fit trop comprendre que son cœur était inflexible. Je m'éloignai de quelques pas, dans la crainte qu'il ne lui prît envie de m'arrêter de ses propres mains. N'augmentez pas mon désespoir, lui dis-je, en me forçant de vous désobéir. Il est impossible que je vous suive. Il ne l'est pas moins que je vive, après la dureté avec laquelle vous me traitez. Ainsi je vous dis un éternel adieu. Ma mort, que vous apprendrez bientôt, ajoutai-je tristement, vous fera peut-être reprendre pour moi des sentiments de père. Comme je me tournais pour le quitter : Tu refuses donc de me suivre ? s'écria-t-il avec une vive colère. Va, cours à ta perte. Adieu, fils ingrat et rebelle. Adieu, lui dis-je dans mon transport, adieu, père barbare et dénaturé[4].

Je sortis aussitôt du Luxembourg. Je marchai dans les rues comme un furieux jusqu'à la maison de M. de T... Je levais, en marchant, les yeux et les mains pour invoquer toutes les puissances célestes. Ô Ciel ! disais-je, serez-vous aussi impitoyable que les hommes ? Je n'ai plus de secours à attendre que de vous. M. de T... n'était point encore retourné chez lui, mais il revint après que je l'y eus attendu quelques moments. Sa négociation n'avait pas réussi mieux que la mienne. Il me le dit d'un visage abattu. Le jeune G... M..., quoique moins irrité que son père contre Manon et contre moi, n'avait pas voulu entreprendre de le solliciter en notre faveur. Il s'en était défendu par la crainte qu'il avait lui-même de ce vieillard vindicatif, qui s'était déjà fort emporté contre lui en lui reprochant ses desseins de commerce avec Manon. Il ne me restait donc que la voie de la violence, telle que M. de T... m'en avait tracé le plan ; j'y réduisis toutes mes espérances. Elles sont bien incertaines, lui dis-je, mais la plus solide et la plus consolante pour moi est celle de périr du moins dans l'entreprise. Je le quittai en le priant de me secourir par ses vœux, et je ne pensai plus qu'à m'associer des camarades à qui je pusse communiquer une étincelle de mon courage et de ma résolution.

Le premier qui s'offrit à mon esprit, fut le même garde du corps[5] que j'avais employé pour arrêter G... M... J'avais dessein aussi d'aller passer la nuit dans sa chambre, n'ayant pas eu l'esprit assez libre, pendant l'après-midi, pour me procurer un logement. Je le trouvai seul. Il eut de la joie de me voir sorti du Châtelet. Il m'offrit affectueusement ses services. Je lui expliquai ceux qu'il pouvait me rendre. Il avait assez de bon sens pour en apercevoir toutes les difficultés, mais il fut assez généreux pour entreprendre de les surmonter. Nous employâmes une partie de la nuit à raisonner sur mon dessein. Il me parla des trois soldats aux gardes, dont il s'était servi dans la dernière occasion, comme de trois braves à l'épreuve. M. de T... m'avait informé exactement du nombre des archers [5] qui devaient conduire Manon ; ils n'étaient que six. Cinq hommes hardis et résolus suffisaient pour donner l'épouvante à ces misérables, qui ne sont point capables de se défendre honorablement lorsqu'ils peuvent éviter le péril du combat par une lâcheté. Comme je ne manquais point d'argent, le garde du corps me conseilla de ne rien épargner pour assurer le succès de notre attaque. Il nous faut des chevaux, me dit-il, avec des pistolets, et chacun notre mousqueton. Je me charge de prendre demain le soin de ces préparatifs. Il faudra aussi trois habits communs pour nos soldats, qui n'oseraient paraître dans une affaire de cette nature avec l'uniforme du régiment [5]. Je lui mis entre les mains les cent pistoles que j'avais reçues de M. de T... Elles furent employées, le lendemain, jusqu'au dernier sol [4]. Les trois soldats passèrent en revue devant moi. Je les animai par de grandes promesses, et pour leur ôter toute défiance, je commençai par leur faire présent, à chacun, de dix pistoles [4]. Le jour de l'exécution étant venu, j'en envoyai un de grand matin à l'Hôpital, pour s'instruire, par ses propres yeux, du moment auquel les archers partiraient avec leur proie. Quoique je n'eusse pris cette précaution que par un excès d'inquiétude et de prévoyance, il se trouva qu'elle avait été absolument nécessaire. J'avais compté sur quelques fausses informations qu'on m'avait données de leur route, et, m'étant persuadé que c'était à La Rochelle que cette déplorable troupe devait être embarquée, j'aurais perdu mes peines à l'attendre sur le chemin d'Orléans. Cependant, je fus informé, par le rapport du soldat aux gardes, qu'elle prenait le chemin de Normandie, et que c'était du Havre-de-Grâce qu'elle devait partir pour l'Amérique [1].

Nous nous rendîmes aussitôt à la Porte Saint-Honoré [2], observant de marcher par des rues différentes. Nous nous réunîmes au bout du faubourg. Nos chevaux étaient frais. Nous ne tardâmes point à découvrir les six gardes et les deux misérables voitures que vous vîtes à Pacy, il y a deux ans. Ce spectacle faillit de m'ôter la force et la connaissance. Ô fortune, m'écriai-je, fortune cruelle ! accorde-moi ici, du moins, la mort ou la victoire. Nous tînmes conseil un moment sur la manière dont nous ferions notre attaque. Les archers n'étaient guère plus de quatre cents pas devant nous, et nous pouvions les couper en passant au travers d'un petit champ, autour duquel le grand chemin tournait. Le garde du corps fut d'avis de prendre cette voie, pour les surprendre en fondant tout d'un coup sur eux. J'approuvai sa pensée et je fus le premier à piquer mon cheval. Mais la fortune avait rejeté impitoyablement mes vœux. Les archers, voyant cinq cavaliers accourir vers eux, ne doutèrent point que ce ne fût pour les attaquer. Ils se mirent en défense, en préparant leurs baïonnettes et leurs fusils d'un air assez résolu. Cette vue, qui ne fit que nous animer, le garde du corps et moi, ôta tout d'un coup le courage à nos trois lâches compagnons. Ils s'arrêtèrent comme de concert, et, s'étant dit entre eux quelques mots que je n'entendis point, ils tournèrent la tête de leurs chevaux, pour reprendre le chemin de Paris à bride abattue. Dieux ! me dit le garde du corps, qui paraissait aussi éperdu que moi de cette infâme désertion, qu'allons-nous faire ? Nous ne sommes que deux. J'avais perdu la voix, de fureur et d'étonnement. Je m'arrêtai, incertain si ma première vengeance ne devait pas s'employer à la poursuite et au châtiment des lâches qui m'abandonnaient. Je les regardais fuir et je jetais les yeux, de l'autre côté, sur les archers. S'il m'eût été possible de me partager, j'aurais fondu tout à la fois sur ces deux objets de ma rage ; je les dévorais tous ensemble. Le garde du corps, qui jugeait de mon incertitude par le mouvement égaré de mes yeux, me pria d'écouter son conseil. N'étant que deux, me dit-il, il y aurait de la folie à attaquer six hommes aussi bien armés que nous et qui paraissent nous attendre de pied ferme. Il faut retourner à Paris et tâcher de réussir mieux dans le choix de nos braves. Les archers ne sauraient faire de grandes journées avec deux pesantes voitures[4] ; nous les rejoindrons demain sans peine.

Je fis un moment de réflexion sur ce parti, mais, ne voyant de tous côtés que des sujets de désespoir, je pris une résolution véritablement désespérée. Ce fut de remercier mon compagnon de ses services, et, loin d'attaquer les archers, je résolus d'aller, avec soumission, les prier de me recevoir dans leur troupe pour accompagner Manon avec eux jusqu'au Havre-de-Grâce et passer ensuite au-delà des mers avec elle. Tout le monde me persécute ou me trahit, dis-je au garde du corps. Je n'ai plus de fond à faire sur personne. Je n'attends plus rien, ni de la fortune, ni du secours des hommes. Mes malheurs sont au comble ; il ne me reste plus que de m'y soumettre. Ainsi, je ferme les yeux à toute espérance. Puisse le Ciel récompenser votre générosité ! Adieu, je vais aider mon mauvais sort à consommer ma ruine, en y courant moi-même volontairement[8]. Il fit inutilement ses efforts pour m'engager à retourner à Paris. Je le priai de me laisser suivre mes résolutions et de me quitter sur-le-champ, de peur que les archers ne continuassent de croire que notre dessein était de les attaquer.

J'allai seul vers eux, d'un pas lent et le visage si consterné qu'ils ne durent rien trouver d'effrayant dans mes approches. Ils se tenaient néanmoins en défense. Rassurez-vous, messieurs, leur dis-je, en les abordant ; je ne vous apporte point la guerre, je viens vous demander des grâces. Je les priai de continuer leur chemin sans défiance et je leur appris, en marchant, les faveurs que j'attendais d'eux. Ils consultèrent ensemble de quelle manière ils devaient recevoir cette ouverture. Le chef de la bande prit la parole pour les autres. Il me répondit que les ordres qu'ils avaient de veiller sur leurs captives étaient d'une extrême rigueur ; que je lui paraissais néanmoins si joli[7] homme que lui et ses compagnons se relâcheraient un peu de leur devoir ; mais que je devais comprendre qu'il fallait qu'il m'en coûtât quelque chose. Il me restait environ quinze pistoles[4] ; je leur dis naturellement en quoi consistait le fond de ma bourse. Hé bien ! me dit l'archer, nous en userons généreusement. Il ne vous coûtera qu'un écu par heure[4] pour entretenir celle de nos filles qui vous plaira le plus ; c'est le prix courant de Paris. Je ne leur avais pas parlé de Manon en particulier, parce que je n'avais pas dessein qu'ils connussent ma passion. Ils s'imaginèrent d'abord que ce n'était qu'une fantaisie de jeune homme qui me faisait chercher un peu de passe-temps avec ces créatures ; mais lorsqu'ils crurent s'être aperçus que j'étais amoureux, ils augmentèrent tellement le tribut, que ma bourse se trouva épuisée en partant de Mantes, où nous avions couché, le jour que nous arrivâmes à Pacy.

Vous dirai-je quel fut le déplorable sujet de mes entretiens avec Manon pendant cette route, ou quelle impression sa vue fit sur moi lorsque j'eus obtenu des gardes la liberté d'approcher de son chariot[4] ? Ah ! les expressions ne rendent jamais qu'à demi les sentiments du cœur[7]. Mais figurez-vous ma pauvre maîtresse enchaînée par le milieu du corps[5], assise sur quelques poignées de paille, la tête appuyée languissamment sur un côté de la voiture, le visage pâle et mouillé d'un ruisseau de larmes qui se faisaient un passage au travers de ses paupières, quoiqu'elle eût continuellement les yeux fermés. Elle n'avait pas même eu la curiosité de les ouvrir lorsqu'elle avait entendu le bruit de ses gardes, qui craignaient d'être attaqués. Son linge était sale et dérangé, ses mains délicates exposées à l'injure de l'air ; enfin, tout ce composé charmant, cette figure capable de ramener l'univers à l'idolâtrie, paraissait dans un désordre et un abattement inexprimables. J'employai quelque temps à la considérer, en allant à cheval à côté du chariot. J'étais si peu à moi-même que je fus sur le point, plusieurs fois, de tomber dangereusement. Mes soupirs et mes exclamations fréquentes m'attirèrent d'elle quelques regards. Elle me reconnut, et je remarquai que, dans le premier mouvement, elle tenta de se précipiter hors de la voiture pour venir à moi ; mais, étant retenue par sa chaîne, elle retomba dans sa première attitude. Je priai les archers d'arrêter un moment par compassion ; ils y consentirent par avarice. Je quittai mon cheval pour m'asseoir auprès d'elle. Elle était si languissante et si affaiblie qu'elle fut longtemps sans pouvoir se servir de sa langue ni remuer ses mains. Je les mouillais pendant ce temps-là de mes pleurs, et, ne pouvant proférer moi-même une seule parole, nous étions l'un et l'autre dans une des plus tristes situations dont il y avait jamais eu d'exemple. Nos expressions ne le furent pas moins, lorsque nous eûmes retrouvé la liberté de parler. Manon parla peu. Il semblait que la honte et la douleur eussent altéré les organes de sa voix ; le son en était faible et tremblant. Elle me remercia de ne l'avoir pas oubliée, et de la satisfaction que je lui accordais, dit-elle en soupirant, de me voir du moins encore une fois et de me dire le dernier adieu. Mais, lorsque je l'eus assurée que rien n'était capable de me séparer d'elle et que j'étais disposé à la suivre jusqu'à l'extrémité du monde pour prendre soin d'elle, pour la servir, pour l'aimer et pour attacher inséparablement ma misérable destinée à la sienne, cette pauvre fille se livra à des sentiments si tendres et si douloureux, que j'appréhendai quelque chose pour sa vie d'une si violente émotion. Tous les mouvements de son âme semblaient se réunir dans ses yeux. Elle les tenait fixés sur moi. Quelquefois elle ouvrait la bouche, sans avoir la force d'achever quelques mots qu'elle commençait. Il lui en échappait néanmoins quelques-uns. C'étaient des marques d'admiration sur mon amour, de tendres plaintes de son excès, des doutes qu'elle pût être assez heureuse pour m'avoir inspiré une passion si parfaite, des instances pour me faire renoncer au dessein de la suivre et chercher ailleurs un bonheur digne de moi, qu'elle me disait que je ne pouvais espérer avec elle.

En dépit du plus cruel de tous les sorts, je trouvais ma félicité dans ses regards et dans la certitude que j'avais de son affection. J'avais perdu, à la vérité, tout ce que le reste des hommes estime ; mais j'étais maître du cœur de Manon, le seul bien que j'estimais. Vivre en Europe, vivre en Amérique, que m'importait-il en quel endroit vivre, si j'étais sûr d'y être heureux en y vivant avec ma maîtresse ? Tout l'univers n'est-il pas la patrie de deux amants fidèles ? Ne trouvent-ils pas l'un dans l'autre, père, mère, parents, amis, richesses et félicité ? Si quelque chose me causait de l'inquiétude, c'était la crainte de voir Manon exposée aux besoins de l'indigence. Je me supposais déjà, avec elle, dans une région inculte et habitée par des sauvages. Je suis bien sûr, disais-je, qu'il ne saurait y en avoir d'aussi cruels que G... M... et mon père. Ils nous laisseront du moins vivre en paix. Si les relations qu'on en fait sont fidèles, ils suivent les lois de la nature [2, 8]. Ils ne connaissent ni les fureurs de l'avarice, qui possèdent G... M..., ni les idées fantastiques de l'honneur, qui m'ont fait un ennemi de mon père. Ils ne troubleront point deux amants qu'ils verront vivre avec autant de simplicité qu'eux. J'étais donc tranquille de ce côté-là. Mais je ne me formais point des idées romanesques par rapport aux besoins communs de la vie. J'avais éprouvé trop souvent qu'il y a des nécessités insupportables, surtout pour une fille délicate qui est accoutumée à une vie commode et abondante. J'étais au désespoir d'avoir épuisé inutilement ma bourse et que le peu d'argent qui me restait fût encore sur le point de m'être ravi par la friponnerie des archers. Je concevais qu'avec une petite somme j'aurais pu espérer, non seulement de me soutenir quelque temps contre la misère en Amérique, où l'argent était rare, mais d'y former même quelque entreprise pour un établissement durable. Cette considération me fit naître la pensée d'écrire à Tiberge, que j'avais toujours trouvé si prompt à m'offrir les secours de l'amitié. J'écrivis, dès la première ville où nous passâmes. Je ne lui apportai point d'autre motif que le pressant besoin dans lequel je prévoyais que je me trouverais au Havre-de-Grâce, où je lui confessais que j'étais allé conduire Manon. Je lui demandais cent pistoles[4]. Faites-les-moi tenir au Havre, lui disais-je, par le maître de la poste. Vous voyez bien que c'est la dernière fois que j'importune votre affection et que, ma malheureuse maîtresse m'étant enlevée pour toujours, je ne puis la laisser partir sans quelques soulagements qui adoucissent son sort et mes mortels regrets.

Les archers devinrent si intraitables, lorsqu'ils eurent découvert la violence de ma passion, que, redoublant continuellement le prix de leurs moindres faveurs, ils me réduisirent bientôt à la dernière indigence. L'amour, d'ailleurs, ne me permettait guère de ménager ma bourse. Je m'oubliais du matin au soir près de Manon, et ce n'était plus par heure que le temps m'était mesuré, c'était par la longueur entière des jours. Enfin, ma bourse étant tout à fait vide, je me trouvai exposé aux caprices et à la brutalité de six misérables, qui me traitaient avec une hauteur insupportable. Vous en fûtes témoin à Pacy[1]. Votre rencontre fut un heureux moment de relâche, qui me fut accordé par la fortune. Votre pitié, à la vue de mes peines, fut ma seule recommandation auprès de votre cœur généreux. Le secours, que vous m'accordâtes libéralement, servit à me faire gagner le Havre, et les archers tinrent leur promesse avec plus de fidélité que je ne l'espérais.

Nous arrivâmes au Havre. J'allai d'abord à la poste. Tiberge n'avait point encore eu le temps de me répondre. Je m'informai exactement quel jour je pouvais attendre sa lettre. Elle ne pouvait arriver que deux jours après, et par une étrange disposition de mon mauvais sort, il se trouva que notre vaisseau devait partir le matin de celui auquel j'attendais l'ordinaire*. Je ne puis vous représenter mon désespoir. Quoi ! m'écriai-je, dans le malheur même, il faudra toujours que je sois distingué par des excès ! Manon répondit : Hélas ! une vie si malheureuse mérite-t-elle le soin que nous en

* Le courrier, arrivant à heure fixe par la voiture des messageries.

prenons ? Mourons au Havre, mon cher Chevalier. Que la mort finisse tout d'un coup nos misères ! Irons-nous les traîner dans un pays inconnu, où nous devons nous attendre, sans doute, à d'horribles extrémités, puisqu'on a voulu m'en faire un supplice ? Mourons, me répéta-t-elle ; ou du moins, donne-moi la mort, et va chercher un autre sort dans les bras d'une amante plus heureuse. Non, non, lui dis-je, c'est pour moi un sort digne d'envie que d'être malheureux avec vous. Son discours me fit trembler. Je jugeai qu'elle était accablée de ses maux. Je m'efforçai de prendre un air plus tranquille, pour lui ôter ces funestes pensées de mort et de désespoir. Je résolus de tenir la même conduite à l'avenir ; et j'ai éprouvé, dans la suite, que rien n'est plus capable d'inspirer du courage à une femme que l'intrépidité d'un homme qu'elle aime.

Lorsque j'eus perdu l'espérance de recevoir du secours de Tiberge, je vendis mon cheval. L'argent que j'en tirai, joint à ce qui me restait encore de vos libéralités, me composa la petite somme de dix-sept pistoles[4]. J'en employai sept à l'achat de quelques soulagements nécessaires à Manon, et je serrai les dix autres avec soin, comme le fondement de notre fortune et de nos espérances en Amérique. Je n'eus point de peine à me faire recevoir dans le vaisseau. On cherchait alors des jeunes gens qui fussent disposés à se joindre volontairement à la colonie. Le passage et la nourriture me furent accordés gratis[5]. La poste de Paris devant partir le lendemain, j'y laissai une lettre pour Tiberge. Elle était touchante et capable de l'attendrir, sans doute, au dernier point, puisqu'elle lui fit prendre une résolution qui ne pouvait venir que d'un fond infini de tendresse et de générosité pour un ami malheureux.

Nous mîmes à la voile. Le vent ne cessa point de nous être favorable. J'obtins du capitaine un lieu à part pour Manon et pour moi. Il eut la bonté de nous regarder d'un autre œil que le commun de nos misérables associés. Je l'avais pris en particulier dès le premier jour, et, pour m'attirer de lui quelque considération, je lui avais découvert une partie de mes infortunes. Je ne crus pas me rendre coupable d'un mensonge honteux en lui disant que j'étais marié à Manon. Il feignit de le croire, et il m'accorda sa protection. Nous en reçûmes des marques pendant toute la navigation. Il eut soin de nous faire nourrir honnêtement, et les égards qu'il eut pour nous servirent à nous faire respecter des compagnons de notre misère. J'avais une attention continuelle à ne pas laisser souffrir la moindre incommodité à Manon. Elle le remarquait bien, et cette vue, jointe au vif ressentiment* de l'étrange extrémité où je m'étais réduit pour elle, la rendait si tendre et si passionnée, si attentive aussi à mes plus légers besoins, que c'était, entre elle et moi, une perpétuelle émulation de services et d'amour. Je ne regrettais point l'Europe. Au contraire, plus nous avancions vers l'Amérique, plus je sentais mon cœur s'élargir et devenir tranquille. Si j'eusse pu m'assurer de n'y pas manquer des nécessités absolues de la vie, j'aurais remercié la fortune d'avoir donné un tour si favorable à nos malheurs.

Après une navigation de deux mois[1], nous abordâmes enfin au rivage désiré. Le pays ne nous offrit rien d'agréable à la première vue. C'étaient des campagnes stériles et inhabitées, où l'on voyait à peine quelques roseaux et quelques arbres dépouillés par le vent. Nulle trace d'hommes ni d'animaux. Cependant, le capitaine ayant fait tirer quelques pièces de notre artillerie, nous ne fûmes pas longtemps sans apercevoir une troupe de citoyens du Nouvel Orléans[2], qui s'approchèrent de nous avec de vives marques de joie. Nous n'avions pas découvert la ville. Elle est cachée, de ce côté-là, par une petite colline. Nous fûmes reçus comme des gens descendus du Ciel. Ces pauvres habitants s'empressaient pour nous faire mille questions sur l'état de la France et sur les différentes provinces où ils étaient nés. Ils nous embrassaient comme leurs frères

* Ici : à la vive reconnaissance.

et comme de chers compagnons qui venaient partager leur misère et leur solitude. Nous prîmes le chemin de la ville avec eux, mais nous fûmes surpris de découvrir, en avançant, que, ce qu'on nous avait vanté jusqu'alors comme une bonne ville, n'était qu'un assemblage de quelques pauvres cabanes. Elles étaient habitées par cinq ou six cents personnes. La maison du Gouverneur nous parut un peu distinguée par sa hauteur et par sa situation. Elle est défendue par quelques ouvrages de terre, autour desquels règne un large fossé[2].

Nous fûmes d'abord présentés à lui. Il s'entretint longtemps en secret avec le capitaine, et, revenant ensuite à nous, il considéra, l'une après l'autre, toutes les filles qui étaient arrivées par le vaisseau. Elles étaient au nombre de trente, car nous en avions trouvé au Havre une autre bande, qui s'était jointe à la nôtre. Le Gouverneur, les ayant longtemps examinées, fit appeler divers jeunes gens de la ville qui languissaient dans l'attente d'une épouse. Il donna les plus jolies aux principaux et le reste fut tiré au sort[2]. Il n'avait point encore parlé à Manon, mais, lorsqu'il eut ordonné aux autres de se retirer, il nous fit demeurer, elle et moi. J'apprends du capitaine, nous dit-il, que vous êtes mariés et qu'il vous a reconnus sur la route pour deux personnes d'esprit[7] et de mérite[7]. Je n'entre point dans les raisons qui ont causé votre malheur, mais, s'il est vrai que vous ayez autant de savoir-vivre que votre figure me le promet, je n'épargnerai rien pour adoucir votre sort, et vous contribuerez vous-même à me faire trouver quelque agrément dans ce lieu sauvage et désert. Je lui répondis de la manière que je crus la plus propre à confirmer l'idée qu'il avait de nous. Il donna quelques ordres pour nous faire préparer un logement dans la ville, et il nous retint à souper avec lui. Je lui trouvai beaucoup de politesse, pour un chef de malheureux bannis. Il ne nous fit point de questions, en public, sur le fond de nos aventures. La conversation fut générale, et, malgré notre tristesse, nous nous efforçâmes, Manon et moi, de contribuer à la rendre agréable.

Le soir, il nous fit conduire au logement qu'on nous avait préparé. Nous trouvâmes une misérable cabane, composée de planches et de boue, qui consistait en deux ou trois chambres de plain-pied, avec un grenier au-dessus. Il y avait fait mettre cinq ou six chaises et quelques commodités nécessaires à la vie. Manon parut effrayée à la vue d'une si triste demeure. C'était pour moi qu'elle s'affligeait, beaucoup plus que pour elle-même. Elle s'assit, lorsque nous fûmes seuls, et elle se mit à pleurer amèrement. J'entrepris d'abord de la consoler, mais lorsqu'elle m'eut fait entendre que c'était moi seul qu'elle plaignait, et qu'elle ne considérait, dans nos malheurs communs, que ce que j'avais à souffrir, j'affectai de montrer assez de courage, et même assez de joie pour lui en inspirer. De quoi me plaindrai-je ? lui dis-je. Je possède tout ce que je désire. Vous m'aimez, n'est-ce pas ? Quel autre bonheur me suis-je jamais proposé ? Laissons au Ciel le soin de notre fortune. Je ne la trouve pas si désespérée. Le Gouverneur est un homme civil ; il nous a marqué de la considération ; il ne permettra pas que nous manquions du nécessaire. Pour ce qui regarde la pauvreté de notre cabane et la grossièreté de nos meubles, vous avez pu remarquer qu'il y a peu de personnes ici qui paraissent mieux logées et mieux meublées que nous. Et puis, tu es une chimiste[7] admirable, ajoutai-je en l'embrassant, tu transformes tout en or.

Vous serez donc la plus riche personne de l'univers, me répondit-elle, car, s'il n'y eut jamais d'amour tel que le vôtre, il est impossible aussi d'être aimé plus tendrement que vous l'êtes. Je me rends justice, continua-t-elle. Je sens bien que je n'ai jamais mérité ce prodigieux attachement que vous avez pour moi. Je vous ai causé des chagrins, que vous n'avez pu me pardonner sans une bonté extrême. J'ai été légère et volage, et même en vous aimant éperdument, comme j'ai toujours fait, je n'étais qu'une ingrate. Mais vous ne sauriez croire combien je suis changée. Mes larmes, que vous avez vues couler si souvent depuis notre départ de France, n'ont pas eu une seule fois mes malheurs pour objet. J'ai cessé de les sentir aussitôt que vous avez commencé à les partager. Je n'ai pleuré que de tendresse et de compassion pour vous. Je ne me console point d'avoir pu vous chagriner un moment dans ma vie. Je ne cesse point de me reprocher mes inconstances et de m'attendrir, en admirant de quoi l'amour vous a rendu capable pour une malheureuse qui n'en était pas digne, et qui ne payerait pas bien de tout son sang, ajouta-t-elle avec une abondance de larmes, la moitié des peines qu'elle vous a causées.

Ses pleurs, son discours et le ton dont elle le prononça firent sur moi une impression si étonnante, que je crus sentir une espèce de division dans mon âme. Prends garde, lui dis-je, prends garde, ma chère Manon. Je n'ai point assez de force pour supporter des marques si vives de ton affection ; je ne suis point accoutumé à ces excès de joie. O Dieu ! m'écriai-je, je ne vous demande plus rien. Je suis assuré du cœur de Manon. Il est tel que je l'ai souhaité pour être heureux ; je ne puis plus cesser de l'être à présent. Voilà ma félicité bien établie. Elle l'est, reprit-elle, si vous la faites dépendre de moi, et je sais où je puis compter aussi de trouver toujours la mienne. Je me couchai avec ces charmantes idées, qui changèrent ma cabane en un palais digne du premier roi du monde. L'Amérique me parut un lieu de délices après cela. C'est au Nouvel Orléans qu'il faut venir, disais-je souvent à Manon, quand on veut goûter les vraies douceurs de l'amour. C'est ici qu'on s'aime sans intérêt, sans jalousie, sans inconstance. Nos compatriotes y viennent chercher de l'or ; ils ne s'imaginent pas que nous y avons trouvé des trésors bien plus estimables.

Nous cultivâmes soigneusement l'amitié du Gouverneur. Il eut la bonté, quelques semaines après notre arrivée [1], de me donner un petit emploi qui vint à vaquer dans le fort. Quoiqu'il ne fût pas bien distingué, je l'acceptai comme une faveur du Ciel. Il me mettait en état de vivre sans être à charge à personne. Je pris un valet pour moi et une servante pour Manon. Notre petite fortune s'arrangea. J'étais réglé dans ma conduite ; Manon ne l'était pas moins. Nous ne laissions point échapper l'occasion de rendre service et de faire du bien à nos voisins. Cette disposition officieuse et la douceur de nos manières nous attirèrent la confiance et l'affection de toute la colonie. Nous fûmes en peu de temps si considérés, que nous passions pour les premières personnes de la ville après le Gouverneur.

L'innocence de nos occupations, et la tranquillité où nous étions continuellement, servirent à nous faire rappeler insensiblement des idées de religion. Manon n'avait jamais été une fille impie. Je n'étais pas non plus de ces libertins outrés, qui font gloire d'ajouter l'irréligion à la dépravation des mœurs. L'amour et la jeunesse avaient causé tous nos désordres. L'expérience commençait à nous tenir lieu d'âge ; elle fit sur nous le même effet que les années. Nos conversations, qui étaient toujours réfléchies, nous mirent insensiblement dans le goût d'un amour vertueux. Je fus le premier qui proposai ce changement à Manon. Je connaissais les principes[7] de son cœur. Elle était droite et naturelle dans tous ses sentiments, qualité qui dispose toujours à la vertu. Je lui fis comprendre qu'il manquait une chose à notre bonheur. C'est, lui dis-je, de le faire approuver du Ciel. Nous avons l'âme trop belle, et le cœur trop bien fait, l'un et l'autre, pour vivre volontairement dans l'oubli du devoir. Passe d'y avoir vécu en France, où il nous était également impossible de cesser de nous aimer et de nous satisfaire par une voie légitime ; mais en Amérique, où nous ne dépendons que de nous-mêmes, où nous n'avons plus à ménager les lois arbitraires du rang et de la bienséance, où l'on nous croit même mariés, qui empêche que nous ne le soyons bientôt effectivement et que nous n'anoblissions notre amour par des serments que la religion autorise ? Pour moi, ajoutai-je, je ne vous offre rien de nouveau en vous offrant mon cœur et ma main, mais je suis prêt à vous en renouveler le don au pied d'un autel[3]. Il me parut que ce discours la pénétrait de joie. Croiriez-vous, me répondit-elle, que j'y ai pensé mille fois, depuis que nous sommes en Amérique ? La crainte de vous déplaire m'a fait renfermer ce désir dans mon cœur. Je n'ai point la présomption d'aspirer à la qualité de votre épouse. Ah ! Manon, répliquai-je, tu serais bientôt celle d'un roi, si le Ciel m'avait fait naître avec une couronne. Ne balançons plus. Nous n'avons nul obstacle à redouter. J'en veux parler dès aujourd'hui au Gouverneur et lui avouer que nous l'avons trompé jusqu'à ce jour. Laissons craindre aux amants vulgaires, ajoutai-je, les chaînes indissolubles du mariage. Ils ne les craindraient pas s'ils étaient sûrs, comme nous, de porter toujours celles de l'amour. Je laissai Manon au comble de la joie, après cette résolution.

Je suis persuadé qu'il n'y a point d'honnête homme au monde qui n'eût approuvé mes vues dans les circonstances où j'étais, c'est-à-dire asservi fatalement à une passion que je ne pouvais vaincre et combattu par des remords que je ne devais point étouffer. Mais se trouvera-t-il quelqu'un qui accuse mes plaintes d'injustice, si je gémis de la rigueur du Ciel à rejeter un dessein que je n'avais formé que pour lui plaire ? Hélas ! que dis-je, à le rejeter ? Il l'a puni comme un crime. Il m'avait souffert avec patience tandis que je marchais aveuglément dans la route du vice, et ses plus rudes châtiments m'étaient réservés lorsque je commençais à retourner à la vertu. Je crains de manquer de force pour achever le récit du plus funeste événement qui fût jamais.

J'allai chez le Gouverneur, comme j'en étais convenu avec Manon, pour le prier de consentir à la cérémonie de notre mariage. Je me serais bien gardé d'en parler, à lui ni à personne, si j'eusse pu me promettre que son aumônier, qui était alors le seul prêtre de la ville, m'eût rendu ce service sans sa participation ; mais, n'osant espérer qu'il voulût s'engager au silence, j'avais pris le parti d'agir ouvertement. Le Gouverneur avait un neveu, nommé Synnelet, qui lui était extrêmement cher.

C'était un homme de trente ans, brave, mais emporté et violent. Il n'était point marié. La beauté de Manon l'avait touché dès le jour de notre arrivée ; et les occasions sans nombre qu'il avait eues de la voir, pendant neuf ou dix mois [1], avaient tellement enflammé sa passion, qu'il se consumait en secret pour elle. Cependant, comme il était persuadé, avec son oncle et toute la ville, que j'étais réellement marié, il s'était rendu maître de son amour jusqu'au point de n'en laisser rien éclater et son zèle s'était même déclaré pour moi, dans plusieurs occasions de me rendre service. Je le trouvai avec son oncle, lorsque j'arrivai au fort. Je n'avais nulle raison qui m'obligeât de lui faire un secret de mon dessein, de sorte que je ne fis point difficulté de m'expliquer en sa présence. Le Gouverneur m'écouta avec sa bonté ordinaire. Je lui racontai une partie de mon histoire, qu'il entendit avec plaisir, et, lorsque je le priai d'assister à la cérémonie que je méditais, il eut la générosité de s'engager à faire toute la dépense de la fête. Je me retirai fort content.

Une heure après, je vis entrer l'aumônier chez moi. Je m'imaginai qu'il venait me donner quelques instructions sur mon mariage ; mais, après m'avoir salué froidement, il me déclara, en deux mots, que M. le Gouverneur me défendait d'y penser, et qu'il avait d'autres vues sur Manon. D'autres vues sur Manon ! lui dis-je avec un mortel saisissement de cœur, et quelles vues donc, Monsieur l'aumônier ? Il me répondit que je n'ignorais pas que M. le Gouverneur était le maître ; que Manon ayant été envoyée de France pour la colonie, c'était à lui à disposer d'elle [8] ; qu'il ne l'avait pas fait jusqu'alors, parce qu'il la croyait mariée, mais, qu'ayant appris de moi-même qu'elle ne l'était point, il jugeait à propos de la donner à M. Synnelet, qui en était amoureux. Ma vivacité l'emporta sur ma prudence. J'ordonnai fièrement à l'aumônier de sortir de ma maison, en jurant que le Gouverneur, Synnelet et toute la ville ensemble n'oseraient porter la main sur ma femme, ou ma maîtresse, comme ils voudraient l'appeler.

Je fis part aussitôt à Manon du funeste message que je venais de recevoir. Nous jugeâmes que Synnelet avait séduit l'esprit de son oncle depuis mon retour et que c'était l'effet de quelque dessein médité depuis longtemps. Ils étaient les plus forts. Nous nous trouvions dans le Nouvel Orléans comme au milieu de la mer, c'est-à-dire séparés du reste du monde par des espaces immenses. Où fuir ? dans un pays inconnu, désert, ou habité par des bêtes féroces, et par des sauvages aussi barbares qu'elles [8] ? J'étais estimé dans la ville, mais je ne pouvais espérer d'émouvoir [7] assez le peuple en ma faveur, pour en espérer un secours proportionné au mal. Il eût fallu de l'argent ; j'étais pauvre. D'ailleurs, le succès d'une émotion populaire était incertain, et si la fortune nous eût manqué, notre malheur serait devenu sans remède. Je roulais toutes ces pensées dans ma tête. J'en communiquais une partie à Manon. J'en formais de nouvelles sans écouter sa réponse. Je prenais un parti ; je le rejetais pour en prendre un autre. Je parlais seul, je répondais tout haut à mes pensées ; enfin j'étais dans une agitation que je ne saurais comparer à rien parce qu'il n'y en eut jamais d'égale. Manon avait les yeux sur moi. Elle jugeait, par mon trouble, de la grandeur du péril, et, tremblant pour moi plus que pour elle-même, cette tendre fille n'osait pas même ouvrir la bouche pour m'exprimer ses craintes. Après une infinité de réflexions, je m'arrêtai à la résolution d'aller trouver le Gouverneur, pour m'efforcer de le toucher par des considérations d'honneur et par le souvenir de mon respect et de son affection. Manon voulut s'opposer à ma sortie. Elle me disait, les larmes aux yeux : Vous allez à la mort. Ils vont vous tuer. Je ne vous reverrai plus. Je veux mourir avant vous. Il fallut beaucoup d'efforts pour la persuader de la nécessité où j'étais de sortir et de celle qu'il y avait pour elle de demeurer au logis. Je lui promis qu'elle me reverrait dans un instant. Elle ignorait, et moi aussi, que c'était sur elle-même que devait tomber toute la colère du Ciel et la rage de nos ennemis.

Je me rendis au fort. Le Gouverneur était avec son aumônier. Je m'abaissai, pour le toucher, à des soumissions qui m'auraient fait mourir de honte si je les eusse faites pour toute autre cause. Je le pris par tous les motifs qui doivent faire une impression certaine sur un cœur qui n'est pas celui d'un tigre féroce et cruel. Ce barbare ne fit à mes plaintes que deux réponses, qu'il répéta cent fois : Manon, me dit-il, dépendait de lui ; il avait donné sa parole à son neveu. J'étais résolu de me modérer jusqu'à l'extrémité. Je me contentai de lui dire que je le croyais trop de mes amis pour vouloir ma mort, à laquelle je consentirais plutôt qu'à la perte de ma maîtresse.

Je fus trop persuadé, en sortant, que je n'avais rien à espérer de cet opiniâtre vieillard, qui se serait damné mille fois pour son neveu. Cependant, je persistai dans le dessein de conserver jusqu'à la fin un air de modération, résolu, si l'on en venait aux excès d'injustice, de donner à l'Amérique une des plus sanglantes et des plus horribles scènes que l'amour ait jamais produites. Je retournais chez moi, en méditant sur ce projet, lorsque le sort, qui voulait hâter ma ruine, me fit rencontrer Synnelet. Il lut dans mes yeux une partie de mes pensées. J'ai dit qu'il était brave ; il vint à moi. Ne me cherchez-vous pas ? me dit-il. Je connais que mes desseins vous offensent, et j'ai bien prévu qu'il faudrait se couper la gorge avec vous. Allons voir qui sera le plus heureux. Je lui répondis qu'il avait raison, et qu'il n'y avait que ma mort qui pût finir nos différends. Nous nous écartâmes d'une centaine de pas hors de la ville. Nos épées se croisèrent ; je le blessai et je le désarmai presque en même temps. Il fut si enragé de son malheur, qu'il refusa de me demander la vie et de renoncer à Manon. J'avais peut-être le droit de lui ôter tout d'un coup l'un et l'autre, mais un sang généreux [7] ne se dément jamais. Je lui jetai son épée. Recommençons, lui dis-je, et songez que c'est sans quartier. Il m'attaqua avec une furie inexprimable. Je dois confesser que je n'étais pas fort dans les armes, n'ayant eu que trois mois de salle à Paris [1]. L'amour conduisait mon épée. Synnelet ne laissa pas de me percer le bras d'outre en outre, mais je le pris sur le temps* et je lui fournis un coup si vigoureux qu'il tomba à mes pieds sans mouvement.

Malgré la joie que donne la victoire après un combat mortel**, je réfléchis aussitôt sur les conséquences de cette mort. Il n'y avait, pour moi, ni grâce ni délai de supplice à espérer. Connaissant, comme je faisais, la passion du Gouverneur pour son neveu, j'étais certain que ma mort ne serait pas différée d'une heure après la connaissance de la sienne. Quelque pressante que fût cette crainte, elle n'était pas la plus forte cause de mon inquiétude. Manon, l'intérêt de Manon, son péril et la nécessité de la perdre, me troublaient jusqu'à répandre de l'obscurité sur mes yeux et à m'empêcher de reconnaître le lieu où j'étais. Je regrettai le sort de Synnelet. Une prompte mort me semblait le seul remède de mes peines. Cependant, ce fut cette pensée même qui me fit rappeler vivement mes esprits et qui me rendit capable de prendre une résolution. Quoi ! je veux mourir, m'écriai-je, pour finir mes peines ? Il y en a donc que j'appréhende plus que la perte de ce que j'aime ? Ah ! souffrons jusqu'aux plus cruelles extrémités pour secourir ma maîtresse, et remettons à mourir après les avoir souffertes inutilement. Je repris le chemin de la ville. J'entrai chez moi. J'y trouvai Manon à demi morte de frayeur et d'inquiétude. Ma présence la ranima. Je ne pouvais lui déguiser le terrible accident qui venait de m'arriver. Elle tomba sans connaissance entre mes bras, au récit de la mort de Synnelet et de ma blessure. J'employai plus d'un quart d'heure à lui faire retrouver le sentiment.

* Terme d'escrime : je le surpris en ne le laissant pas exécuter les temps successifs de la botte : celui de l'épée, celui du pied, celui du corps. C'est donc une victoire chanceuse de débutant qui n'applique pas bien les règles.

** Un combat à mort.

J'étais à demi mort moi-même. Je ne voyais pas le moindre jour à sa sûreté, ni à la mienne. Manon, que ferons-nous ? lui dis-je lorsqu'elle eut repris un peu de force. Hélas ! qu'allons-nous faire ? Il faut nécessairement que je m'éloigne. Voulez-vous demeurer dans la ville ? Oui, demeurez-y. Vous pouvez encore y être heureuse ; et moi, je vais, loin de vous, chercher la mort parmi les sauvages ou entre les griffes des bêtes féroces. Elle se leva malgré sa faiblesse ; elle me prit par la main, pour me conduire vers la porte. Fuyons ensemble, me dit-elle, ne perdons pas un instant. Le corps de Synnelet peut avoir été trouvé par hasard, et nous n'aurions pas le temps de nous éloigner. Mais, chère Manon ! repris-je tout éperdu, dites-moi donc où nous pouvons aller. Voyez-vous quelque ressource ? Ne vaut-il pas mieux que vous tâchiez de vivre ici sans moi, et que je porte volontairement ma tête au Gouverneur ? Cette proposition ne fit qu'augmenter son ardeur à partir. Il fallut la suivre. J'eus encore assez de présence d'esprit, en sortant, pour prendre quelques liqueurs fortes que j'avais dans ma chambre et toutes les provisions que je pus faire entrer dans mes poches. Nous dîmes à nos domestiques, qui étaient dans la chambre voisine, que nous partions pour la promenade du soir, nous avions cette coutume tous les jours, et nous nous éloignâmes de la ville, plus promptement que la délicatesse de Manon ne semblait le permettre.

Quoique je ne fusse pas sorti de mon irrésolution sur le lieu de notre retraite, je ne laissais pas d'avoir deux espérances, sans lesquelles j'aurais préféré la mort à l'incertitude de ce qui pouvait arriver à Manon. J'avais acquis assez de connaissance du pays, depuis près de dix mois que j'étais en Amérique, pour ne pas ignorer de quelle manière on apprivoisait les sauvages. On pouvait se mettre entre leurs mains, sans courir à une mort certaine. J'avais même appris quelques mots de leur langue et quelques-unes de leurs coutumes dans les diverses occasions que j'avais eues de les voir. Avec cette triste ressource, j'en avais une autre du côté des

Anglais[2] qui ont, comme nous, des établissements dans cette partie du Nouveau Monde. Mais j'étais effrayé de l'éloignement. Nous avions à traverser, jusqu'à leurs colonies, de stériles campagnes de plusieurs journées de largeur, et quelques montagnes si hautes et si escarpées que le chemin en paraissait difficile aux hommes les plus grossiers et les plus vigoureux. Je me flattais, néanmoins, que nous pourrions tirer parti de ces deux ressources : des sauvages pour aider à nous conduire, et des Anglais pour nous recevoir dans leurs habitations.

Nous marchâmes aussi longtemps que le courage de Manon put la soutenir, c'est-à-dire environ deux lieues*, car cette amante incomparable refusa constamment de s'arrêter plus tôt. Accablée enfin de lassitude, elle me confessa qu'il lui était impossible d'avancer davantage. Il était déjà nuit. Nous nous assîmes au milieu d'une vaste plaine, sans avoir pu trouver un arbre pour nous mettre à couvert. Son premier soin fut de changer le linge de ma blessure, qu'elle avait pansée elle-même avant notre départ. Je m'opposai en vain à ses volontés. J'aurais achevé de l'accabler mortellement, si je lui eusse refusé la satisfaction de me croire à mon aise et sans danger, avant que de penser à sa propre conservation. Je me soumis durant quelques moments à ses désirs. Je reçus ses soins en silence et avec honte. Mais, lorsqu'elle eut satisfait sa tendresse, avec quelle ardeur la mienne ne prit-elle pas son tour ! Je me dépouillai de tous mes habits, pour lui faire trouver la terre moins dure en les étendant sous elle. Je la fis consentir, malgré elle, à me voir employer à son usage tout ce que je pus imaginer de moins incommode. J'échauffai ses mains par mes baisers ardents et par la chaleur de mes soupirs. Je passai la nuit entière à veiller près d'elle, et à prier le Ciel de lui accorder un sommeil doux et paisible. Ô Dieu ! que mes vœux étaient vifs

* Un peu moins de neuf kilomètres.

Voir *Au fil du texte*, p. XI.

et sincères ! et par quel rigoureux jugement aviez-vous résolu de ne les pas exaucer !

Pardonnez, si j'achève en peu de mots un récit qui me tue [6]. Je vous raconte un malheur qui n'eut jamais d'exemple. Toute ma vie est destinée à le pleurer. Mais, quoique je le porte sans cesse dans ma mémoire, mon âme semble reculer d'horreur [8], chaque fois que j'entreprends de l'exprimer.

Nous avions passé tranquillement une partie de la nuit. Je croyais ma chère maîtresse endormie et je n'osais pousser le moindre souffle, dans la crainte de troubler son sommeil. Je m'aperçus dès le point du jour, en touchant ses mains, qu'elle les avait froides et tremblantes. Je les approchai de mon sein, pour les échauffer. Elle sentit ce mouvement, et, faisant un effort pour saisir les miennes, elle me dit, d'une voix faible, qu'elle se croyait à sa dernière heure. Je ne pris d'abord ce discours que pour un langage ordinaire dans l'infortune, et je n'y répondis que par les tendres consolations de l'amour. Mais, ses soupirs fréquents, son silence à mes interrogations, le serrement de ses mains, dans lesquelles elle continuait de tenir les miennes me firent connaître que la fin de ses malheurs approchait. N'exigez point de moi que je vous décrive mes sentiments, ni que je vous rapporte ses dernières expressions. Je la perdis ; je reçus d'elle des marques d'amour, au moment même qu'elle expirait. C'est tout ce que j'ai la force de vous apprendre de ce fatal et déplorable événement [1].

Mon âme ne suivit pas la sienne. Le Ciel ne me trouva point, sans doute, assez rigoureusement puni. Il a voulu que j'aie traîné, depuis, une vie languissante et misérable. Je renonce volontairement à la mener jamais plus heureuse.

Je demeurai plus de vingt-quatre heures la bouche attachée sur le visage et sur les mains de ma chère Manon. Mon dessein était d'y mourir ; mais je fis réflexion, au commencement du second jour, que son corps serait exposé, après mon trépas, à devenir la pâture des bêtes sauvages. Je formai la résolution de l'enterrer et d'attendre la mort sur sa fosse. J'étais déjà si proche de ma fin, par l'affaiblissement que le jeûne et la douleur m'avaient causé, que j'eus besoin de quantité d'efforts pour me tenir debout. Je fus obligé de recourir aux liqueurs que j'avais apportées. Elles me rendirent autant de force qu'il en fallait pour le triste office que j'allais exécuter. Il ne m'était pas difficile d'ouvrir la terre, dans le lieu où je me trouvais. C'était une campagne couverte de sable. Je rompis mon épée, pour m'en servir à creuser, mais j'en tirai moins de secours que de mes mains. J'ouvris une large fosse. J'y plaçai l'idole de mon cœur, après avoir pris soin de l'envelopper de tous mes habits, pour empêcher le sable de la toucher. Je ne la mis dans cet état qu'après l'avoir embrassée mille fois, avec toute l'ardeur du plus parfait amour. Je m'assis encore près d'elle. Je la considérai longtemps. Je ne pouvais me résoudre à fermer la fosse. Enfin, mes forces recommençant à s'affaiblir, et craignant d'en manquer tout à fait avant la fin de mon entreprise, j'ensevelis pour toujours dans le sein de la terre ce qu'elle avait porté de plus parfait et de plus aimable. Je me couchai ensuite sur la fosse, le visage tourné vers le sable, et fermant les yeux avec le dessein de ne les ouvrir jamais, j'invoquai le secours du Ciel et j'attendis la mort avec impatience. Ce qui vous paraîtra difficile à croire, c'est que, pendant tout l'exercice de ce lugubre ministère, il ne sortit point une larme de mes yeux ni un soupir de ma bouche. La consternation profonde où j'étais et le dessein déterminé de mourir avaient coupé le cours à toutes les expressions du désespoir et de la douleur. Aussi, ne demeurai-je pas longtemps dans la posture où j'étais sur la fosse, sans perdre le peu de connaissance et de sentiment qui me restait.

Après ce que vous venez d'entendre, la conclusion de mon histoire est de si peu d'importance, qu'elle ne mérite pas la peine que vous voulez bien prendre à l'écouter. Le corps de Synnelet ayant été rapporté à la ville et ses plaies visitées avec soin, il se trouva, non seulement qu'il n'était pas mort, mais qu'il n'avait pas même reçu de blessure dangereuse. Il apprit à son oncle de quelle manière les choses s'étaient passées entre nous, et sa générosité le porta sur-le-champ à publier les effets de la mienne. On me fit chercher, et mon absence, avec Manon, me fit soupçonner d'avoir pris le parti de la fuite. Il était trop tard pour envoyer sur mes traces ; mais le lendemain et le jour suivant furent employés à me poursuivre. On me trouva, sans apparence de vie, sur la fosse de Manon, et ceux qui me découvrirent en cet état, me voyant presque nu et sanglant de ma blessure, ne doutèrent point que je n'eusse été volé et assassiné. Ils me portèrent à la ville. Le mouvement du transport réveilla mes sens. Les soupirs que je poussai, en ouvrant les yeux et en gémissant de me retrouver parmi les vivants, firent connaître que j'étais encore en état de recevoir du secours. On m'en donna de trop heureux. Je ne laissai pas d'être renfermé dans une étroite prison. Mon procès fut instruit, et, comme Manon ne paraissait point, on m'accusa de m'être défait d'elle par un mouvement de rage et de jalousie. Je racontai naturellement ma pitoyable aventure. Synnelet, malgré les transports de douleur où ce récit le jeta, eut la générosité de solliciter ma grâce. Il l'obtint. J'étais si faible qu'on fut obligé de me transporter de la prison dans mon lit, où je fus retenu pendant trois mois par une violente maladie [1]. Ma haine pour la vie ne diminuait point. J'invoquais continuellement la mort et je m'obstinai longtemps à rejeter tous les remèdes [8]. Mais le Ciel, après m'avoir puni avec tant de rigueur, avait dessein de me rendre utiles mes malheurs et ses châtiments. Il m'éclaira de ses lumières, qui me firent rappeler des idées dignes de ma naissance et de mon éducation [3]. La tranquillité ayant commencé de renaître un peu dans mon âme, ce changement fut suivi de près par ma guérison. Je me livrai entièrement aux inspirations de l'honneur, et je continuai de remplir mon petit emploi, en attendant les vaisseaux de France qui vont, une fois chaque année, dans cette partie de l'Amérique. J'étais résolu de retourner dans ma patrie pour y réparer, par une vie sage et réglée, le scandale de ma conduite. Synnelet avait pris soin de faire transporter le corps de ma chère maîtresse dans un lieu honorable.

Ce fut environ six semaines [1] après mon rétablissement que, me promenant seul, un jour, sur le rivage, je vis arriver un vaisseau que des affaires de commerce amenaient au Nouvel Orléans. J'étais attentif au débarquement de l'équipage. Je fus frappé d'une surprise extrême en reconnaissant Tiberge parmi ceux qui s'avançaient vers la ville. Ce fidèle ami me remit de loin, malgré les changements que la tristesse avait faits sur mon visage. Il m'apprit que l'unique motif de son voyage avait été le désir de me voir et de m'engager à retourner en France [4] ; qu'ayant reçu la lettre que je lui avais écrite du Havre, il s'y était rendu en personne pour me porter les secours que je lui demandais ; qu'il avait ressenti la plus vive douleur en apprenant mon départ et qu'il serait parti sur-le-champ pour me suivre, s'il eût trouvé un vaisseau prêt à faire voile ; qu'il en avait cherché pendant plusieurs mois dans divers ports et qu'en ayant enfin rencontré un, à Saint-Malo, qui levait l'ancre pour la Martinique, il s'y était embarqué, dans l'espérance de se procurer de là un passage facile au Nouvel Orléans ; que, le vaisseau malouin ayant été pris en chemin par des corsaires espagnols [2] et conduit dans une de leurs îles, il s'était échappé par adresse ; et qu'après diverses courses, il avait trouvé l'occasion du petit bâtiment qui venait d'arriver, pour se rendre heureusement près de moi.

Je ne pouvais marquer trop de reconnaissance pour un ami si généreux et si constant. Je le conduisis chez moi. Je le rendis le maître de tout ce que je possédais. Je lui appris tout ce qui m'était arrivé depuis mon départ de France, et pour lui causer une joie à laquelle il ne s'attendait pas, je lui déclarai que les semences de vertu qu'il avait jetées autrefois dans mon cœur commençaient à produire des fruits dont il allait être satisfait. Il me protesta qu'une si douce assurance le dédommageait de toutes les fatigues de son voyage.

Nous avons passé deux mois ensemble au Nouvel Orléans [1], pour attendre l'arrivée des vaisseaux de France, et nous étant enfin mis en mer, nous prîmes terre, il y a quinze jours, au Havre-de-Grâce. J'écrivis à ma famille en arrivant. J'ai appris, par la réponse de mon frère aîné, la triste nouvelle de la mort de mon père, à laquelle je tremble, avec trop de raison, que mes égarements n'aient contribué. Le vent étant favorable pour Calais [1, 2], je me suis embarqué aussitôt, dans le dessein de me rendre à quelques lieues de cette ville, chez un gentilhomme de mes parents, où mon frère [4] m'écrit qu'il doit attendre mon arrivée.

LES CLÉS DE L'ŒUVRE

I - AU FIL DU TEXTE

II - DOSSIER HISTORIQUE ET LITTÉRAIRE

Pour approfondir votre lecture, LIRE vous propose une sélection commentée :

- de morceaux « classiques » devenus incontournables, signalés par ■◆ (droit au but).
- d'extraits représentatifs de l'œuvre, signalés par ⊂◈ (en flânant).

AU FIL DU TEXTE

Par Sophie Ratto, PRAG à l'université de Paris III.

I - DÉCOUVRIR

La phrase clé

« Manon était une créature d'un caractère extraordinaire. Jamais fille n'eut moins d'attachement qu'elle pour l'argent, mais elle ne pouvait être tranquille un moment, avec la crainte d'en manquer. C'était du plaisir et des passe-temps qu'il lui fallait. Elle n'eût jamais voulu toucher un sou, si l'on pouvait se divertir sans qu'il en coûte » (Première partie, p. 72).

• LA DATE

L'*Histoire du chevalier des Grieux et de Manon Lescaut*, qui paraît en 1731, constitue le septième tome des *Mémoires d'un homme de qualité* dont le roman fera partie intégrante jusqu'en 1753, date à laquelle Prévost publie *Manon* dans une édition séparée ; les biographes pensent que Prévost a écrit ce texte entre 1729 et 1731 après son premier séjour en Angleterre ; d'autres pensent que *Manon* date de 1722-1723. L'intervalle de neuf ans qui séparerait l'écriture de la publication s'expliquerait alors par la crainte du scandale. Et comment justifier dans cette hypothèse ce manque d'allusions à la vie anglaise ? On peut, si les références à Richardson ne sont pas nettes, repérer cependant des ressemblances avec la *Moll Flanders* de Daniel De Foe (1722).

Manon Lescaut offre une image assez précise du contexte de son temps. Au XVIIIe siècle, en effet, naissent les formes modernes du capitalisme financier ; le système de Law entraîne une inflation très grave en 1720 ; aucun renseignement réaliste n'est donné dans le roman, mais l'argent et les difficultés rencontrées par Prévost restent omniprésents : ils servent à faire rebondir l'action et sont de véritables actants dans l'intrigue ; ainsi Régnard pourra-t-il écrire :

> Le jeu fait vivre à l'aise
> Nombre d'honnêtes gens, fiacres, porteurs de chaise,
> Mille usuriers fournis de ces obscurs brillans
> Qui vont de doigts en doigts tous les jours circulans
>
> *Le Joueur*, acte I, scène 10.

Prévost nous brosse le tableau d'une société qui a perdu ses cadres moraux ; le besoin et le goût des plaisirs qui font qu'on ne recule pas devant la malhonnêteté ou le crime si nécessaire (la hardiesse de Des Grieux qui s'échappe de Saint-Lazare, le meurtre du frère de Manon...) nous ont été transmis par les mémorialistes. Lors de son premier séjour à Paris, en 1719, Prévost prend connaissance des aventures d'une femme originaire d'Angers, qui aurait débauché un jeune homme de bonne famille, aurait été emprisonnée à Nantes, se serait évadée grâce à l'argent d'un autre amant... Les trois se seraient installés en Louisiane, puis seraient revenus en France, sans qu'il arrivât rien de tragique à la jeune femme. De tels scénarios étaient pour ainsi dire courants, à une époque où le jeu prend une importance démesurée – il existe soixante-deux maisons de jeu reconnues par les autorités et d'innombrables maisons clandestines –, où cette passion est cause de crimes et de suicides nombreux, où la corruption des mœurs est générale... Les rapports de police font état quotidiennement de malheurs et péripéties qui rendent les aventures de Manon et de Des Grieux plausibles.

• LE TITRE

Le titre reconnaît immédiatement ce que le public admet : le roman est celui de Manon, le chevalier Des Grieux intéresse moins. On peut évoquer le jugement de Montesquieu : « Ce roman, dont le héros est un fripon, et l'héroïne une catin qui est menée à la Salpêtrière » ; le fripon reste bien moins consistant que la catin, qui est considérée comme l'héroïne, alors que c'est le chevalier qui est au centre du roman, qui est le narrateur...

On note que le titre est composé du nom et du prénom de l'héroïne, ce qui n'est pas sans évoquer *Clarissa Harlowe* que l'abbé Prévost a traduit l'année précédente ; on ne trouve pas d'indication de titre ou de naissance – signe des temps : il n'est plus question par exemple de *La Princesse de Clèves*, mais d'une plébéienne « modeste et charmante ». L'intérêt se centre sur la psychologie des personnages et sur l'immédiateté de l'action et des péripéties.

• COMPOSITION

Le point de vue de l'auteur

Le pacte de lecture

Au XVIIIe siècle, le roman refuse de dire son nom ; aussi Prévost indique-t-il dans l'avis de l'auteur des *Mémoires d'un homme de qualité* qu'il fait œuvre de mémorialiste, et surtout œuvre de moraliste, parlant d'« un exemple terrible de la force des passions » (p. 25) et aussi d'« un traité de morale, réduit agréablement en exercice » (p. 27) : il concilie ainsi la vraisemblance et la morale, en contournant le côté rebutant que pourrait avoir cette dernière.

Le roman se présente au départ comme une partie des *Mémoires d'un homme de qualité*, attribués à un personnage, Renoncourt, qui ne se borne pas au rôle de prête-nom, ni de prétexte romanesque puisque c'est lui qui fournit à Des Grieux l'argent nécessaire pour faire évader Manon. L'accent est mis sur la notion d'agrément et de plaisir de la lecture, seuls susceptibles implicitement dans le discours de Prévost de permettre au lecteur une lecture intelligente et morale du texte.

L'auteur s'adresse à des « personnes de bon sens », à des « âmes bien nées », à des « personnes d'un certain ordre d'esprit et de politesse » (p. 26) ; le vocabulaire qu'il emploie est à peu de chose près celui des moralistes chrétiens (« les charmes de la vertu », les « faiblesses de la nature »...), mais l'essence religieuse du message disparaît au profit d'une argumentation qui fait la part belle à une morale du bonheur, même si elle doit s'avérer incompatible avec la vertu telle qu'elle est formulée par les impératifs sociaux.

Prévost érige le détail, l'aventure, l'anecdotique en savoir : les péripéties survenues au couple deviennent autant de sources d'instruction, et même de modèles, *a contrario*. Le tout forme dans la narration une forme d'adéquation entre le langage du cœur et les impératifs de la raison : Des Grieux voit le bien, ne le fait pas, entraîne son propre malheur et éventuellement celui de ses proches, mais la leçon que va en tirer le lecteur le mettra à l'abri de ce genre d'errements. On ne saurait éviter de remarquer l'aspect fallacieux du raisonnement, et Prévost lui-même semble à la fin de l'*Avis* ne pas y croire lui-même.

Lorsqu'il donne la parole à Des Grieux, Prévost semble vouloir « tout dire » : « Je veux vous apprendre non seulement mes malheurs et mes peines, mais encore mes désordres et mes plus honteuses faiblesses. Je suis sûr qu'en me condamnant, vous ne pourrez pas vous empêcher de me plaindre » (p. 34). Le lien établi avec l'homme de qualité, et au-delà avec le lecteur, se veut immédiatement d'ordre affectif ; le lecteur est immédiatement invité, tout comme Renoncourt, à « vouloir du bien » au héros. L'aspect d'analyse, de réflexion, de critique passe au second plan : le lecteur est entraîné dans un récit trop rythmé pour favoriser le jugement, un récit caractérisé par G. Poulet comme rythme de « pure successivité » (*Études sur le temps humain*, Pocket, coll. « Agora ») : « Les sentiments apparaissent, dans le roman prévostien, comme entièrement déterminés par les événements. Ils surgissent à la pointe extrême de chaque épisode, comme si, charriés par le même courant, ils avaient invisiblement participé au mouvement qui précipitait l'action vers la catastrophe. » L'événement n'a d'importance que dans l'écho émotionnel qu'il suscite et l'écriture au passé n'empêche pas Des Grieux de revivre l'aventure qu'il raconte à l'homme de qualité. C'est ce que J. Proust appelle, dans *L'Objet et le texte*, « le roman de la conscience engagée dans le roman » et c'est un des points les plus enrichissants de la lecture de *Manon Lescaut*.

Structure de l'œuvre

Manon Lescaut offre au lecteur un plan en alternance et en symétries, comme le souligne Étiemble dans sa préface de l'édition de la Pléiade : un plan haletant qui reproduit le rythme des coups du sort. Ce sont les indications psychologiques et la narration faite des sentiments des personnages qui créent une impression de cohérence.

Le roman est partagé en deux parties inégales, sans aucune division en chapitres. *Manon Lescaut* n'offre pas de monotonie, on y trouve au contraire toute une série d'incidents : c'est immanquablement au moment où le lecteur pense que tout s'arrange qu'une nouvelle calamité – due au hasard (incendie) ou à la malveillance (vol) – vient compromettre le bonheur des deux amants – bonheur qui apparaît toujours menacé et éphémère.

Le roman est présenté comme un récit : la première rencontre de l'homme de qualité et du chevalier a lieu en 1718, à Pacy. En 1720, ils se rencontrent de nouveau – la première fois, Des Grieux est accompagné de Manon, qu'il a perdue lors de leur seconde rencontre. La narration se fait au rythme des épisodes et péripéties des deux amants.

Les ruptures temporelles et la passion scandent le roman : un calcul facile permet d'affirmer que la fidélité de Manon dure exactement douze jours ; le premier épisode trois semaines ; puis le chevalier est gardé par sa famille pendant six mois ; son retour à la vertu dure deux ans.

L'épisode de Chaillot dure cinq ou six mois ; le frère de Manon fait irruption dans la vie du couple lors de l'été 1718 ; l'incendie a lieu à l'approche de l'hiver, le vol un peu plus tard, la liaison de Manon avec M. de G.M. au début du printemps ; la détention des deux amants marque une pause dans le récit d'environ trois mois.

Le second épisode, à peu près de la même longueur, narre les événements d'une période beaucoup plus courte, de quatre mois au plus.

L'épisode de Louisiane, qui dure deux années, pp. 176 à 192, est un passage dense et comme en raccourci, surtout sur la première année : de même, l'année passée par le chevalier en Amérique après la mort de Manon est pour ainsi dire passée sous silence. Tout se passe comme si l'accent était mis sur les épreuves seules et la sublimation de l'amour de Manon.

II - LIRE

Pour approfondir votre lecture, LIRE *vous propose une sélection commentée :*

- *de morceaux « classiques » devenus incontournables, signalés par (droit au but).*
- *d'extraits représentatifs de l'œuvre, signalés par (en flânant).*

1 - ***Première rencontre*** de « La veille même de celui que je devais quitter… » à « … dans le sens de cette ruse ».	pp. 36-38

Prévost met en place dans cette scène tous les éléments sur lesquels Des Grieux pourra fonder son récit ultérieur. Manon est présentée d'emblée comme un être à part ; sans embarras ni affectation, elle accepte l'offre du chevalier de partir avec elle et l'on ne peut que souligner immédiatement la rapidité du rythme donné au récit par les verbes déclaratifs : « elle me dit », « j'ajoutai », « je lui répétai »… qui présagent le morcellement du temps que l'on retrouvera dans tout le roman. Manon n'est pas décrite ; elle ne le sera d'ailleurs jamais ; on ne sait d'elle que son âge et son goût du plaisir. Elle apparaît dès le début comme une créature multiple, capable de hardiesse, de décision et d'une liberté d'esprit et de mouvement surprenante chez une jeune fille, mais aussi comme une enfant modeste, douce et soumise. Elle appartient socialement à la classe bourgeoise, mais toutes ses manières sont celles d'une grande dame. C'est essentiellement une impression de rayonnement qui émane d'elle.

Le chevalier est le personnage central ; lui non plus ne fait l'objet d'aucune description physique dans ce passage : on ne connaît de lui que son tempérament – une grande sensualité étouffée par le poids de la religion et d'une éducation stricte. Sa rencontre avec Manon va lui permettre de révéler sa vraie nature, de faire passer les sentiments bien avant la raison et l'ordre. Tout se passe lors de cette première rencontre comme si le chevalier avait peur face à la révélation de sa véritable identité et acceptait dès le début l'ascendant de Manon : « n'ayant point assez d'expérience pour imaginer tous d'un coup les moyens de la servir... ».

2 - *Le pardon de Des Grieux* de « Elle s'assit... » à « ... disposé à lui pardonner ».	pp. 58-60

Il s'agit du pardon de Des Grieux à la première trahison de Manon, pardon inattendu après des retrouvailles inattendues, mais la mise en scène de ce que Sgard considère comme le premier acte de la pièce est très structurée : les mouvements des personnages suggèrent leur rapprochement physique puis moral : Manon, assise, montre par là même plus d'assurance alors que le chevalier reste debout, détourné. Puis Manon se lève « avec transports », signifiant par là sa victoire ; la fin de la scène et les mains nouées des jeunes gens évoquent un bonheur idyllique.

Manon, image de « l'amour même », s'égale dans ce passage par ses attitudes et la préciosité de son langage aux grandes héroïnes mythiques comme la Laura de Pétrarque – ce qui permet à l'auteur de conserver floues les intentions matérielles et concrètes de Manon, dont l'attitude – ses larmes en particulier – peut aussi bien s'interpréter comme un transport amoureux que comme un calcul machiavélique.

On trouve tout au long de ce passage une atténuation de la responsabilité de Manon, « trop adorable pour une créature » – expression à prendre au sens premier, et qui amorce peut-être la sublimation finale dans la mort, créature dont le charme passe la séduction féminine pour dériver vers une forme de fantastique. La longue phrase de Des Grieux – « Je frémissais, comme il arrive quand on se trouve la nuit... après avoir considéré longtemps tous les environs » – se dégage stylistiquement nettement sur le reste du texte : le vertige des sens et le passage du désordre de l'âme au bouleversement physiologique sont très pudiquement exprimés.

3 - *La mort de Manon* de « Nous marchâmes aussi longtemps... » à « ... et de sentiment qui me restait ».	pp. 187-189

La mort de Manon, qui est indubitablement le moment le plus pathétique de l'œuvre, est aussi celui où les sentiments de Des

Grieux s'expriment avec le plus de clarté et de sobriété ; Manon, dans les derniers moments de sa vie, révèle sa véritable nature, sublime son amour pour Des Grieux et se sacrifie jusque dans la mort.

La mort est clémente envers Manon : elle épargne sa beauté. Le roman du XVIIIe siècle se complaît ainsi à décrire des héroïnes qui meurent dans toute leur gloire : la Julie de *La Nouvelle Héloïse*, Mme de Tourvel dans *Les Liaisons dangereuses* (Pocket Classiques, n° 6010), et surtout Virginie, dont le corps est retrouvé intact après le naufrage qui lui a coûté la vie : « Ses traits n'étaient point sensiblement altérés... seulement, les pâles violettes de la mort se confondaient sur ses joues avec les roses de la pudeur » (*Paul et Virginie*, Pocket Classiques, n° 6041).

Les gestes de l'ensevelissement sont tout à faits significatifs : le chevalier des Grieux rompt son épée, symbole de la noblesse et de l'ordre social en général. Il signe ainsi sa rupture avec la société et le monde des hommes dans lequel il aurait tant voulu que leur couple trouve sa place. En suite de quoi, il se dépouille de ses vêtements ; le symbolisme reste à peu près le même, avec la nuance d'un retour à la pureté originelle, au paradis biblique.

Des Grieux s'efforce de conserver le corps de Manon exempt de toute dégradation : elle devient littéralement une idole, voire une idée : « ce que la terre avait porté de plus parfait ». « Ce n'est plus Manon que Des Grieux va adorer, mais son *eidos*. Ce mot d'idole contient en lui le sens de l'idéal platonicien, cet idéal que Manon atteint définitivement dans la mort. Elle a achevé dans l'esprit de Des Grieux le processus de l'idéalisation et est cette image éternelle que le récit retiendra », écrit J.-L. Jaccard dans son ouvrage *Manon Lescaut, le personnage romancier*.

4 - *Le souper interrompu*

de « J'embrassai Manon avec ma tendresse... » à « ... pour rêver à mon infortune ». pp. 45-46

Les deux amants jouent littéralement une pièce : ils font « comme d'habitude », aucun ne désire aborder le problème, pas même le chevalier qui souhaite la sincérité. Nous avons là un récit à la première personne, dont le romancier fait un moment particulièrement pathétique, alors que tous les ingrédients étaient réunis pour en faire une scène de comédie. Le récit fait coexister l'analyse psychologique et le pathétique. La souffrance de la femme aimée est intolérable pour le chevalier, mais son silence ne lui est pas moins insupportable. En tant que narrateur, il est certain de l'interprétation à donner aux larmes de Manon : elles sont perfides et sa bien-aimée est aussi cruelle qu'un « barbare ». Manon apparaît comme étrangère à l'enlèvement : elle est pour l'instant incompréhensible et le lecteur ne sait pas encore formuler son rôle dans les obstacles qui se dressent entre Des Grieux et son bonheur. Dans la dernière partie du texte, le chevalier est caractérisé par sa passivité.

5 - *L'entrevue avec le père*
de « Enfin, j'ouvris la bouche... »
à « ... père barbare et dénaturé ».
pp. 165-167

Le père du chevalier Des Grieux s'était montré railleur lors de la première escapade de son fils avec Manon, mais aussi père aimant. Pour le chevalier, il restait une possibilité de le convaincre d'accepter Manon, en dépit des affirmations de M. de G... M... ; cependant, dans ce texte apparaît l'idée que l'ordre social, représenté par les vieillards, reste insensible au sentiment. Le pathétique est partout présent dans cette scène fort théâtrale : scène de tragédie à laquelle rien ne manque, ni la supplication, ni les gestes. Le même adjectif revient, que Des Grieux avait employé pour se plaindre de l'insensibilité de Manon dans la scène du souper interrompu : « barbare ».

Le père du chevalier appartient à la même catégorie sociale que les amants de Manon ; il est le juge suprême, supplié en tant que tel. Cependant, il n'est pas dépourvu d'affection pour son fils, et fait preuve de patience. C'est seulement envers son père, au demeurant, que le chevalier se sent coupable.

À ce moment du roman, Des Grieux a pris conscience qu'il ne peut tout attendre de son père parce que celui-ci a substitué aux liens de la nature des liens sociaux. C'est en ce sens qu'il faut prendre le « dénaturé » final : le fils ne veut plus vivre dans l'ordre établi : il est « rebelle » ; le père ne peut pas vivre dans un lien naturel avec son fils ; il a institué un lien moral : il est « dénaturé ».

• LES THÈMES CLÉS

La passion

« Le commun des hommes n'est sensible qu'à cinq ou six passions, dans le cercle desquelles leur vie se passe, et où toutes leurs agitations se réduisent. Ôtez-leur l'amour et la haine, le plaisir et la douleur, l'espérance et la crainte, ils ne sentent plus rien. Mais les personnes d'un caractère plus noble peuvent être remuées de mille manières différentes ; il semble qu'elles aient plus de cinq sens, et qu'elles puissent recevoir des idées et des sensations qui passent les bornes ordinaires de la nature. » Cette déclaration de Des Grieux doit beaucoup au *Traité des passions* de Descartes, mais le chevalier donne évidemment la préférence à la passion et au plaisir sur la raison ; le terme de passion prend le sens d'amour vrai et Manon, à Saint-Sulpice, a « l'air de l'amour même ». La passion est décrite comme inconfortable, douloureuse, mais elle n'est pas perçue comme mauvaise, ou condamnable. « L'amour est une passion innocente ; comment s'est-il changé, pour moi, en une source de misères et de désordres ? » Le chevalier essaie désespérément de concilier les valeurs morales de la société à laquelle il appartient avec ses sentiments : pour lui, aimer n'est en aucun cas une faute et l'apologie de la passion s'inscrit dans l'œuvre de l'abbé Prévost à la suite du sensualisme du philosophe anglais Locke qui fait de la sensibilité le moteur de l'âme humaine.

Manon Lescaut est indéniablement un roman sur la passion, avec des efforts constants d'analyse des passions, de leurs causes, de leur sens profond, mais c'est également à la fois une apologie et une mise en garde, un « exemple terrible de la force des passions ».

Manon Lescaut, l'ascèse et la mort, l'ascèse par la mort

Manon, présentée dans tout le roman comme la « tendre Manon » ne le devient réellement qu'à la fin de l'ouvrage, par le dévouement qu'elle montre avant de mourir : par le sacrifice que la jeune femme fait de sa vie, elle devient enfin digne de ce que le chevalier avait espéré : tout se passe comme si Manon se reconnaissait elle-même incapable de suivre le chevalier sur la voie de l'ascèse et qu'elle se tourne vers la mort comme purification volontaire et ultime volonté de se hisser jusqu'aux exigences morales du chevalier envers lui-même et l'objet dorénavant épuré de son amour. Cette exigence de pureté se retrouve d'ailleurs dans le désir de Des Grieux de conserver le corps de sa bien-aimée, et dans un mouvement de dépouillement total : son épée (symbole de sa position sociale), ses vêtements, mais aussi son ambition d'actes exceptionnels qui devaient faire de lui l'incarnation de la passion.

C'est au corps sans vie de Manon que le chevalier pourra accorder enfin ce degré et cette qualité de tendresse qu'il n'a pu lui offrir de son vivant, et le corps de Manon, devenu statue, recouvert de sable, devient l'intermédiaire, l'intercesseur, le secours : c'est vers lui et non vers Dieu que Des Grieux se tourne pour trouver le secours qu'il attend.

L'illusion du bonheur dans le détachement

Manon et le chevalier croient trouver le bonheur dans le détachement du monde, en Amérique. À ce moment du récit, Manon est toute dévouée au bonheur de son ami ; elle renonce aux plaisirs, aux distractions… en somme à ce qui fait son individualité ; le bonheur de Des Grieux est tout entier dans le renoncement de Manon au monde, dans le sacrifice qu'elle lui fait de sa personne.

Autre élément capital du bonheur de Des Grieux, la liberté face à la société : « Nous ne dépendons que de nous-mêmes… nous n'avons plus à ménager les lois arbitraires du rang et de la bienséance… » Cependant, la société est indispensable à Des Grieux pour qu'il puisse prouver que lui-même est innocent et que tous ses malheurs viennent d'un ordre social représenté presque exclusivement par des vieillards.

Il est intéressant de constater que, dans le récit, le temps de l'illusion du bonheur n'existe pour ainsi dire pas ; seule une indication de temps accidentelle, « les occasions sans nombre qu'il avait eues de la voir pendant neuf ou dix mois », nous signale que le temps sans catastrophe n'a pas été ponctuel, mais s'est inscrit dans la durée. Le chevalier croit pouvoir vivre un amour éternel et sans mouvement parce qu'il se trouve dans l'entière méconnaissance de la société américaine – tout comme d'ailleurs il avait cru vivre un éternel bonheur avec Manon après leur première rencontre à cause de sa méconnaissance totale du monde. C'est donc la décision d'officialiser son besoin de reconnaissance sociale, la décision d'épouser Manon qui va précipiter la catastrophe finale : Des Grieux veut que son bonheur soit consacré, que le lien qui l'unit à Manon soit inscrit dans une promesse d'éternité : seul le lien sacré et social du mariage peut apporter la purification ultime à leur union.

L'espérance américaine

Le chevalier lie aisément dans son discours l'Amérique au terme « espérance » : c'est pour lui la liberté, la tolérance, la possibilité de vivre ouvertement avec Manon ; le récit de Des Grieux montre les illusions d'un jeune homme abusé par la campagne de « publicité » menée entre autres à l'époque par la compagnie du Mississippi. On retrouve d'ailleurs cette fascination de l'espérance américaine dans *Cleveland*, paru en septembre 1731, quelques mois après *Manon Lescaut*.

De fait, les rapports qui existent entre les personnages semblent plus naturels à La Nouvelle-Orléans qu'à Paris ; cet allégement des convenances s'applique surtout à la bienséance et aux règles sociales, mais lorsque interviennent des conflits d'intérêt, la force se fait sentir aussi nettement en Amérique qu'en France. Cependant, l'auteur permet à Des Grieux un combat à l'épée, arme noble, face à Synnelet ; pour une fois, le chevalier n'est pas confronté à une autorité supérieure, ou, comme c'est souvent le cas, à celle de gens plus âgés, mais à une valeur humaine égale à la sienne.

III - POURSUIVRE

• LECTURES CROISÉES

– On retrouvera dans la *Jeunesse du commandeur de M****, texte écrit quelque dix ans après la parution de *Manon Lescaut*, certains des traits qui caractérisent les personnages du premier roman : la jeunesse des personnages, le goût du plaisir, un mélange de perversité et de naïveté des protagonistes, la problématique de l'argent...

« Nous nous rendîmes dans une hôtellerie du port où je n'eus pas plus tôt mis le pied que mon mauvais génie m'inspira une idée également funeste à mon repos et à mon honneur. Sans la communiquer à Péres, je le priai d'occuper adroitement la Rovini, pour me donner le temps d'entretenir sa fille ; et, le prévenant seulement de la courte absence que je méditais, je lui recommandai de feindre que j'étais retourné au vaisseau avec elle. M'étant approché d'Héléna, dont les yeux étaient sans cesse tournés vers moi, je lui demandai en peu de mots si elle m'aimait assez pour suivre sa mère et pour me suivre. Mon dessein était de l'éloigner en effet de quelques milles d'Ancone, et de la mettre dans un couvent, où je me proposais de venir la prendre aussitôt que nous serions de retour à Malte. Elle n'eut pas besoin de cette explication pour m'assurer qu'elle ne voulait vivre que pour moi. Je convins avec elle d'un signe par lequel mon valet lui ferait entendre qu'il était temps de sortir. Les ordres que je donnai secrètement furent de me trouver dans la ville une voiture. Elle fut prête en moins d'un quart d'heure. Héléna ne se fit point avertir deux fois qu'il était temps de se rendre à la porte. Sa mère eut d'autant moins d'inquiétude de la voir disparaître qu'étant sorti quelques minutes avant, elle n'avait point le moindre soupçon de notre intelligence. J'attendais la charmante Héléna. L'amour ne me permit point de faire attention qu'une si étrange démarche dans une fille de quatorze ans, ne supposait pas une éducation aussi réglée que sa mère nous avait représenté la sienne. Je m'abandonnai à toute la chaleur de mes sentiments. Nous sortîmes de la ville, sans autre suite que celle du valet qui nous avait servis. Nous marchâmes d'abord au hasard, pour gagner quelque avance sur ceux à qui la pensée pouvait venir de nous poursuivre. Mais après avoir fait beaucoup de diligence, je fis arrêter la chaise dans un village, où je voulais m'informer s'il y avait quelque couvent voisin. Mes idées étaient fort éloignées du péril qui me menaçait. Il fallut offrir à Héléna quelques rafraîchissements. La force de l'occasion, ou plutôt la faiblesse de deux cœurs passionnés nous fit oublier le projet que je venais de communiquer à l'aimable Héléna, et que je lui avais fait approuver. Nous nous trouvâmes en un moment au-delà des bornes que nous nous étions imposées, et loin de revenir de cet égarement, nous ne pensâmes qu'à l'augmenter par de nouveaux excès. L'oubli de nous-mêmes et de tout ce qui était hors de nous fut poussé si loin que nous passâmes trois semaines dans ce lieu, sans faire réflexion si le vaisseau m'attendait, si Péres avait trouvé le moyen d'apaiser la Rovini par la feinte que je lui avais suggérée, et si l'argent même qui se trouvait dans ma bourse suffisait pour la dépense peu ménagée que nous avions faite dans l'hôtellerie. Il ne m'en restait pas assez du moins pour exécuter le projet du couvent, et lorsque je commençai à m'en faire réflexion, je ne trouvai point d'autre expédient que de faire partir mon valet pour Ancone, avec ordre de ne se présenter à Péres qu'avec beaucoup de ménagements. Il revint peu d'heures après. Le vaisseau était parti ; mais il m'apportait une lettre de Péres, que ce fidèle ami avait envoyée de son bord dans l'endroit que j'avais quitté. Il me disait qu'après avoir trompé la Rovini par la feinte que je lui avais suggérée, il l'avait fait rentrer facilement dans le vaisseau ; mais la fureur qui l'avait saisie en découvrant que je lui avais enlevé sa fille avait été si difficile à modérer qu'après avoir passé quelques jours à m'attendre, plus occupé du soin d'arrêter une mère furieuse que de celui de vendre le brigantin, il s'était cru obligé par prudence de mettre à la voile. Il me donnait rendez-vous à Naples, où il voulait relâcher avant l'hiver. Et n'ignorant point que j'avais peu d'argent sur moi, il avait laissé chez un banquier mille pistoles, qui devaient m'être comptées à la seule vue de sa lettre.

Mon imprudente passion me fit regarder toutes ces nouvelles comme autant de faveurs de la fortune. Je me trouvais libre avec ce que j'aimais. Il ne manquait rien à la satisfaction de tous mes désirs. Sur-le-champ, j'allai toucher mes mille pistoles, et, prenant la route de Naples dans la même voiture que j'avais gardée jusque-là, je me promis de passer dans une si belle ville les six semaines qui restaient jusqu'au temps que Péres m'avait fixé. Nous ne trouvâmes que de l'agrément sur la route. Héléna, dont la douleur m'avait toujours paru un peu trop semblable à la langueur, acquit tant de vivacité par l'exercice continuel du plaisir, que j'avais l'esprit aussi agréablement occupé de son entretien que mon cœur l'était de ses charmes. Nous arrivâmes à Naples dans un temps où les spectacles et les fêtes s'y succédaient tous les jours, à l'occasion de la paix qui venait d'être signée entre l'empire et la France. À peine nous fûmes-nous assurés d'un logement que, nous étant informés des occasions de nous réjouir, nous n'épargnâmes rien pour y paraître avec distinction. Héléna, qui avait du moins tiré de son éducation le goût de la parure, se signala dès le premier jour par la galanterie de son ajustement. Sa taille et sa bonne grâce lui attirèrent tant d'admiration, malgré le déguisement du masque, que se trouvant environnée d'une foule de courtisans qui se poussaient sans ordre dans une des plus grandes salles d'Italie, je perdis ses traces et je fis des efforts inutiles pour la retrouver. Mes recherches se firent d'abord sans alarmes. Je ne pouvais me figurer qu'elle fût sortie de la salle, et, lui supposant les mêmes soins pour me rejoindre, je me flattais du moins qu'à mesure que la foule viendrait à diminuer, il me serait plus aisé de la reconnaître. Mais, ayant perdu toutes mes peines, l'amertume qui s'empara de mon cœur fut si vive et si pressante que, sentant jusqu'à ma voix qui s'affaiblissait avec mes forces, je m'assis sur le coin d'un banc où toute ma fermeté naturelle ne fut point capable d'arrêter mes larmes. Mon désespoir augmentait à chaque moment : j'étais observé néanmoins dans la situation où je m'étais mis. Un masque, qui avait remarqué mes larmes, s'approcha de moi et me demanda civilement ce qui m'affligeait. À peine eus-je la force de retenir mes sanglots. J'ai perdu… et ne sachant par quelle qualité désigner Héléna, j'ai perdu, dis-je, une jeune étrangère que je donnerais ma vie pour retrouver. Ne serait-ce pas, reprit-il, cette belle personne qui a fait l'admiration de toute l'assemblée ? Ah ! Ce ne peut être qu'elle, répondis-je avec tout l'empressement de l'espérance. Il sourit de mon ardeur, et me faisant entendre qu'il croyait savoir de quel côté je devais la chercher, il m'offrit de me servir de guide, dans une ville que je n'avais pas l'air de connaître beaucoup. J'y consentis, sans examiner si ce n'était pas une nouvelle imprudence. Un équipage fort leste qui attendait à la porte nous reçut au même moment. Nous fûmes conduits à grand train dans une maison qui était à l'extrémité d'un faubourg ; j'y fus introduit avec toutes sortes de politesses. La compagnie y était nombreuse, et l'empressement avec lequel on s'assembla autour de moi me fit connaître qu'on attendait quelque chose d'extraordinaire de mon arrivée. J'étais démasqué. On admira beaucoup ma figure. Les questions commencèrent sur mon pays, sur le sujet de mon voyage, sur le temps que je me proposais de passer à Naples ; et, comme si on eût ignoré l'embarras où mon guide m'avait trouvé au bal, on parut apprendre avec la dernière surprise ce qu'il raconta de ma tristesse et de mes larmes. Alors, la curiosité devint plus pressante de savoir ce que j'avais perdu et quels liens j'avais avec la personne que je regrettais. Mes réponses furent vagues. Et, m'impatientant à la fin de ne pas trouver les éclaircissements qu'on m'avait promis, je déclarai nettement à mon guide que je me croyais joué par ses promesses. Il sourit avec chaleur et m'assura que depuis notre arrivée, il avait reçu des nouvelles qui devaient me consoler.

En effet, m'ayant pris par la main, il me pria de le suivre dans la salle voisine. Tous les spectateurs m'y accompagnèrent. Le premier objet que j'y aperçus fut Héléna qui était assise au milieu de quelques dames de qui elle recevait mille caresses. Ses yeux étaient mouillés de pleurs, et je découvris tant de marques de faiblesse et d'abattement sur son visage que je me flattai de lui avoir coûté des regrets aussi sincères que les miens. La présence de vingt personnes, dont je ne connaissais ni la qualité, ni le nom ne m'empêcha pas de courir à elle et de l'embrasser avec des transports de joie qui en causèrent beaucoup dans toute l'assemblée. On m'apprit alors que j'étais chez la princesse de *Mezza Terra*, qui avait voulu se faire un amusement de notre aventure. Héléna, s'étant égarée dans la foule des masques, avait senti plus tôt que moi la crainte de ne pas nous retrouver, et, dans le saisissement qu'elle en avait eu, elle s'était démasquée pour interroger tous ceux qui se pressaient autour d'elle. Sa figure ayant charmé ceux qui l'admiraient déjà sous son déguisement, elle avait tiré peu de réponse à des questions qu'on ne comprenait point ; et les regards qu'on jetait sur elle achevant de l'effrayer, elle s'était mise comme moi sur un banc, où elle s'était mise à verser un ruisseau de larmes. La princesse avait été la plus ardente à la rassurer, et la pressant par diverses interrogations, elle avait tiré d'elle que c'était son amant qu'elle avait perdu. [...] Elle l'avait menée avec elle dans une maison de plaisir qu'elle avait au faubourg, où elle avait fait préparer à souper pour une multitude d'amis, qui prenaient autant de plaisir qu'elle à notre embarras.

Nous fûmes les divinités de la fête. Je fus aussi caressé par les dames qu'Héléna par les cavaliers. Le repas fut prolongé fort avant dans la nuit. On nous pressa de raconter nos aventures, et je fus obligé, pour nous tirer d'embarras, d'inventer cent circonstances qui étaient propres au contraire à déguiser ce que je ne voulais pas découvrir. Enfin, lorsque le temps de nous retirer fut arrivé, nous ne manquâmes point de gens officieux qui nous offrirent leur voiture. J'aurais souhaité ne pas me séparer d'Héléna. Mais n'ayant rien à risquer avec les gens les plus honnêtes de Naples, je consentis à la laisser partir avec un chevalier et deux dames qui avaient été plus empressés que les autres autour d'elle. Le carrosse où j'étais suivait de près ; et l'ordre fut donné aux deux cochers de se rendre au lieu où nous étions logés. Cependant, sans avoir rien entendu qui pût me faire craindre quelque changement, je ne trouvai point Héléna en arrivant à notre hôtellerie. [...]

À peine le jour fut-il arrivé qu'on m'annonça le marquis de Léniati, qui demandait avec empressement à me voir. Je n'eus pas le temps de sortir du lit pour le recevoir. Il m'embrassa d'un air tendre, et me priant de faire sortir mes gens, il me fit attendre par là quelque ouverture sérieuse et importante.

Je ne veux point, dit-il, que vos alarmes durent plus longtemps, et j'aurais regret de vous en avoir causé si je n'étais sûr de les réparer en vous communiquant aujourd'hui ma joie. Votre propre intérêt doit vous rendre capable de quelque discrétion, et c'est une loi que vous me permettrez de vous imposer. – Il s'arrêta pour me donner le temps de lui promettre le secret. – Il y a quinze ans que, n'en ayant pas plus de trente j'étais à voyager dans les différentes partie de l'Italie, je connaissais le commandeur de ***. Il y faisait depuis peu son séjour, avec une jolie Maltaise qu'il avait engagée à le suivre, et qui ne pouvait avoir pour lui d'attachement que celui de l'intérêt. Je passai quelques semaines avec eux, pendant lesquelles j'eus le bonheur de plaire à la maîtresse du commandeur. Elle me reçut plusieurs fois dans son lit, et je ne la quittai qu'après m'être rassasié de ses faveurs. Quelques mois après, étant de retour à Naples, je reçus d'elle une lettre qui m'apprit que je lui avais laissé un fruit de nos amours, et que ne pouvant dissimuler sa situation au commandeur, elle avait réussi avec plus de bonheur qu'elle ne l'avait espéré à faire croire à ce vieillard qu'il était de lui. Elle me demandait quelles étaient mes intentions sur le sort de cet enfant. Je lui écrivis que ma réponse était contenue dans l'explication qu'elle me donnait elle-même, et qu'elle devait être sans inquiétude pour ce qui naîtrait d'elle lorsque son vieil amant s'en reconnaissait le père. Il ne me restait point d'inclination pour elle, et le fruit d'une passion de trois semaines me touchait si peu que je ne me sentis pas la moindre disposition à me charger du fardeau. Ma lettre, qui était d'ailleurs moins tendre que civile, dut la piquer beaucoup puisqu'elle m'a privé jusque-là d'en recevoir des siennes.

Cependant, ayant été invité hier chez la princesse, je n'ai pu voir la jeune Héléna sans lui reconnaître quelques traits de sa mère. Ajoutez-y si vous voulez le mouvement secret de la nature, qui m'avertissait qu'elle est ma fille ; mais après l'avoir pris quelque temps pour un effet de la même impression qui portait tout le monde à l'admirer, je me suis rapproché d'elle, je l'ai examinée avec plus d'attention. [...] Héléna ne se fit pas presser longuement pour avouer de qui elle était fille. Mon secret m'échappa aussitôt et dans le premier mouvement de ma joie, je la tins longtemps embrassée, en lui apprenant par mes caresses autant que par mon récit la certitude que j'avais d'être son père. Elle s'en est laissée persuader d'autant plus aisément qu'elle se souvient d'avoir appris de sa mère qu'elle ne doit pas sa naissance au commandeur.

Mais en pressant Héléna de nous confesser dans quelle sorte de liaison elle est avec vous, nous avons vu d'elle que vous vivez ensemble avec toute la liberté du mariage. Ne vous offensez point, dit le marquis en me voyant rougir, je ne pense point à vous en faire reproche. Elle nous a dit aussi que vous êtes homme de condition et chevalier de Malte, mais encore sans engagements. Voici l'idée qui m'est venue. Je suis riche, et j'ai idée qu'un chevalier qui se destine à l'ordre de Malte doit l'être peu. Héléna me devient assez chère pour lui faire un mariage considérable, et j'emploierai tout mon crédit à la fortune de celui qui l'épousera... »

– On pourra également comparer les héros amoureux de *Manon Lescaut* à ceux du *Paul et Virginie* (Pocket Classiques, n° 6041) de Bernardin de Saint-Pierre, envers « naturel » du couple civilisé et social de Prévost.

« Vous autres, Européens, dont l'esprit se remplit dès l'enfance de tant de préjugés contraires au bonheur, vous ne pouvez concevoir que la nature puisse donner tant de lumières et de plaisir. Votre âme, circonscrite dans une petite sphère de connaissances humaines, atteint bientôt le terme de ses jouissances artificielles : mais la nature et le cœur sont inépuisables. Paul et Virginie n'avaient ni horloges ni almanachs, ni livres de chronologie, d'histoire, et de philosophie. Les périodes de leur vie se réglaient sur celles de la nature. Ils connaissaient l'heure du jour par l'ombre des arbres, les saisons par le temps où ils donnent leurs fleurs ou leurs fruits. Ces douces images répandaient les plus grands charmes dans leurs conversations. [...]

Après tout, qu'avaient besoin ces jeunes gens d'être riches et savants à notre manière ? Leurs besoins et leur ignorance ajoutaient encore à leur félicité. Il n'y avait pas de jour qu'ils ne se communiquassent quelques secours ou quelques lumières : oui, des lumières ; et quand il s'y serait mêlé quelques erreurs, l'homme pur n'en a point de dangereuses à craindre. Ainsi croissaient ces deux enfants de la nature. Aucun souci n'avait ridé leur front, aucune intempérance n'avait corrompu leur sang, aucune passion malheureuse n'avait dépravé leur cœur : l'amour, l'innocence, la piété développaient chaque jour la beauté de leur âme en grâces ineffables dans leurs traits, leurs attitudes, leurs mouvements. Au matin de la vie, ils en avaient toute la fraîcheur ; tels dans le jardin d'Éden parurent nos premiers parents lorsque, sortant des mains de Dieu, ils se virent, s'approchèrent, et conversèrent d'abord comme frère et sœur. Virginie, douce, modeste, confiante comme Ève ; et Paul, semblable à Adam, ayant la taille d'un homme avec la simplicité d'un enfant. »

• **PISTES DE RECHERCHES**

– On étudiera avec profit le contexte sociologique et politique de la Régence, le renouvellement de l'esprit et de la société après la mort de Louis XIV et les mœurs de l'époque. Le sens du confort, le goût du luxe et de la parure qui ont fait leur apparition signalent l'avènement d'une nouvelle ère, illustrée dans la peinture par l'atmosphère intimiste et galante des tableaux de Watteau.
  - Les structures du gouvernement sous la Régence.
  - Law et l'invention du capitalisme moderne.
  - L'évolution des idées religieuses.
  - La mode féminine sous la Régence.
  - Les déportations en Louisiane.

– *Manon Lescaut* est une œuvre qui a marqué l'histoire de l'écriture romanesque. Le XVIIIe siècle voit à la fois un accroissement de la production romanesque et une sorte de mauvaise conscience qui fait que le roman n'ose pas s'affirmer comme tel : il se dissimule sous les termes « Mémoires », « confessions », « aventures », « lettres », « voyage »... Genre littéraire qui n'a pas encore conquis ses lettres de noblesse, il est condamné par les autorités ecclésiastiques parce qu'il valorise bien trop la notion d'amour profane ; de surcroît, il est taxé d'invraisemblance – invraisemblance due à l'accumulation de péripéties : enlèvements, naufrages, effroyables malheurs survenus à des personnages hors du commun dans des contextes extraordinaires, voire totalement utopistes.
  - Comparer *Manon Lescaut* avec l'œuvre de Bernardin de Saint-Pierre : *Paul et Virginie*.

- Comparer le projet d'écriture de *Manon Lescaut* avec celui de Diderot dans *Jacques le fataliste* (Pocket Classiques, n° 6013).
- Étudier l'influence des romans de Richardson, et en particulier *Paméla ou la vertu récompensée*, traduit par Prévost, sur son œuvre romanesque.
- Commenter la formule célèbre de Diderot (*Éloge de Richardson*, 1762) : « Par un roman, on a entendu jusqu'à ce jour un tissu d'événements chimériques et frivoles, dont la lecture était dangereuse pour le goût et pour les mœurs. Je voudrais bien que l'on trouvât un autre nom pour les ouvrages de Richardson, qui élèvent l'esprit, qui touchent l'âme, qui respirent partout l'amour du bien et qu'on appelle aussi des romans. » On se demandera en particulier si *Manon Lescaut* est « un tissu d'événements chimériques et frivoles ».

– Sur le roman même :
  - Les principaux personnages : Manon, Des Grieux, le frère de Manon, Tiberge…
  - Les personnages de La Nouvelle-Orléans.
  - Les amants de Manon.
  - La vision des événements par l'homme de qualité.
  - Dans quelle mesure peut-on dire de Manon qu'elle est « un héros tragique » ?
  - L'idéal de la retraite heureuse dans *Manon Lescaut*.
  - Dans quelle mesure peut-on dire que *Manon Lescaut* est un « roman populaire » ?
  - La peinture des mœurs dans *Manon Lescaut*.
  - Commenter la phrase suivante : « Jamais nous n'aurons un portrait en pied de Manon. Elle n'apparaît qu'à travers l'âme de son amant », H. Roddier, *L'Abbé Prévost*. On s'interrogera sur le manque de descriptions physiques de l'héroïne et sur le projet romanesque de Prévost qui ne donne presque aucune indication en la matière.
  - *Manon Lescaut* est-elle, selon la formule de Guy de Maupassant, « une nouvelle immorale et vraie » ?

• PARCOURS CRITIQUE

Manon Lescaut connut un succès mitigé lors de sa parution : le style plut, mais le contenu choqua. Le livre fut saisi, à la satisfaction quasi générale : « Le vice et les débordements y sont dépeints avec des traits qui n'en donnent pas assez d'horreur » (*Journal de Paris et de la Cour*, 12/10/1733). C'est toujours l'absence de moralité qui est mise en avant : Manon et le chevalier, menteurs, escrocs, assassins, sont cependant jeunes, amoureux, et sympathiques : le vice est dénoncé, mais dépeint sous des dehors plaisants ; les deux héros ont l'excuse de l'âge, et surtout celle d'une passion qui finit par sanctifier Manon.

C'est surtout l'époque romantique qui va glorifier *Manon Lescaut*, tombée dans l'indifférence, et à laquelle, dans l'œuvre de Prévost, le public préfère *Cleveland*. Manon devient une référence ; elle apparaît dans le poème de Musset : *Namouna*, dans des termes enflammés : « Manon ! Sphinx étonnant ! véritable sirène / Cœur trois fois féminin, Cléopâtre en paniers ! » George Sand, marquée par la lecture du roman, décide, dans son ouvrage *Leone Leoni*, d'inverser la perspective : « Je m'étais dit que faire de Manon un homme, de Des Grieux une femme serait une combinaison à tenter et qui offrirait des situations assez tragiques, le vice étant souvent fort près du crime pour l'homme, et l'enthousiasme du désespoir pour la femme » (Notice à *Leone Leoni*, 1853). Maupassant, dans sa préface à l'édition de *Manon Lescaut*, 1885, décrit Manon comme « la séductrice, plus vraiment femme que toutes les autres, naïvement rouée, perfide, aimante, tremblante, spirituelle, redoutable et charmante ».

Manon n'eut pas qu'une postérité romanesque (voir le dossier historique et littéraire, pp. 329-331).

• UN LIVRE / UN FILM

Voir le dossier historique et littéraire, pp. 330 et 331. On notera que, dans *Manon 49* (H.-G. Clouzot, 1948), la « Terre promise » n'est plus l'Amérique mais Israël dont la création date de 1948.

DOSSIER HISTORIQUE ET LITTÉRAIRE

A - LE CADRE DU ROMAN

Autoportrait d'« un jeune aveugle », portrait en pied d'une « belle inconnue », plus mobile mais non moins énigmatique que la Joconde, fresque en clair-obscur d'une société brillante et sinistre, ce roman a beau coïncider dans notre mémoire avec les plus grands mythes intemporels de l'amour fou, il n'en est pas moins serti dans un cadre très précis que le narrateur à la fois évoque et estompe, comme pour concentrer l'attention sur le drame intérieur, sans pouvoir jamais le séparer du milieu dans lequel, seul, il pouvait naître et se développer. « Je laisse aux géographes et à ceux qui ne voyagent que par curiosité le soin de donner au public la description des pays qu'ils ont parcourus. L'histoire que j'écris n'est composée que d'actions et de sentiments », écrit l'abbé Prévost au début du livre VI de ses *Mémoires et aventures d'un homme de qualité.* Pourtant, notre curiosité trouve pâture dans le roman, et ce qu'elle y découvre éclaire avec force la cohérence des « actions », la vraisemblance des « sentiments », en fixant leur tonalité particulière.

Ce dossier en rassemble et en classe les éléments dans les domaines où le récit de des Grieux produit ses références les plus sensibles : la chronologie, la géographie, l'idéologie morale, éducative et religieuse, la sociologie, la police, l'onomastique, la langue et l'intertexte.

1. CHRONOLOGIE

La chronologie du roman pose deux sortes de problèmes. L'un externe, car toute l'aventure amoureuse que l'on a l'impression, à cause des désordres de la vie économique et financière, de la mode du jeu et de celle du « Mississippi », de voir se dérouler sous la Régence, entre 1717 et 1721, se situe en fait entre 1712 et 1716. Bien des commentateurs s'y sont trompés, mais les repères qui rattachent cet épisode au reste des *Mémoires et aventures d'un homme de qualité* ne laissent aucun doute : replacées dans l'histoire de Renoncour, la rencontre de Pacy, avant son départ pour l'Espagne (p. 29), doit être datée de février 1715, et celle de Calais, après son retour d'Angleterre (p. 33), du milieu de 1716. Or, se présentant comme des « mémoires » authentiques, l'œuvre a absolument besoin de la plus grande crédibilité dans la datation des événements qu'elle relate. De plus, l'épisode de l'hôtel de Transylvanie ne peut se situer qu'avant 1716, date à laquelle la suite du prince Rákóczy quitta l'hôtel (p. 73). En revanche, les déportations vers la Louisiane ne s'amplifièrent qu'à partir de 1719, mais il est vrai qu'elles existaient déjà depuis longtemps, puisque La Fontaine les évoque dès 1687.

L'autre problème est interne : malgré d'abondants repères chronologiques dans le récit de des Grieux, il y a quelque difficulté à en dresser le calendrier exact, et à faire tenir le tout en quatre années, surtout à cause des corrections apportées par l'abbé Prévost lui-même, en 1753, à certaines indications de durée. Sans vouloir à tout prix faire dépendre la cohérence du roman de l'exactitude d'un reportage, on peut reconstituer ainsi les principales étapes de son déroulement dans le temps :

mi-juillet 1712 : fin des études de philosophie du chevalier à Amiens (p. 35). Il a dix-sept ans (né, donc, en 1695).

28 juillet 1712 : rencontre de Manon et fuite à Paris (pp. 36-41).

28 août 1712 : enlèvement du chevalier par les hommes de son père. Celui-ci parle d'« un mois » depuis la fuite (p. 49). Variante dans les propos de l'hôtelier de Saint-Denis : « six semaines » (p. 47).

septembre 1712-septembre 1713 : emprisonnement du chevalier dans la maison paternelle : six mois au secret (p. 52), six mois de réflexion et de retour à la sagesse (p. 54).

octobre 1713 : entrée au séminaire de Saint-Sulpice (p. 55).

juillet 1714 : exercices publics de fin d'année scolaire (p. 57). Rencontre de Manon, vingt-trois mois après la séparation (elle dit « deux ans », pp. 57-58). Elle est « dans sa dix-huitième année » (p. 57) (née, donc, en 1697, comme Antoine-François Prévost).

septembre-octobre 1714 : les deux amants prennent un appartement à Paris (« l'hiver approchait », p. 63).

octobre 1714 : Manon quitte le chevalier pour le vieux G... M... (p. 76). Arrestation et emprisonnement de Manon à l'Hôpital et du chevalier à Saint-Lazare (p. 86).

janvier 1715 : le chevalier retrouve Manon à l'Hôpital et la fait évader (« une absence de trois mois », p. 107). Il est « dans [sa] vingtième année » (p. 119). Ils vivent à Chaillot plusieurs semaines (p. 119 ; c'était d'abord huit jours) de bonheur.

février 1715 : Arrestation des deux amants par le vieux G... M... chez son fils (p. 150). Des Grieux sort du Châtelet et tente en vain d'enlever Manon, qu'on déporte en Amérique (pp. 168-169). Il rencontre Renoncour à Pacy, sur la route du Havre (pp. 31, 174).

avril 1715 : arrivée en Louisiane, après « deux mois » de traversée (p. 176). Il y fallait en réalité près de trois mois.

mai 1715 : après « quelques semaines » (p. 179), des Grieux obtient « un petit emploi » au Nouvel Orléans.

janvier-février 1716 : Synnelet, qui a souvent vu Manon « pendant neuf ou dix mois » (p. 182), veut l'épouser. Duel, fuite, et mort de Manon (p. 188).

mai 1716 : après « trois mois » d'une « violente maladie » (p. 190), convalescence de des Grieux (« six semaines », p. 191).

juin 1716 : arrivée de Tiberge (p. 191).

août 1716 : des Grieux et Tiberge, après avoir passé « deux

mois ensemble au Nouvel Orléans » (p. 192), s'embarquent pour la France.

octobre 1716 : Renoncour rencontre, à Calais, des Grieux, qui lui fait son récit (p. 33).

Petit problème non résolu : quand le chevalier a-t-il eu le temps de faire « trois mois de salle à Paris » (pp. 184-185) ? Son père voulait l'envoyer « à l'Académie » en juillet 1712 (p. 35), mais la fuite d'Amiens l'en empêcha. Rien ne dit qu'il soit venu à Paris pendant sa séquestration familiale de septembre 1712-septembre 1713, ni qu'il ait eu le loisir de s'exercer aux armes entre sa fuite de Saint-Sulpice et sa seconde arrestation (juillet 1714-février 1715). Il a bien promis, dans une lettre à son père, de « faire [ses] exercices à l'Académie », en janvier 1715, après avoir fait évader Manon de l'Hôpital (p. 116), mais l'arrestation de février ne lui en laissa pas le temps. Faut-il supposer qu'il est allé à l'Académie pendant l'année même de son séjour au séminaire, ce qui constituerait un discret rappel de sa « vocation » pour l'ordre de Malte, et une correspondance ironique entre le héros du roman et son auteur, longtemps partagé entre la carrière militaire et la carrière ecclésiastique ?

2. GÉOGRAPHIE

L'espace romanesque de *Manon Lescaut* se distribue en trois régions : le nord de la France, Paris, la Louisiane. Bien que leur description soit assez exacte, sinon pittoresque, et offre un document précieux aux historiens, elles sont moins intéressantes en elles-mêmes que par le champ qu'elles ouvrent à la carrière d'un chevalier à l'éternelle poursuite de sa dame : « J'ai pris le parti de la suivre, dût-elle aller au bout du monde » (p. 31).

A. Le nord de la France

Né à Hesdin, dans l'actuel Pas-de-Calais, novice chez les jésuites de La Flèche, puis chez les bénédictins de Jumièges, de Rouen, du Bec-Hellouin, de Fécamp, de Sées, l'abbé Prévost connaît bien cette région. La ville de « P. » d'où des Grieux est originaire peut être Poix, Picquigny ou Péronne (p. 35). À Amiens, il y avait en effet un très bon collège de jésuites (p. 35), et la tradition veut que Manon soit descendue du coche d'Arras dans une vieille cour d'auberge, au n° 98 de la rue Saint-Leu (p. 36). Le trajet d'Amiens à Saint-Denis demandait quarante heures en chaise de poste, et trois journées par le coche ; les deux amants l'ont effectué très vite, en une seule journée (p. 41). Pacy-sur-Eure est situé à 18 km à l'est d'Évreux (p. 29), sur la route de Mantes à Louviers, et les convois de déportation vers Le Havre y passaient en effet, pour éviter de suivre, le long de la Seine, la route la plus fréquentée. L'embarquement se faisait le plus souvent à La Rochelle ou à Rochefort, mais parfois aussi au « Havre-de-Grâce » (p. 30). Enfin Saint-Denis était effectivement le dernier relais avant Paris sur la route des Flandres (p. 41), et Calais (pp. 33, 192) le lieu vraisemblable de la rencontre avec Renoncour, retour d'Angleterre, du chevalier qui, après avoir bouclé au Havre la boucle de son équipée américaine, va rejoindre la maison paternelle.

B. Paris

Les allées et venues des deux amants dans Paris composent un tableau très vivant des hauts lieux de la capitale dans les premières années du siècle. La « rue V. » est bien sûr la rue Vivienne, dans l'actuel quartier de la Bourse où, avant même que Law y établisse sa fameuse banque dans l'hôtel de Nevers, actuelle Bibliothèque nationale (1718), avaient commencé à s'installer, pour la spéculation financière, des « partisans » ou « fermiers généraux » (p. 41).

La vie mondaine se concentrait autour du Louvre, au Palais-Royal (p. 69), résidence parisienne de la branche d'Orléans, dont les jardins étaient ouverts au public et garnis de bancs : un peu plus tard, un « philosophe » feindra d'y avoir rencontré Rameau le neveu ; aux Tuileries, dont les jardins donnaient à l'ouest, par une « petite porte », sur l'esplanade qui est l'actuelle place de la Concorde (p. 61). De là, on accédait au Cours-la-Reine (p. 113), large avenue ombragée le long de la Seine, promenade champêtre à la mode avant la vogue des Champs-Élysées. L'abbé Prévost y demeura vers la fin de sa vie. Le Cours-la-Reine menait lui-même à l'ancienne forêt de Rouvray devenue « Bois de Boulogne » (p. 120) mais encore très peu aménagée, et où se promenaient les cavaliers et les dames en carrosse. Si l'on obliquait vers la droite, avant les villages d'Auteuil et de Boulogne, on atteignait Chaillot (p. 61), qui était encore un village, entre les sites actuels des Champs-Élysées, de la Concorde, de la Seine et du Palais de Chaillot. Devenu faubourg en 1659, c'était un lieu de résidence d'été des Parisiens (p. 63). Il ne sera incorporé à la ville qu'en 1786. Un peu plus au nord, la sortie de Paris vers le Roule, Neuilly, Saint-Germain-en-Laye et la Normandie se faisait par la porte Saint-Honoré (p. 168), au carrefour des actuelles rues Royale et Saint-Honoré ; dès l'actuel quartier des Ternes, c'était la pleine campagne. À l'est, par le faubourg Saint-Antoine, on rejoignait Vincennes (p. 133). Sur la rive gauche, autre espace boisé, le Luxembourg (p. 165), beaucoup plus vaste qu'aujourd'hui, touchait à Saint-Sulpice (p. 115) et allait jusqu'aux murs de l'abbaye de Saint-Germain-des-Prés, d'où l'abbé Prévost s'évada romanesquement en 1728.

Le récit de des Grieux nous mène aussi dans les lieux de la vie nocturne : l'Opéra, théâtre et académie royale de musique, installé près du Palais-Royal, dans le bâtiment de l'actuelle Comédie-Française. Il s'y donnait des spectacles, mais aussi des bals qui, sous la Régence, devaient devenir scandaleux ; le Théâtre français qu'on appelle aussi « la Comédie » (p. 54, 132), dans l'actuelle rue de l'Ancienne-Comédie, proche de la rue Saint-André-des-Arcs (devenue Saint-André-des-Arts) où se situait le « café de Féré » (p. 133), un de ceux qui, avec le Laurent, le Procope et le Gradot, marquèrent la vogue du café à Paris soulignée par les *Lettres persanes* (1721). Il y a aussi des endroits moins recommandables ou moins joyeux, comme cet « hôtel de Transylvanie » (p. 73) qui existe encore à l'angle du quai Malaquais et de la rue Bonaparte, et où François Rákóczy, prince hongrois réfugié en France, avait ouvert un tripot ; la prison de Saint-Lazare (p. 86), à l'angle du faubourg Saint-Denis et de l'actuel boulevard de Magenta, où les « prêtres de la Mission », ou « Lazaristes », se chargeaient de la « correction » des jeunes gens dont la famille avait à se plaindre de l'inconduite ; l'Hôpital Général (p. 30), fondé en 1656 dans un vaste enclos de la rive gauche où l'on fabriquait du salpêtre (d'où le nom de « Salpêtrière »), pour recevoir les nombreux mendiants et indigents de Paris, puis, à partir de 1684, les filles débauchées ; le Petit-Châtelet (p. 152), fortification au sud de l'île de la Cité, près de l'Hôtel-Dieu, où l'on gardait les détenus pour dettes et qui a aujourd'hui disparu ; la place de Grève (p. 157), actuelle place de l'Hôtel de Ville, où avaient lieu les exécutions capitales sur ce qui était encore une plage de sable, au bord de la Seine.

Enfin, une série de petits détails achèvent de situer les aventures du couple ou les démarches du chevalier dans un cadre concret et familier. Par exemple, la maison de Clagny (p. 73), château offert jadis par Louis XIV à la Montespan, à 15 km de Paris vers Saint-Cloud, comme résidence du « prince de R... », c'est-à-dire du prince Rákóczy, chef d'une douteuse « académie » de tricheurs professionnels (voir *infra*, 4. *Sociologie*). Ou encore ce « bureau d'écriture » (p. 116) où l'on trouvait — et encore au temps de Balzac — tout le matériel épistolaire et même des écrivains publics pour rédiger des lettres sous la dictée.

C. La Louisiane

La critique s'est beaucoup penchée sur la dernière partie du roman pour évaluer, dans les détails que donne l'abbé

Prévost, la part de l'exactitude documentaire et celle de l'invention romanesque. Si le mythe du « bon sauvage » suivant « les lois de la nature » (p. 173) est un poncif de l'époque, il est certain que les descriptions qu'on trouve dans *Manon Lescaut* sont assez fidèles à la réalité, plus en tout cas que toutes celles que dispensait la propagande du temps, en vue d'attirer des colons volontaires en Louisiane. Certes « le Nouvel Orléans », qu'on appellera bientôt La Nouvelle-Orléans (p. 176), n'est pas tout près mais à 100 km de la mer, est situé sur un terrain marécageux et non pas sablonneux, sans la moindre colline : des Grieux décrit plutôt le port de Biloxi, où s'étaient installés les premiers colons et les agents de la Compagnie des Indes occidentales, et il est vrai qu'il n'y avait là que « quelques pauvres cabanes », cinq ou six cents habitants, et le fort du Gouverneur (p. 177) ; il est vrai aussi qu'on y tirait parfois au sort les jeunes femmes qui arrivaient (p. 177). Mais la grande époque de cette colonisation, et en particulier de la déportation, se situe entre 1718 et 1722. Bien qu'il place les événements de son roman, on l'a vu, en 1715-1716, l'abbé Prévost a utilisé des données plus tardives, auxquelles les lecteurs des années 1730 étaient habitués (voir *supra,* 1. *Chronologie*). Faut-il mettre au compte d'un romancier encore mal informé ou d'un héros exalté l'erreur qui consiste à vouloir chercher du secours « du côté des Anglais » (pp. 186-187), alors que les territoires anglais les plus proches, dans l'actuelle Caroline, étaient non à « plusieurs journées » mais à 1 300 km de Biloxi ? En revanche, le retard de Tiberge, détourné de la Martinique par des corsaires espagnols (p. 191) est beaucoup plus vraisemblable que son détour par Québec, auquel l'abbé Prévost avait recouru dans la première édition.

La géographie de notre roman ne serait pas complète si l'on n'y faisait figurer l'Italie. Son évocation est fugitive mais suggestive. Dans l'addition que l'abbé Prévost a faite au début de la Deuxième partie, le prince italien promet à Manon « une brillante fortune et des adorations éternelles », « au-delà des monts » (p. 125). L'éclat de rire de Manon balaie ce rêve, qui n'en a pas moins traversé le livre et fait ressortir, par contraste, la spécificité de son décor : il est probable que, pour Manon comme pour *Manon*, il ne pouvait être que parisien.

3. IDÉOLOGIE MORALE, ÉDUCATIVE ET RELIGIEUSE

Ces trois domaines sont intimement liés, et même mêlés, au début du XVIIIe siècle, et surtout dans le cas du jeune chevalier des Grieux, cadet de famille noble promis à une carrière ecclésiastique. Le roman offre une série d'informations très intéressantes sur ce qui a trait à la formation du jeune homme, sur ce qui regarde sa carrière virtuelle, et sur les débats idéologiques qui agitaient alors la pensée religieuse.

A. La formation

Après d'excellentes « humanités » (= études secondaires) au collège d'Amiens, des Grieux termine sa classe de Philosophie en passant ses examens sous la forme d'« exercices publics » (p. 35), c'est-à-dire en soutenant des thèses suivies de discussions devant ses maîtres et la bonne société de la ville, à la fin de l'« année scolastique » (= année scolaire) (p. 55). Sa préparation à l'état de moine-soldat dans l'ordre de Malte suppose qu'il passe ensuite à l'« Académie » (p. 35), pour y apprendre le maniement des armes, l'équitation, la danse, la musique, voire les mathématiques. Elle se trouvait en dessous de la galerie du Louvre. Après ses premières frasques, c'est au séminaire de Saint-Sulpice (p. 55) qu'il accepte d'entrer, avec son ami Tiberge, pour y faire ses études de théologie, dans un établissement fondé en 1642 par M. Olier et devenu, par la valeur des maîtres qui y professaient et la proximité de la Sorbonne, le plus réputé des séminaires. Il s'y fait remarquer, tant par sa « ferveur » aux « exercices » (de piété) (p. 56) que par son talent dans l'« exercice public » qui termine sa première année (p. 57), et dont il s'acquitte « sous le titre d'abbé » (p. 57).

Quant aux filles « d'une naissance commune » (p. 38), c'est-à-dire ici bourgeoise, l'exemple de Manon nous rappelle que, quand elles ne restaient pas « attachées à la mère [...], modestes et retenues [...], portant sur la jupe ces outils de travail des femmes, des ciseaux et une pelote, comme le signe de leur vocation » (les Goncourt), le couvent venait souvent « arrêter [...leur] penchant au plaisir » (p. 36).

B. La carrière

L'ordre de l'Hôpital de Saint-Jean de Jérusalem, réfugié dans l'île de Malte depuis 1530, recrutait ses membres parmi les jeunes nobles européens, qui portaient dès onze ans le titre de « chevalier » et la croix, mais ne rejoignaient Malte qu'à la fin de leurs études. Ils y devenaient moines-soldats, ajoutant aux trois vœux monastiques de pauvreté, de chasteté et d'obéissance celui de protéger les pèlerins contre les Infidèles (p. 35). Quand il y renonce pour entrer à Saint-Sulpice, des Grieux se destine à une simple carrière sacerdotale en France ; mais elle pouvait être brillante et rémunératrice. La protection de l'évêque d'Amiens (pp. 35, 54, 55) (on peut songer à Pierre de Sabbatier, qui protégea l'abbé Prévost) lui ouvre, ainsi qu'à Tiberge, la porte du meilleur séminaire, où il peut se faire apprécier de la meilleure société et obtenir d'être « couché sur la feuille des bénéfices » (p. 56), c'est-à-dire d'être un jour nommé par le roi abbé commendataire d'une abbaye, touchant la plus grande partie de ses revenus sans être tenu d'y résider. Il est donc en droit d'espérer une position plus haute que celle de Tiberge, dont le « bénéfice », obtenu de la part de l'évêque d'Amiens, ne s'élève qu'à mille écus (pp. 55, 71) (voir, *infra*, 4. *Sociologie*).

En même temps que sa vertu, son honneur et sa tranquillité, c'est ce brillant avenir qu'il répudie, au premier geste de Manon (p. 59).

C. Le débat idéologique et spirituel

Le problème reste, comme au siècle précédent, le rapport entre les exigences de la vie sociale et celles de la foi et du salut. De leur confrontation tragique, dans le milieu du XVIIe siècle, est sortie l'idée — et est né le besoin — d'une réhabilitation des passions, si décriées auparavant. Car à une époque où l'on ne croit plus guère à l'autonomie de la liberté individuelle, la question n'est pas de savoir si les actions de chacun sont déterminées en dehors du contrôle de sa raison et de sa volonté, mais par qui ou par quoi elles le sont. La thèse officielle dit qu'elles le sont par Dieu, et c'est ainsi qu'on voit apparaître le terme de « Providence » (p. 65), à vrai dire curieusement employé par des Grieux à justifier la « divine Sagesse » qui a su maintenir l'équilibre entre les uns, riches et puissants mais sots, et les autres, petits et pauvres mais assez intelligents pour vivre aux dépens des premiers, les tromper et les dépouiller ! C'est une argumentation qu'on trouve aussi dans *Gil Blas*, et dont le neveu de Rameau fera l'un de ses plus brillants paradoxes.

Il est pourtant excessif de parler ici de « jansénisme », même si Tiberge en accuse des Grieux lorsque celui-ci, séparant le monde de la nature de celui de la grâce, prétend manquer des secours de la seconde pour lutter efficacement contre la première qui, indéniablement, le pousse au plaisir (pp. 97-98). Certes, il y a là une sorte de référence aux dogmes de la *prédestination* et de la *grâce actuelle*, mais le propos du chevalier n'est rien moins que théologique. C'est par feinte, et pour obtenir de lui ce qu'il désire, qu'il adresse à Tiberge des formules que celui-ci peut entendre et croit partager. Le discours de des Grieux est celui d'un libertin, qui se coule dans les termes et les formes logiques du discours religieux, et ceci presque jusqu'au sacrilège, au point de faire reculer un moment le bon Tiberge, qui parle de « sophisme d'impiété et d'irréligion » (p. 96). Les libertés que prend des Grieux avec l'orthodoxie du dogme et le respect de la hiérarchie ne se manifestent d'ailleurs pas seulement dans l'habileté toute rhétorique avec laquelle il développe une casuistique amoureuse pour justifier ses actes (ainsi l'« équivoque » dont il use auprès de Tiberge, p. 40), mais aussi dans une attaque insolente contre l'hypocrisie des hommes d'Église (p. 74). En réalité, pour l'amant de Manon, la raison et la volonté de l'homme ne sont pas tant soumises à la direction divine qu'à la « force des passions » (p. 25). La manière même dont il la décrit est à elle seule une preuve de sa toute-puissance, de même que la tonalité générale du récit qu'il fait à Renoncour, où il l'exalte en même temps qu'il la déplore. Nulle part l'équivoque, que le narrateur reconnaît, on l'a vu, explicitement, n'est plus sensible que dans le terme de « délectation » (p. 59), puisqu'il fait partie du lexique religieux et qu'il désigne le plaisir sensible, le goût que l'on prend à faire quelque chose. Si l'homme ne peut agir que par l'attrait d'un tel goût, il n'y a plus qu'à distinguer une bonne et une mauvaise délectation, celle qu'inspire la grâce et celle que propose la nature. Mais que dire de celle dont rayonne Manon ?

La fin du roman n'est pas moins équivoque, et pose un problème plus vaste que celui de la sincérité de des Grieux ou des ambiguïtés de la dialectique théologique du moment : celui de la signification ultime de toute l'aventure. On a pu voir dans l'intention qu'ont les deux amants de célébrer leur mariage « au pied d'un autel » (p. 180), dans leur déréliction douloureuse au milieu des sables, dans le courage et la dignité de Manon mourante, des indices de régénération, de réhabilitation, voire d'expiation. C'est sans doute tirer un peu trop le texte dans un sens édifiant, ou romantique. L'abbé Prévost qui, en 1731, faisait en effet conclure son héros sur les « lumières de la grâce », les « voies de la pénitence » et les « exercices de piété », a apporté à cette fin une correction importante, et n'a plus fait bénéficier des Grieux des « lumières » du Ciel que pour « rappeler des idées dignes de [sa] naissance et de [son] éducation » (p. 190). Quelle est la part de la dimension spirituelle dans ce dernier terme ? C'est une des questions que notre texte laisse merveilleusement ouvertes.

4. SOCIOLOGIE

Le roman ne se contente pas d'animer autour des amants tout un monde de parents, d'amis, d'adjuvants et d'opposants, de témoins et de victimes, de prédateurs et de proies, de défenseurs de l'ordre et d'âmes damnées, qui alimentent, interrompent et relancent sans cesse leur aventure ; il décrit l'organisation de ce monde et laisse voir, sous la diversité de ses appareils, le principe de leur fonctionnement. Il tient en un mot : le *plaisir*. Celui-ci appelle, bien sûr, la présence de son collaborateur indispensable, l'*argent*. L'ensemble compose un monde égoïste, cynique et sans scrupules, où la licence de quelques-uns ne mène qu'à l'asservissement général. Un certain nombre d'êtres, pourtant, manifestent une remarquable indépendance morale et — c'est le cas des deux héros — quelque chose comme une innocence paradoxale.

A. Le plaisir

Le temps de « la vieille Cour » (p. 84) est bien révolu, et la galanterie ne s'embarrasse plus des détours de politesse et de civilité en usage pendant le Grand Siècle. Notre texte fait poétiquement vibrer deux symboles concrets de cette fièvre de jouissance qui s'est emparée de la société française au début du XVIIIe siècle, avant même que les réformes de la Régence ne lui donnent droit de cité : ce sont les lieux de réunion publique, cafés (pp. 43, 105, 133), théâtres (pp. 54, 62, 127, 132-133), « assemblées » de jeu (pp. 63, 120), dont l'évocation ponctue le récit de des Grieux, et dont l'éloignement paraît à Manon une chose à peine supportable, et les voitures, qui permettent de sillonner en tous sens le champ de la mondanité. Le jeu de leur va-et-vient pourrait à lui seul résumer le récit et en constituer la figure emblématique : c'est le *coche*, voiture collective non suspendue, lourde et lente, qui amène Manon d'Arras à Amiens (p. 36) ; c'est la *chaise de poste*, beaucoup plus légère et rapide parce qu'elle est suspendue et ne comporte qu'une place (pp. 39, 41) ou deux (p. 47) ; c'est le *carrosse*, soit privé (celui que Manon tient des libéralités de B..., pp. 54, 60 ; celui que les amants envisagent d'acquérir à Chaillot, p. 62, celui du jeune G... M..., pp. 126, 130 ; celui qu'il promet à Manon, p. 131), soit de louage (celui dans lequel son frère emporte des Grieux vers Saint-Denis, p. 46 ; celui dans lequel les amants fuient de Saint-Sulpice vers Chaillot, p. 61 ; celui qui assure l'évasion de Manon de l'Hôpital, p. 109 ; celui que prétend prendre des Grieux pour aller de Chaillot à Paris, p. 113), soit encore faisant office de fourgon cellulaire (pp. 86, 153) ; le carrosse de louage est encore appelé *fiacre*, de même que son cocher, du nom de l'inventeur parisien de ces anciens taxis, voitures de place qu'on hélait dans la rue (pp. 104, 110, 111, 115, 132, 148). C'est enfin le *chariot* couvert, lourde voiture bâchée, bonne au transport des marchandises ou du bétail, dans laquelle Manon est emportée jusqu'au Havre (pp. 29, 170, 171). Il y a là plus que le symbole d'une époque mondaine et d'un récit trépidant : celui d'une aventure quasi onirique, où le même objet subit une série de métamorphoses, tantôt moyen de liberté et tantôt d'emprisonnement, tantôt porte du ciel et tantôt entrée de l'enfer, tantôt preuve de l'autonomie et tantôt marque de la dépendance. Mais toujours, sans exception, lié à l'argent.

B. L'argent

L'homme du jour, c'est le *fermier général* (pp. 41, 59) ou *traitant* ou *partisan*, ainsi nommé parce qu'il a la ferme des impôts, contrat (ou traité, ou parti) par lequel le roi, moyennant une redevance fixée et préalable, les lui laisse percevoir à son gré. Il a fait en peu de temps une fortune immense et acquis un titre nobiliaire. Les aristocrates ont beau mépriser son origine vile et ses manières de parvenu [« M. de B... » redevient vite « Monsieur B... » (pp. 50, 59), et le vieux G... M... s'entend dire que « ce sont [ses] pareils qu'il faut chercher au gibet » (p. 150), car les nobles condamnés sont, eux, décapités], il n'en est pas moins le symbole humain de la réussite et du bonheur, car l'argent permet non seulement l'aisance de la vie matérielle et l'accès aux raffinements de la vie mondaine, mais encore d'acheter les faveurs des plus jolies femmes (pp. 59, 67, 76, 79, 128, 137), et d'avoir l'oreille et l'appui des autorités (pp. 86, 92, 149, 152). Contrairement à toute tradition des romans galants, il y a peu de pages de celui-ci qui ne fassent allusion à des sommes que l'on possède, que l'on donne, que l'on promet ou que l'on vole. Sans qu'il soit possible de comparer vraiment avec l'époque actuelle, les conditions de la vie économique ayant radicalement changé, on peut cependant se fonder sur quelques repères pour comprendre cet aspect de l'aventure des deux amants.

D'abord la valeur relative des différentes unités de compte : le *louis* (d'or) équivaut à 24 *livres* (ou *francs*), la *pistole* à 10 livres, et l'*écu* (d'argent) à 3 livres. En valeur actuelle de pouvoir d'achat, on peut évaluer la livre aux alentours de 100 francs 1990, ce qui donne, au fil du texte, les chiffres suivants, dont certains ont de quoi étonner : avec « quatre louis d'or », c'est 9 600 de nos francs que Renoncour offre à des Grieux à Pacy (p. 32) ; le chef des archers a « l'audace de (lui) demander deux louis » (= 4 800 F) pour fermer les yeux sur la présence du chevalier auprès de Manon (p. 33) ; les « petites épargnes » de des Grieux à Amiens s'élèvent à « cinquante écus » (= 15 000 F), et celles de Manon au double, soit 30 000 F (p. 39) ; c'est « douze ou quinze pistoles » (= 12 à 15 000 F) qui leur restent lorsque des Grieux commence à s'étonner du train de vie que leur a fait adopter Manon (p. 42) ; outre les bijoux, c'est « près de soixante mille francs » (p. 61), soit « vingt mille écus » (p. 65) (= 6 millions de francs) qu'elle emporte de chez B... ; leur projet est alors de dépenser « deux mille écus » (= 600 000 F) chaque année, c'est-à-dire 50 000 de nos francs par mois, ce qui n'est déjà pas si mal pour « une vie honnête, mais simple », comportant, il est vrai, « l'entretien d'un carrosse » (autour de 360 000 F par an), l'Opéra « deux fois la semaine » (à 300 F la place, cela fait environ 60 000 F par an), et le jeu, en limitant les pertes à « deux pistoles » (= 2 000 F) (p. 62) ; après l'incendie de Chaillot, il ne reste au chevalier que « vingt pistoles » (= 20 000 F) « qui s'étaient trouvées heureusement dans [sa] poche » (p. 66) ! Lescaut lui garantit alors « avant le soir mille écus » (= 300 000 F), s'il accepte de livrer Manon à un « seigneur » fort « libéral sur le chapitre des plaisirs » (p. 67). On ne rêve pas : en une journée, Manon pourrait « gagner » la moitié de leur dépense annuelle, et l'équivalent du revenu annuel de Tiberge, lequel n'hésite pas à avancer à son ami le tiers de ce revenu, « cent pistoles sur son billet », c'est-à-dire en tirant une traite auprès de son banquier, avant même de l'avoir touché (p. 71) ; il en coûte à des Grieux « une centaine de francs » (= 10 000 F) pour « traiter [les] associés » de Lescaut « dans la Ligue de l'Industrie » (p. 73), et après le vol dont il a été victime de la part de ses domestiques, c'est « quelques pistoles » (= entre 3 000 et 5 000 F) que lui offre le frère de Manon (p. 77) ; lequel ne se contente pas de ce premier secours et, en présentant sa sœur à M. de G... M..., lui procure, outre un gain immédiat de « deux cents pistoles » (= 200 000 F) (p. 79), la promesse d'une pension mensuelle de « quatre cents bonnes livres » (= plus de 40 000 F) pour des Grieux (p. 80) et, pour elle, d'une pension annuelle qu'elle évalue elle-même à « cinq ou six mille francs » (= 5 à 600 000 F) (p. 83) ; en choisissant de fuir, Manon renoncera à ces brillantes perspectives, mais emportera « quatre ou cinq mille livres d'argent comptant », dont Lescaut accepte de se contenter (p. 83) : il s'agit des deux cents pistoles déjà touchées et des « deux mille quatre cents livres » « en beaux louis d'or », qui « faisaient la moitié de la pension » (= 200 000 + 240 000 F), à quoi le vieux G.. M... a encore ajouté des bijoux « qui valaient au moins mille écus » (= 300 000 F) (p. 84). À l'Hôpital, c'est avec une libéralité de grand seigneur que des Grieux s'assure le dévouement de Marcel, le valet de Manon : il lui donne « un louis d'or » (= 2 400 F) (p. 108), et promet bien légèrement la même gratification au cocher qui les emporte après l'évasion (p. 110) ; après la mort de Lescaut, le chevalier n'a plus dans sa bourse « qu'une demi-pistole » (= 500 F) (p. 111) ; Tiberge lui prête alors de nouveau les « cent pistoles » (= 100 000 F) qu'il lui avait rendues (p. 115). On apprend que Lescaut a été tué pour une querelle de jeu portant sur « cent écus » (= 30 000 F) (p. 117), et que le prince italien a « offert inutilement quelques louis d'or » (= entre 5 000 et 10 000 F ?) (p. 122) au valet de Manon pour qu'il lui remette une lettre. Le jeune G... M... se montre plus généreux encore que son père, en proposant à Manon « dix mille livres de pension » (= 1 million de francs) (p. 128), soit le quart de la rente dont il jouit lui-même, plus l'hôtel meublé, le carrosse et cinq domestiques (pp. 131, 143) ; pour le retenir une nuit éloigné de chez lui, il en coûte à des Grieux « seulement dix pistoles » (= 10 000 F) (p. 147). Pour tirer Manon du Châtelet, il se procure « cinq cents francs » (= 50 000 F) auprès de Tiberge, qui refuse noblement son « billet » (de reconnaissance de dette) (p. 163), et il accepte avec effusion les « cent pistoles » (= 100 000 F) de

M. de T... (p. 164), qui sont aussitôt employées « jusqu'au dernier sol » (le *sol* est la plus petite monnaie, et vaut environ cinq de nos francs) à payer les préparatifs de l'attaque du convoi (p. 168) ; pour en assurer le succès, des Grieux donne encore « dix pistoles » (= 10 000 F) à chacun des trois hommes de main qu'il a recrutés (p. 168). Après leur échec, il lui reste « environ quinze pistoles » (= 15 000 F, exactement ce qu'il possédait en quittant Amiens) lorsqu'il rejoint le convoi (p. 171), où on lui demande « un écu par heure » (= 300 F) pour avoir le droit de s'approcher de Manon (p. 171) ; il écrit aussitôt à Tiberge pour lui demander « cent pistoles » (= 100 000 F) (p. 174), mais, ne les ayant pas reçues, il se retrouve au Havre avec « dix-sept pistoles » (= 17 000 F), en dépense sept (= 7 000 F) pour le confort de Manon, et en emporte dix (= 10 000 F) en Amérique (p. 175).

Autre repère : en trois aventures galantes, ce n'est pas moins de 7 500 000 de nos francs que Manon a soutirés à ses amants, en un peu plus de deux ans d'une activité pourtant intermittente. Autre repère encore : l'échelle des revenus dans la France de l'époque. Elle comporte des écarts considérables, au moins de 1 à 1 000, entre les salaires ouvriers (de 10 000 à 30 000 F par an), ceux des cadres moyens et des travailleurs intellectuels (de 30 000 à 300 000 F), ceux des hauts fonctionnaires et des bourgeois propriétaires (de 500 000 à 2 millions de francs), ceux de la moyenne des nobles (de 4 à 10 millions de francs), et ceux des princes et de quelques très gros financiers, parfois incalculables. L'une des caractéristiques de notre roman est de mettre en rapport ces couches de la société qui vivaient, en fait, quasi parallèlement, et de faire ressortir la relativité d'une morale sociale qui prétend s'appliquer également à des conditions si différentes.

Au fond, pourtant, tout le monde court après l'argent, depuis les cochers ou les archers dont on achète la complicité ou la complaisance, et les valets qui s'enfuient avec la cassette de leurs maîtres, jusqu'aux aristocrates qui tentent d'améliorer par le jeu une fortune toujours inférieure aux besoins de leurs dépenses somptuaires. Des Grieux évoque devant son père quelques « exemples célèbres » de cette immoralité publique des Grands (p. 159) ; et la série du jeu, qui court dans tout le roman, est édifiante : dans des maisons tenues par des gens de la meilleure société — comme l'hôtel de Transylvanie —, et avec la complicité de la police, des fortunes se font et se défont, des tricheurs professionnels s'organisent en bandes comme les « Confédérés » de la « Ligue de l'Industrie » (pp. 67, 73) dans laquelle de jeunes nobles s'acoquinent avec des gens comme Lescaut, et où des Grieux est intronisé, grâce à « la gentillesse de [sa] figure » qui inspirera confiance (p. 73). On joue au *lansquenet*, au *piquet* (cf. p. 136), et surtout au *pharaon* (p. 73) : ce dernier jeu, qui oppose un « banquier » à un assez grand nombre de joueurs, ou « pontes », répartis à sa droite et à sa gauche, permet les plus juteuses manipulations, et, quoique « novice » dans « l'Ordre » — car ces débauchés ne reculent pas devant le sacrilège de cette cynique assimilation (p. 73) —, des Grieux s'en acquitte fort bien, qu'il s'agisse de « faire une volte-face » (c.-à-d. faire toutes les mains), de « filer la carte » (la reconnaître à l'envers), ou de l'« escamoter » comme un prestidigitateur dans « une longue paire de manchettes » (p. 73). Qu'ils soient obtenus par la chance ou par l'« industrie » (la tricherie) (pp. 65, 120), les gains du jeu peuvent être considérables : ils ne sont rien en regard de ceux que commence très officiellement à proposer la Compagnie des Indes occidentales, à travers les placements sur l'exploitation des territoires américains, et qui amèneront quelques mois plus tard l'agiotage pour tous, la spéculation pour les plus adroits, le pactole pour quelques-uns, la ruine pour beaucoup, la banqueroute, enfin, pour la France.

C. *Braves gens*

Ce tableau d'une société où la rage du plaisir mène à de telles exactions et érige en système la règle du *chacun pour soi* peut sembler bien noir. Il est contrebalancé par la présence de personnages capables de sensibilité et de compassion. Ils sont du peuple, comme la vieille femme qui, à Pacy, se lamente sur le sort des filles que l'on déporte (p. 30), ou l'aubergiste de Saint-Denis qui déplore qu'on ait séparé deux « pauvres enfants » qui s'aimaient « si fort » (p. 47), ou encore le concierge du Châtelet, qui donne à des Grieux « toute l'assistance qu'[il eût] pu attendre du meilleur de [ses] amis » (p. 161) ; et Marcel n'est infidèle à ses maîtres que sous l'effet de la menace et de la terreur (p. 151). Plus haut dans l'échelle sociale, on trouve le Supérieur de Saint-Lazare, qui fait preuve d'une compréhension et d'une mansuétude dignes d'un vrai religieux (pp. 87, 88, 92) ; le frère du chevalier, qui l'enlève pour ce qu'il croit être son bien, en l'embrassant « tendrement » (p. 46), et s'apprête à l'accueillir après son retour d'Amérique (p. 192) ; son père, qui réprouve ses débordements mais le traite sans dureté (p. 47), veut croire à son amendement (p. 55), est toujours prêt au pardon (p. 158), et ne renonce à sa « bonté excessive » qu'à la dernière extrémité, quand le chevalier a lui-même perdu toute mesure (pp. 166-167) ; le Lieutenant général de Police, qui se montre « un juge raisonnable » (p. 156), tout disposé à comprendre et excuser les fautes que l'amour inspire (p. 157) ; M. de T..., dont la générosité et le désintéressement ne se démentent jamais, de la première visite que lui fait des Grieux (pp. 104-105) aux préparatifs de l'enlèvement de Manon, auquel seul « le soin de sa réputation » l'empêche de participer (p. 164) ; Tiberge enfin, bien sûr, l'ami incomparable que les multiples feintes du chevalier ne dissuadent jamais de voler à son secours : il le fait à sept reprises, avant la fuite d'Amiens (p. 39), pendant la séquestration à P. (p. 52), après l'incendie de Chaillot (p. 69), à Saint-Lazare (p. 95), au Luxembourg après l'évasion de l'Hôpital (p. 115), à Saint-Sulpice après l'incarcération de son ami au Châtelet (p. 162), et enfin en Louisiane où il n'a pas craint, au mépris du danger, d'accourir pour le sauver (p. 191).

En dernière analyse, ces qualités de cœur caractérisent les deux héros eux-mêmes, au milieu des mauvaises actions qu'ils commettent. Si l'affirmation réitérée de l'innocence de Manon est surtout le fait de l'amour que des Grieux lui voue (« elle est légère et imprudente, mais elle est droite et sincère » p. 146), les preuves de la sienne propre abondent dans son récit, par la manière même dont il le conduit, par ses constantes allusions à son infortune, à la « fatalité » (p. 80), à « l'ascendant de [sa] destinée » (pp. 37, 56) ou au « tour bizarre de [son] sort » (p. 130), et par le témoignage de ceux qui l'entourent : Tiberge, le premier, qui ne désespère jamais de son retour à la sagesse, son père, jusqu'à la grande scène de rupture finale (pp. 165-167), M. de T..., le Supérieur de Saint-Lazare surtout, qui lui reconnaît « un excellent fond de caractère » (p. 89).

En somme, tout en montrant comment une société comme celle qu'il peint produit et permet les crimes de son héros, l'abbé Prévost ne semble pas en rejeter la responsabilité sur elle, ni sur lui, mais bien sur cette « force des passions » (p. 25) et cet « enchantement » (p. 57) que son texte illustre plus qu'il ne les condamne.

5. POLICE

En évoquant aussi les désordres causés dans la société française par la soif d'argent et la précarité des fortunes, Montesquieu, dans ses *Lettres persanes*, leur cherchait un remède politique. Écrivant, lui, un roman d'aventures, l'abbé Prévost se contente de faire alterner, comme par un effet musical de contrepoint, leurs manifestations avec de très précises descriptions des instruments du maintien de l'ordre qui leur sont opposés. Car l'association plaisir-argent qu'on vient d'analyser est fort dangereuse pour l'équilibre social et rend nécessaire la réaffirmation d'un ordre, qui en contrôle les excès et tente, comme toujours, d'en réserver les privilèges à quelques-uns. À cette tâche du maintien de l'ordre participe encore grandement, malgré son relatif discrédit depuis les années 1680, le discours moral. On l'entend, avec toutes sortes de nuances, dans la bouche de Tiberge, du père de des Grieux, du Supérieur de Saint-Lazare et du Lieutenant général de Police ; on sent qu'il organise la « confession » du chevalier, dont il est, avec le plaisir trouble de la remémoration-commémoration et le désir d'offrir à son tour quelque chose à son bienfaiteur, l'une des motivations ; on veut bien croire enfin qu'il soit celui même du romancier, à condition de bien lire l'« Avis de l'auteur » et de faire passer « l'instruction des mœurs » (p. 26) par l'expérimentation d'une morale pratique, qui tienne compte des « circonstances où l'on se trouve » pour expliquer la « contradiction de nos idées et de notre conduite » (p. 27).

Cette morale pratique oppose, en fait, les incoercibles suggestions du désir aux impératifs incontournables de la loi. Celle-ci est intimement mêlée à l'action romanesque par l'évocation, précise et colorée, des individus et des institutions qui la représentent. Les compagnies de « gardes du corps », chargés de suivre le roi dans ses déplacements, sont essentiellement composées d'aventuriers un peu comparables à nos modernes « barbouzes », surtout attirés par le titre d'écuyer, l'exemption de taille et la garantie de l'impunité, mais mal payés et prêts à toutes sortes de coups de main et d'escroqueries (voir pp. 63, 102, 117, 147-148, 167). Leur uniforme est rutilant : habit bleu, veste, culotte et bas rouges, bandoulière de soie blanche galonnée d'argent. On comprend que les « braves à l'épreuve » qui préparent l'attaque du convoi préfèrent revêtir des « habits communs » (p. 168) ! Mais il y a plus sérieux : les « exempts de police » (p. 86) procèdent aux arrestations, tâche qui les exempte (d'où leur nom) du service ordinaire ; ils sont accompagnés par des « gardes » (p. 86), encore désignés par le vieux nom d'« archers » (pp. 87, 150) du « guet royal » (pp. 111, 149), chargée de la police, surtout nocturne, des rues. Il ne faut pas confondre ces derniers avec les « archers » de la maréchaussée, dont un corps spécial, créé seulement en 1720 (voir *supra*, 1. *Chronologie*) pour escorter les convois de déportés vers l'Amérique, était reconnaissable à la bandoulière (baudrier bleu avec fleur de lys jaune) qui ornait son uniforme (pp. 30, 168).

Les hautes autorités sont le « Grand Prévôt de Paris », représentant de la justice du roi dans la capitale, auquel s'adresse des Grieux après le vol dont il a été victime (p. 76), et le « Lieutenant [général] de Police » (pp. 30, 76, 149). La charge de ce dernier, créée par Colbert en 1667, était considérable, coiffant la sécurité de Paris et des grandes villes, le contrôle de l'imprimerie, la police des mœurs, la gestion de la Bastille et des autres prisons d'État. Après La Reynie qui s'y était rendu très impopulaire (1667-1697), elle fut occupée jusqu'en 1718 par René-Marc Voyer d'Argenson. Il passait pour un magistrat courtois et éclairé, qui pouvait exceptionnellement, dans les cas de flagrant délit, pratiquer lui-même « l'interrogatoire » (p. 156) ; mais s'il s'efforçait d'arranger les affaires des gens de qualité, il savait se montrer impitoyable pour les autres (pp. 156, 160).

On a déjà évoqué les lieux d'incarcération (voir *supra*, 2. *Géographie*) : Saint-Lazare, l'Hôpital, le Châtelet. Les conditions de détention y étaient, là encore, relatives au rang du détenu. Le roman s'y attarde volontiers, non tant pour l'intérêt d'une sorte de « reportage » (or l'abbé Prévost savait de quoi il parlait !) que pour accentuer l'aspect pathétique des situations où leur légèreté a plongé les deux amants : à Saint-Lazare, on commençait par donner le fouet aux fils de famille dévoyés, et des Grieux échappe par faveur spéciale à cette « indignité » (p. 87), comme plus tard Beaumarchais, mais non l'abbé Desfontaines. À l'Hôpital, le pauvre amant de Manon n'a pas tort de craindre le sort qui lui sera réservé (p. 93) : c'était une véritable Cour des Miracles, où l'on entassait pêle-mêle des milliers de miséreux, de vagabonds, de prostituées, dans des conditions d'hygiène, de travail et de nourriture avilissantes. Dans la section disciplinaire de la Salpêtrière, réservée aux « filles », Manon semble pourtant avoir été mieux traitée : elle dispose d'une cellule, conserve ses cheveux, peut lire et coudre, est servie par un valet (p. 106). Quant au Petit-Châtelet, où se tient une simple chambre de police, il est moins impressionnant que le Grand-Châtelet, où siège la chambre criminelle, et des Grieux peut rassurer sa maîtresse, espérer une prompte libération malgré la récidive, et obtenir avec de l'argent des conditions de vie correctes (p. 155).

Reste l'affaire américaine, où le pathétique touche à son comble. Aucun espoir n'est plus permis aux pauvres filles qu'on a décidé de déporter à Saint-Domingue ou en Louisiane, au « Mississippi », pour y renforcer un peuplement colonial qui attire trop peu de volontaires (p. 160) (ce qui explique que le chevalier soit admis sans difficulté, et « gratis », sur le bateau, p. 175). On n'a plus pour elles aucun égard, allant jusqu'à les conduire « enchaînées six par six par le milieu du corps » (pp. 30, 171), en de longs convois au cours desquels beaucoup d'entre elles mouraient d'épuisement. Rappelons que si La Fontaine, dès 1687, évoquait déjà cette pratique (« Elles s'en vont peupler l'Amérique d'Amours », *Épître en vers à Saint-Évremond*), ce n'est que vers 1719-1720 qu'elle s'intensifia (voir *supra*, 1. *Chronologie*).

6. ONOMASTIQUE

C'est à tout un jeu de l'écriture romanesque que l'abbé Prévost se livre, en faisant alterner des noms ou des titres réels et de simples initiales. Ces dernières ont le rôle double d'empêcher l'identification en la laissant désirer. Paradoxalement, elles donnent la caution de la réalité à un récit qui est censé faire partie des *Mémoires d'un homme de qualité*, c'est-à-dire mettre en scène des personnes qui existent ou ont existé, en leur conservant, par discrétion, l'anonymat. Comme toujours en pareil cas, le lecteur, le critique contemporain, et même le critique ultérieur s'efforcent de retrouver à quelle personne de chair correspond chaque nom de papier. Trois directions s'ouvrent à leur enquête : — c'est une autobiographie déguisée où l'abbé Prévost transpose ses propres aventures ; — Manon et des Grieux ont existé, et il s'agit d'une tranche de vie ; — c'est une fiction, mais dont tous les éléments constitutifs, y compris les personnages, ont été pris dans la réalité. Ce n'est pas ici le lieu d'un tel débat. Il est de toute façon utile de connaître les hypothèses qui ont été avancées, quitte à choisir de chercher ailleurs l'intérêt du roman. Les voici.

L'homme qui dit « je » dès la première phrase de l'« Avis de l'auteur » et au début de la Première partie du roman n'a pas ici de nom, mais le lecteur des *Mémoires d'un homme de qualité* sait qu'il s'appelle le marquis de Renoncour et connaît l'essentiel de sa vie, qui a fait le sujet des six tomes précédents. Sa présence, quoique discrète, est intense : c'est avec ses yeux que nous recevons le premier choc de la beauté de Manon (p. 30) et la première image d'un jeune homme en pleurs (p. 31) ; c'est par et pour lui que des Grieux entreprend son récit (p. 34) ; c'est lui qui l'interrompt au milieu, en délimitant ainsi les deux parties (p. 118) ; c'est à lui enfin, et à son « élève » qui l'accompagne, « le marquis de... » [Rosemont] (p. 33) que sont faites plusieurs adresses de des Grieux narrateur, indirectes lorsqu'il les prend à témoin du caractère extraordinaire de ce qu'il narre ou qu'il fait référence à quelque vérité morale de caractère général, directes vers la fin, lorsqu'il s'excuse d'achever « en peu de mots un récit qui [le] tue » (p. 188), et précise : « Après ce que vous venez d'entendre, la conclusion de mon histoire est de si peu d'importance [...] » (p. 189).

L'anthroponyme *Grieux* (p. 25) est une des formes du mot *grec*, avec, dans l'ancienne langue, la connotation d'*escroc*. Il est assez répandu dans le nord de la France, aux XVIIe et XVIIIe siècles ; on a retrouvé la trace de plusieurs contemporains qui le portaient, un officier de Montreuil, non loin d'Hesdin où est né l'abbé Prévost, ou un chevalier de Lisieux. Mais rien ne permet d'identifier précisément le héros, pas plus que l'héroïne, quoiqu'on lui ait aussi trouvé plusieurs modèles possibles, soit pour les scandales de son existence mondaine à Paris, soit pour le drame de son séjour en Louisiane. La première édition ne lui attribuait pas « une naissance commune » (p. 38) mais la présentait comme « n'étant point de qualité, quoique d'assez bonne naissance », convention liée aux bienséances romanesques, et à laquelle l'abbé Prévost renonça plus tard, sans doute à cause de la vraisemblance : le nom de *Lescaut* (celui d'une rivière du Nord), les manières de son frère, l'abandon dans lequel la laisse sa famille conviennent mieux à une origine bourgeoise, et plutôt médiocre, ainsi d'ailleurs que son prénom, diminutif de Madeleine, de Marie ou de Marianne (p. 38).

Le nom de l'ami du chevalier (p. 36) a été porté par un abbé d'Andrès, en Picardie, directeur du séminaire des Missions étrangères à Paris et mort en 1730, Louis Tiberge. Aucun autre rapport ne les relie, sinon le fait de s'être engagés dans une carrière ecclésiastique pieuse, droite et exemplaire. On a proposé de voir dans « M. de B... » (p. 41), Live de Bellegarde, ou Melchior de Blair. La seule chose certaine est qu'il s'agit d'un roturier à qui sa charge de fermier général a permis de s'anoblir, puisque le père de des Grieux le ramène ironiquement, comme aime le faire La Bruyère dans ses *Caractères*, à sa vraie condition, en l'appelant simplement « Monsieur B... » (p. 48). En est-il de même pour « M. de G... M... » (p. 76) ? Son cas est plus complexe car, si rien n'indique formellement qu'il soit fermier général, si même ses manières, comme celles de son fils, tendent plutôt à l'assimiler à ce « seigneur, si libéral sur le chapitre des plaisirs » dont parle d'abord Lescaut (p. 67), c'est en roturier que le traite des Grieux lorsqu'il le voue, avec ses « pareils », au « gibet » (p. 150). Il est donc difficile d'y voir M. de Guéménée-Montbazon, ou Gilly de Montaud. Le fait que la première édition le désignait par les lettres « M... G... » indique assez la gratuité du jeu auquel s'amuse le romancier, et, dans cette hypothèse, on pourrait tout aussi bien remarquer que ce personnage, qui, finalement, scelle le destin des deux amants, réunit, dans l'ordre qu'on voudra, leurs deux initiales.

Si l'on ne peut savoir auquel des vingt-neuf « administrateurs » (p. 103) des hôpitaux de Paris s'applique le nom « M. de T... » (p. 103), et si le « prince italien » (p. 121) n'est qu'un type générique, que l'abbé Prévost, d'ailleurs, haïssait, on a vu que le propriétaire de l'« hôtel de Transylvanie », désigné comme « M. le prince de R... » (p. 73), renvoie à l'évidence au prince François Rákóczy (1676-1735), qui est resté plus célèbre dans l'histoire comme symbole de la liberté hongroise que pour le tripot qu'il permit à ses officiers d'installer dans son hôtel parisien entre 1713 et 1716. Mais pourquoi le romancier, après avoir nommé en toutes lettres l'hôtel de Transylvanie (p. 73), le désigne-t-il plus loin comme « l'hôtel de T... » (p. 120) ? Manie d'écriture, ou plaisir du jeu, qu'il faudrait peut-être alors accepter comme tel ?

Est-ce enfin la prudence qui a empêché l'abbé Prévost de préciser les noms des exemples du libertinage public des Grands qu'allègue des Grieux à son père pour excuser le sien (p. 159), ou n'est-ce pas plutôt le raffinement satirique qui consiste, en n'en nommant aucun, à en suggérer beaucoup ? Il aurait pu, dit-on, désigner le duc d'Orléans — le régent —, qui vivait en effet publiquement avec deux maîtresses, Mmes de Parabère et de Flavacourt, le duc de Gesvres, gouverneur de Paris, qui avait loué un hôtel pour y établir une maison de jeu et en tirait cent trente mille livres (= 13 millions de nos francs) par an, le prince de Carignan qui en faisait autant en son hôtel de Soissons, Mornay de Montchevreuil, qui dirigea jusqu'à huit académies de jeu en 1722, ou le comte de Horn qui, pour échapper à ses dettes de jeu, alla jusqu'à l'assassinat et fut roué vif en place de Grève, en 1720. Il faut lui savoir gré de ne l'avoir pas fait, dégageant ainsi son roman de la presse à scandales qui, des pamphlets de la Régence aux notes de nos éditions savantes, prostitue, avec les meilleures intentions du monde, la création littéraire.

7. LANGUE

À quelques rares exceptions près, l'expression de l'abbé Prévost est d'une grande limpidité et se prête sans difficulté à notre lecture moderne. Prenons-y garde cependant : elle témoigne d'une période de son histoire où la langue française est en pleine évolution, fidèle encore à un grand nombre de tournures et de significations classiques, mais les investissant de réalités et d'idées nouvelles, et privilégiant quelques termes clefs, porteurs de la sensibilité moderne du siècle des Lumières. Les listes qui suivent présentent tour à tour ces trois catégories. Leur ordre interne est alphabétique. La référence est celle de la première occurrence du mot dans le texte.

A. Permanence de l'usage classique

(d') abord (p. 59) : *dès l'abord, aussitôt.*
admirable (p. 111) : *étonnant.*
adorer (p. 44) : application d'un terme religieux au domaine profane : *se dévouer totalement à la personne aimée en l'admirant et en la vénérant à l'égal d'un dieu.*
aiguillon (p. 131) : *moyen d'exciter, instrument d'excitation.*
aimable (p. 38) : *digne d'être aimé(e).*
air (p. 37) : *apparence extérieure* (avec connotation noble).
ajustements (p. 42) : *habits, parures.*
(mon) âme (p. 77) : terme de tendresse : *le principe de ma vie.*
assignation (p. 69) : *rendez-vous.*
baiser la main (p. 34) : geste de pure civilité, sans connotation galante.
bon sens (p. 25) : qualité intellectuelle assimilée à la raison cartésienne, sans aucune nuance péjorative. Ne sera dévalorisé que par le *génie*, vers 1760.
ce (que j'aime) (p. 32) : emploi du neutre pour *celle* ou *celui.*
certain (p. 26) : adjectif légèrement restrictif, dans des expressions à valeur sociale.
charmant (p. 36) : *qui exerce un attrait irrésistible.*

colorer (p. 98) : *excuser, couvrir d'un prétexte.*
commerce (p. 55) : sens général d'*échange*, surtout appliqué à la conversation ou à la correspondance.
compliment (p. 64) : *discours obligeant*, pour témoigner à quelqu'un son estime et sa considération.
demeure (p. 94) : *séjour prolongé.*
détester (p. 75) : sens très fort : *réprouver violemment, avoir en horreur, maudire.*
disgrâce (p. 31) : *malheur.*
(j'avais) dû (p. 137) : *j'aurais dû.*
émouvoir (p. 183) : *pousser à la sédition.*
(être en mauvais) équipage (p. 33) : *être mal vêtu et démuni de tout.*
et (p. 75) : mis pour *ni.*
(être) étonné (p. 26) : *(être) fortement frappé,* comme par le tonnerre.
galanterie (p. 118) : toute *action élégante,* même hors du domaine amoureux.
généreux (p. 184) : *bien né, de bonne race.*
glorieux (p. 129) : *fier.*
honnêtement (p. 31) : *avec civilité.*
horreur (p. 58) : impression physique de la répulsion.
humanité (p. 27) : *sentiment de bonté envers son semblable.*
humeurs (p. 162) : terme de l'ancienne médecine pour désigner — outre le sang — la pituite, la bile et l'atrabile. Descartes leur a donné un grand rôle dans le mécanisme des passions de l'âme.
(l')idole de mon cœur (p. 77) : *l'objet d'un amour extraordinaire* (cf. « adorer »).
(goût) infini (p. 52) : tour hyperbolique assez courant avec certains mots, dont *goût.*
libéral (p. 27) : *qui donne avec raison et jugement*, de manière à ne se montrer ni avare ni prodigue.
(idée) libertine (p. 96) : *qui n'est point assujettie aux lois de la religion,* pour la croyance ou pour la pratique.
(avoir du) monde (p. 85) : *avoir assez fréquenté le beau monde pour en avoir pris les manières.*
(se donner la) mort (à soi-même) (p. 136) : *se suicider.* Ce mot n'apparaîtra qu'à la fin du siècle.
neuf (p. 84) : *simple, niais.*
politesse (p. 26) : *élégance, aisance*, qui manifeste une culture plus sociale qu'intellectuelle.
prévenir (p. 45) : *aller au-devant, devancer.*

progrès (p. 121) : *avancement*, en bien ou en mal. Ici : *accroissement*.
propre (p. 55) : *correct*, et même *élégant*, sans connotation précise de netteté, d'absence de souillure.
proprement (p. 80) : *convenablement*.
(a) pu (p. 41) : *aurait pu*.
rêveries (p. 26) : *méditations, réflexions,* ce à quoi s'applique l'esprit, sans connotation précise du côté du rêve.
se sentir bien (p. 51) : *bien connaître l'état de son cœur, être lucide sur soi-même.*
(demeurer) suspendu (p. 27) : *être arrêté quelque temps*, dans la détermination des valeurs morales ou spirituelles.
tableau (p. 26) : toute *description,* sans référence précise à l'esthétique des arts de la peinture.
tenter (p. 159) : *essayer, éprouver.*
tomber dans les filets (p. 78) : vieille métaphore amoureuse, empruntée au vocabulaire de la chasse.
transport (p. 36) : *agitation provoquée par l'enthousiasme*, et surtout, mais pas seulement, par l'amour.

B. Coexistence du sens ancien et d'un sens nouveau

amant (p. 31) : *homme qui témoigne de l'amour à une femme,* mais aussi, déjà, *celui qui jouit de ses faveurs.*
ascendant (p. 37) : *influence des astres sur l'homme*, puis, plus généralement, *influence qu'il subit de la part d'un autre être vivant*.
aventurier (p. 34) : *homme qui cherche ou qui a connu des aventures.* Le sens péjoratif du terme commence à s'estomper. Il reviendra plus tard.
bienfaisant (p. 27) : *disposé à faire le bien*. Ce « bien » perd peu à peu son sens religieux et évolue vers un sens laïque et social.
caresses (p. 34) : simples *démonstrations d'amitié*, sans contact, mais aussi, déjà, *manifestations tactiles de l'amour* (voir p. 41).
charmes (p. 38) : le sens classique d'*attrait irrésistible et dangereux* évolue vers le sens moderne de l'*effet, indicible mais piquant et irremplaçable, qu'une personne exerce.*
(personnes de) considération (p. 57) : le sens social et mondain tend à s'effacer devant le sens moral : *dignes d'estime.*

délectation (p. 59) : exemple typique d'un terme qui, dans le vocabulaire religieux, avait une connotation nettement péjorative d'*abandon aux plaisirs du siècle*, et qui tend à prendre le sens d'une *plénitude « victorieuse »*.

esprit (p. 26) : ensemble des *aptitudes intellectuelles heureusement manifestées dans la vie sociale*. Le sens du mot tend à se banaliser (voir p. 177).

fin (p. 31) : la légère connotation péjorative qui allait dans le sens d'une finesse affectée tend à disparaître.

fortune (p. 26) : *situation d'avancement dans la société, que donnent la naissance, les biens et la chance*. Le sens plus restreint de *richesse* est en train de l'emporter.

honnêtes gens (p. 35) : *qui ont de la naissance*, mais aussi *des qualités sociales*, et bientôt *des qualités morales*.

inclination (p. 35) : *tendance qui porte vers un objet*, qui peut être honnête. Moins condamnable que le *penchant*, elle tend cependant à s'appliquer aussi à des objets réputés dangereux, comme le plaisir.

lumière (p. 27) : désigne encore la *connaissance que procure la foi en Dieu*, mais déjà aussi *celle que fait progresser l'expérience*.

maîtresse (p. 32) : *la femme que l'on aime* (voir p. 36), mais aussi, déjà, *celle qui accorde ses faveurs*.

mérite (p. 26) : *ensemble de qualités physiques*, mais aussi *intellectuelles et morales*. La connotation morale gagne du terrain, au détriment de la sociale, qui liait le mérite à la condition.

modestie (p. 30) : c'est encore le sens ancien de *pudeur*, mais aussi, déjà, le sens moderne de *réserve, simplicité*.

(bien) né (p. 27) : c'est encore une référence au *degré de noblesse de l'extraction*, mais déjà aussi une caractérisation plus individuelle de la *qualité des dispositions que l'on a apportées en naissant*.

penchant (p. 36) : *impulsion qui pousse vers un objet sensuel et honteux*. Le sens du mot tend à se confondre avec celui d'*inclination*, auquel il s'opposait d'abord.

(être) touché (p. 51) : *(être) ému*. Le mot, emprunté au vocabulaire guerrier, prend une connotation moins négative, en désignant moins la blessure que l'état, intéressant, dans lequel elle a mis celui qui l'a reçue (voir *infra*, C., « *touchant* »).

vertu (p. 26) : c'est toujours l'*observance des règles, « sévères et pénibles », de la religion*, mais déjà aussi l'*exercice, plus laïque, de qualités humaines qui se reconnaissent à l'émotion heureuse qu'elles procurent, et qui assurent le bonheur de ceux qui les pratiquent.*

C. Émergence de la langue des Lumières

caractère (p. 54) : terme clef d'une pensée de l'individu et de son irréductible différence. Il mène à la notion de *génie* (voir ce terme, *infra*). Cf., chez Diderot, l'« unité de caractère ».
chimiste (p. 178) : même quand il s'agit de la transmutation des métaux, attribuée jusque-là aux *alchimistes*, ce terme se met à remplacer l'autre, au siècle de la chimie.
délicatesse (p. 60) : *raffinement, tact.*
doux, douceur (p. 26) : ce registre sémantique, d'abord appliqué aux seules femmes, et simple opposé de la brutalité, désigne au XVIIIe siècle une qualité positive et recherchée de la vie et des rapports entre les êtres.
exercice (p. 27) : *mise en pratique.* La philosophie expérimentale recharge ce mot d'une valeur heuristique.
génie (p. 146) : il n'est pas indifférent que ce mot, avec le sens de *caractère, disposition naturelle*, apparaisse dans ce texte, à l'aube d'un siècle qui en magnifiera la notion.
goût, goûter (p. 52) : on sait la place centrale de cette notion au XVIIIe siècle. Cf. l'*Essai sur le goût* de Montesquieu, *Le Temple du goût* et l'article « Goût » de *L'Encyclopédie*, de Voltaire, etc.
grâce (p. 34) : désigne désormais plus un « je ne sais quoi » que le canon classique de la beauté.
industrie (p. 65) : *mise en œuvre ingénieuse de pratiques plus ou moins honnêtes pour obtenir ce que l'on veut.* Cela peut aller jusqu'à l'escroquerie pure et simple (voir p. 73).
ingénuité (p. 146) : *simplicité, naturel.*
joli (p. 39) : le terme n'a pas encore la valeur un peu mièvre, voire dépréciative, qu'il a prise. Il désigne un *ensemble de qualités physiques et morales*, chez la femme comme chez l'homme, *qui font une impression profonde sur le cœur* (voir pp. 47, 170) ; et parfois aussi une *action parfaitement satisfaisante* (voir p. 147).
mademoiselle (p. 38) : désigne non plus les filles de condi-

tion et les femmes mariées de la bourgeoisie, mais *toute jeune fille.*

naturellement (p. 46) : *franchement, sans détour.*

principes (du cœur) (p. 180) : cette association de ce qu'inspirent les sentiments naturels et des règles extérieures de la vertu est nouvelle.

système (de vie) (p. 55) : *organisation de la vie résultant d'un arrangement calculé des principes et des applications, de la doctrine et de l'expérience.*

tendre, tendresse (p. 37) : dans le vocabulaire amoureux, ces mots ont remplacé *galant, galanterie* pour désigner, plus que le simple témoignage des sentiments, leur qualité sensible.

touchant (p. 30) : *susceptible de toucher*, c'est-à-dire d'*émouvoir* ; mais le mot se met à prendre une sorte de valeur absolue : *agréable, attendrissant*, c'est-à-dire *qui excite heureusement la sensibilité.*

« Ah ! les expressions ne rendent jamais qu'à demi les sentiments du cœur » s'écrie des Grieux sur la route du Havre (p. 171). On voit que, pour sa part, et surtout dans le registre du « sentiment », justement, l'abbé Prévost s'est livré à un vrai travail d'écrivain pour tenter de réduire cet intervalle.

8. INTERTEXTE

Malgré son irréductible orginalité, *Manon Lescaut* n'est pas un ouvrage isolé dans le champ littéraire. Non seulement à cause de ses liens — explicites ou implicites — avec le reste de l'œuvre de l'abbé Prévost, mais aussi par toutes sortes d'implications, dans le roman, d'autres textes qui, loin d'en disperser les effets, en concentrent et en spécifient le climat propre. Comme l'intertexte ne se réduit pas aux sources ou aux références, on ne s'étonnera pas d'y voir figurer aussi des textes postérieurs. Il est réparti ici en trois séries : celle des « autorités », celle qui compose ce qu'on pourrait appeler « l'air du temps », et celle, tout juste esquissée, qui fait de *Manon*, depuis deux siècles et demi, une « chambre d'échos » interminables.

A. Les autorités

Alors que la querelle déclenchée par la bulle *Unigenitus* (1713) n'est pas encore éteinte, on ne sera pas surpris de trouver saint Augustin (p. 56) parmi les lectures du jeune séminariste de Saint-Sulpice, même si, on l'a vu, l'inspiration morale du roman n'est pas exactement « janséniste ». On admettra aussi que le Virgile du « quatrième livre de l'*Énéide* » (p. 52), celui des amours de Didon et d'Énée, soit le modèle idéal d'un romancier qui puise son inspiration dans l'expérience de l'amour malheureux et trahi ; et l'on appréciera la discrète assimilation de des Grieux abordant la séquence la plus dramatique de son récit (« mon âme semble reculer d'horreur », p. 188) avec Énée abordant le récit de la dernière nuit de Troie (« horresco referens », *Énéide,* II, 204) (cf. aussi p. 161). On reconnaîtra sans peine, dans la boutade que le père du chevalier lui lance à propos des conquêtes qu'il sait faire mais non pas garder (p. 49), l'apostrophe fameuse de Maharbal à Hannibal (« Vincere scis, Hannibal, victoria uti nescis »), rapportée par Tite-Live

(*Histoire romaine,* XXII, 51). Horace est trois fois présent : comme théoricien de l'écriture, dans l'« Avis de l'auteur » (p. 25), il énonce un précepte que l'abbé Prévost n'a guère suivi jusqu'alors, en prêtant sa plume à Renoncour, mais qu'il va en effet observer dans ce tome VII des *Mémoires d'un homme de qualité*, si différent des autres : « on dira tout de suite ce qui doit être dit tout de suite, on réservera et laissera de côté, pour l'instant, la plupart des détails » (*Art poétique*, v. 43-44) ; comme poète du bonheur, il vante les entretiens entre amis sur des sujets moraux (p. 26) (voir *Satire VI*, L. II), et c'est ce modèle qui organise les belles résolutions du chevalier quand il se fait un « système de vie » au moment d'entrer au séminaire (p. 55). Il est sur ce point relayé par Boileau (p. 26) (voir *Épître VI, « à M. de Lamoignon »*, v. 153 et suiv.). Enfin, c'est encore Horace qui fournit la devise de la vignette, gravée par Pasquier, qui ouvre l'édition de 1753 : « Quanta laboras in Charybdi,/Digne puer meliore flamma », « Quels tourments n'endures-tu pas dans Charybde,/Jeune homme digne d'une flamme plus noble » (*Odes*, II, 17).

Le Descartes du *Traité des passions* inspire le chevalier, quand une réaction de fierté aristocratique lui fait chercher dans une analyse générale des passions la preuve que la honte qu'il ressent à Saint-Lazare est une marque de la supériorité de son caractère (p. 88). Les propos du père de des Grieux rappellent fort ceux que Molière fait tenir au père de Don Juan (IV, 4, et V, 1), lorsqu'il se plaint de la conduite de son fils (p. 157), ou lorsque aussitôt il veut croire à son repentir (p. 158). Et peut-être pour qu'il soit bien clair que l'action du roman ne penche pas plus du côté de la comédie que de celui de la tragédie, c'est Racine enfin, que l'abbé Prévost vénérait, qui prête aimablement les vers 674-676 et 681-682 de son *Iphigénie* (II, 5) à une transposition parodique dont la gaieté ne peut tout à fait effacer l'inquiétude (p. 131). Il s'agissait d'Achille :

> Moi ? vous me soupçonnez de cette perfidie ?
> Moi, j'aimerais, Madame, un vainqueur furieux,
> Qui toujours tout sanglant se présente à mes yeux,

s'exclamait Ériphile. À quoi Iphigénie répondait :

> Ces morts, cette Lesbos, ces cendres, cette flamme,
> Sont les traits dont l'amour l'a gravé dans votre âme.

Il n'y a plus de parodie, mais peut-être un peu de complaisance dans l'adieu que fait des Grieux au garde du corps, après l'échec de leur coup de main sur le convoi, en empruntant le ton et le vocabulaire du héros tragique, l'Oreste d'*Andromaque* (III, 1) par exemple, qui collabore « volontairement » à sa propre « ruine » (pp. 162, 170). Et c'est encore Racine que l'on entend dans maintes expressions de l'émotion, comme celle qui associe le « charme » et le « poison » (p. 50) (cf. *Phèdre*, I, 3 ; « Quel charme ou quel poison en a tari la source ? »), ou celle qui fait « sentir » le « trouble » du sang « dans toutes [les] veines » (p. 120) (cf. *Phèdre*, I, 3 : « Tout mon sang dans mes veines se glace »).

B. L'air du temps

Une sorte de familiarité circule entre des textes contemporains, même quand leur filiation n'est pas établie avec certitude. On la reconnaît ici sans peine entre notre roman et la manière de Fénelon, ce que confirme le sujet de la vignette de Pasquier évoquée ci-dessus : elle représente le jeune Télémaque soutenu par Mentor, auquel fait souvent penser le personnage de Tiberge, bien que la sagesse de ce dernier soit beaucoup moins sereine et résulte d'un effort tendu contre un « penchant [...] vers la volupté » (p. 53). On peut la reconnaître encore dans la présentation de Manon, où une confusion est maintenue entre le pur pouvoir de sa beauté physique et la puissance surnaturelle qu'elle incarne (p. 37) ; la même confusion se trouve dans *Les Illustres Françaises* (1723) de Robert Challe (1659-1725) : « Le sein qu'elle avait découvert [...], ses cheveux qu'elle avait détachés [...], sa beauté naturelle que cet état humilié rendait plus touchante, enfin mon Étoile qui m'entraînait, ne me firent plus voir que l'objet de mon amour et l'idole de mon cœur. » C'est une dizaine de rapprochements du même ordre que F. Deloffre a pu faire avec la manière de Challe, jusqu'aux toutes dernières lignes du roman, au moment où l'amant invoque la mort pour rejoindre sa bien-aimée (p. 190).

On entendra aussi la voix du Marivaux d'*Arlequin poli par l'Amour* (1720) dans le passage où le chevalier, sans aucune expérience, voit en lui l'amour naissant opérer « des prodiges » (p. 37) ; de *La Surprise de l'amour* (1722) dans l'opposition entre la « douceur » du visage et la noirceur du cœur féminins (p. 136) ; et de *L'Indigent philosophe* (1727) dans l'apologie de l'aventurier parasite des riches (p. 66).

La confrontation entre deux types de société, exagérément opposés l'un à l'autre, est encore un *topos* d'époque : en face d'un monde européen corrompu, et surtout dans les classes les plus élevées (voir p. 159), se présente le mythe du « bon sauvage » suivant paisiblement la loi naturelle (voir p. 173) ; mais il est quelque peu démenti un peu plus loin, lorsque des Grieux hésite à s'enfoncer dans « un pays inconnu, [...] habité par des bêtes féroces, et par des sauvages aussi barbares qu'elles » (p. 183). Lesage donnera à la Foire une comédie, *Les Mariages du Canada* (1734), probablement inspirée de la fin de *Manon Lescaut* (p. 182).

C. Une chambre d'échos

Dans l'incipit des *Égarements du cœur et de l'esprit* (1736), Crébillon fils fera de son héros le même type de présentation que l'abbé Prévost de des Grieux (p. 35) : aucune allusion à l'enfance ni à la mère, et début du récit autobiographique à dix-sept ans, au moment de l'entrée dans le monde. Comme Renoncour s'excuse de proposer, à son âge, « des aventures de fortune et d'amour » (p. 27), J.-J. Rousseau tentera, dans ses *Confessions,* de se justifier d'avoir écrit *La Nouvelle Héloïse* « après tant d'invectives mordantes contre les livres efféminés qui respiraient l'amour et la mollesse ». De même, on ne peut pas ne pas songer au Diderot de l'*Éloge de Richardson* (1761) en lisant, dans l'« Avis de l'auteur » de notre roman, les affirmations sur la valeur et l'efficacité morales du genre romanesque (p. 27)... de même qu'à celui, on l'a vu, du *Neveu de Rameau* (cf. *supra,* 2. *Géographie,* et 3. *Idéologie*...).

Plus tard, et pour ne prendre que deux exemples entre cent, on verra les frères Goncourt (*La Femme au XVIIIe siècle,* 1862) et Michelet (*Histoire de France au XVIIIe siècle,* « La Régence », 1862) développer les harmoniques de *Manon*, dans une tonalité fort proche — contrairement à la plupart de leurs contemporains du XIXe siècle — de celle où les reçurent les lecteurs de 1731.

B - TEXTES ANNEXES

1. QUELQUES OPINIONS SUR LE ROMAN

Les jugements portés sur Manon Lescaut *furent peu nombreux, et dans l'ensemble défavorables, pendant le* XVIII*e* *siècle. L'un d'eux est intéressant parce que, paru dans le* Pour et Contre *en 1734, il fut, sinon rédigé, du moins autorisé par l'abbé Prévost lui-même. Quatre autres manifestent l'impression profonde que, au-delà du scandale ou du mépris, l'invention romanesque de ce livre produisit sur les sensibilités les plus aiguisées du temps : ce sont ceux de Montesquieu, de Diderot, de Sade et de Goethe. Du scandale et du mépris témoigne encore la formule utilisée par Napoléon, à Sainte-Hélène. L'intérêt que le* XIX*e* *siècle porta à* Manon *et à Manon est ambigu, car il tira le texte du roman, et surtout le destin de l'héroïne dans un sens « romantique » : apologie sombre de la passion, thème de la courtisane déchue et régénérée par la souffrance, opposition entre le désir individuel et l'interdit social ou moral. Choisis parmi beaucoup d'autres (La Harpe, Planche, Villemain, Stendhal, Vigny, Sainte-Beuve, Janin, les Goncourt, Flaubert, Michelet, Alexandre Dumas fils, Barbey d'Aurevilly...), on lira ici les témoignages du Musset facétieux de* Namouna, *de George Sand qui prit dans* Manon Lescaut *l'idée de son roman vénitien* Leone Leoni, *et de Maupassant qui, le premier après Goethe, mit l'accent sur l'éminente valeur* littéraire *du travail de l'écrivain Prévost. Il annonçait ainsi notre siècle, au cours duquel la critique universitaire a hissé l'abbé Prévost — pour* Manon, *mais aussi pour l'ensemble de son univers romanesque — au tout premier rang des écrivains français. On se reportera donc à la Bibliographie. Deux voix sont cependant un peu à part : celle de Gide à qui on avait demandé de citer les dix romans français qu'il préférait, et qui inscrivit* Manon Lescaut *en* *quatrième position, derrière* La Chartreuse de Parme, Les Liaisons dangereuses *et* La Princesse de Clèves *; et celle de Cocteau, qui apprécia à sa façon l'irréductible puissance de provocation et l'originalité désarmante du livre.*

Le public a lu avec beaucoup de plaisir le dernier volume des *Mémoires d'un homme de qualité*, qui contient les Aventures du chevalier des Grieux et de Manon Lescaut. On y voit un jeune homme avec des qualités brillantes et infiniment aimables, qui, entraîné par une folle passion pour une jeune fille qui lui plaît, préfère une vie libertine et vagabonde à tous les avantages que ses talents et sa condition pouvaient lui promettre ; un malheureux esclave de l'amour, qui prévoit ses malheurs sans avoir la force de prendre quelques mesures pour les éviter, qui les sent vivement, qui y est plongé, et qui néglige les moyens de se procurer un état plus heureux ; enfin un jeune homme vicieux et vertueux tout ensemble, pensant bien et agissant mal, aimable par ses sentiments, détestable par ses actions. Voilà un caractère bien singulier. Celui de Manon Lescaut l'est encore plus. Elle connaît la vertu, elle la goûte même, et cependant elle commet les actions les plus indignes. Elle aime le chevalier des Grieux avec une passion extrême ; cependant le désir qu'elle a de vivre dans l'abondance et de briller lui fait trahir ses sentiments pour le chevalier, auquel elle préfère un riche financier. Quel art n'a-t-il pas fallu pour intéresser le lecteur, et lui inspirer de la compassion par rapport aux funestes disgrâces qui arrivent à cette fille corrompue ! Quoique l'un et l'autre soient très libertins, on les plaint, parce que l'on voit que leurs dérèglements viennent de leur faiblesse et de l'ardeur de leurs passions, et que, d'ailleurs, ils condamnent eux-mêmes leur conduite et conviennent qu'elle est très criminelle. De cette manière, l'auteur, en représentant le vice, ne l'enseigne point. Il peint les effets d'une passion violente qui rend la raison inutile, lorsqu'on a le malheur de s'y livrer entièrement ; d'une passion qui, n'étant pas capable d'étouffer entièrement dans le cœur les sentiments de la vertu, empêche de la pratiquer. En un mot, cet ouvrage découvre tous les dangers du dérèglement. Il n'y a point de jeune homme, point de jeune fille, qui voulût ressembler au Chevalier et à sa maîtresse. S'ils sont vicieux, ils sont accablés de remords et de malheurs. Au reste le caractère de Tiberge, ce vertueux ecclésiastique, ami du Chevalier, est admirable. C'est un homme sage, plein de religion et de piété ; un ami tendre et généreux ; un cœur toujours compatissant aux faiblesses de son ami. Que la piété est aimable lorsqu'elle est unie à un si beau naturel ! Je ne dis rien du style de cet ouvrage. Il n'y a ni jargon, ni affectation, ni réflexions sophistiques : c'est la nature même qui écrit. Qu'un auteur empesé et fardé paraît pitoyable en comparaison ! Celui-ci ne court point après l'esprit, ou plutôt après ce qu'on appelle ainsi. Ce n'est point un style laconiquement constipé, mais un style coulant, plein et expressif. Ce n'est partout que peintures et sentiments, mais des peintures vraies et des sentiments naturels.

Pour et Contre, avril 1734.

J'ai lu ce 6 avril 1734 *Manon Lescaut*, roman composé par le P. Prévost. Je ne suis pas étonné que ce roman, dont le héros est un fripon et l'héroïne une catin qui est menée à la Salpêtrière, plaise, parce que toutes les actions du héros, le chevalier des Grieux, ont pour motif l'amour, qui est toujours un motif noble, quoique la conduite soit basse. Manon aime aussi, ce qui lui fait pardonner le reste de son caractère.

Montesquieu, *Pensées*.

Chaque ligne de [ses romans] excite en moi un mouvement d'intérêt sur les malheurs de la vertu, et me coûte des larmes.

Diderot, *Correspondance littéraire*, janv. 1755.

Quelles larmes que celles qu'on verse à la lecture de ce délicieux ouvrage ! Comme la nature y est peinte, comme l'intérêt s'y soutient, comme il augmente par degrés, que de difficultés vaincues ! Que de philosophie à avoir fait ressortir tout cet intérêt d'une fille perdue ; dirait-on trop en osant assurer que cet ouvrage a des droits au titre de notre meilleur roman ? Ce fut là où Rousseau vit que, malgré les imprudences et les étourderies, une héroïne pouvait prétendre encore à nous attendrir, et peut-être n'eussions-nous jamais eu Julie, sans Manon Lescaut.

Sade, *Idée sur les romans,* An VIII.

Pour alimenter [mon] chagrin, certains romans, surtout ceux de Prévost, convenaient parfaitement. L'*Histoire du chevalier des Grieux et de Manon Lescaut* me tomba au même moment entre les mains, et renforça d'une délicieuse torture mes folies hypocondriaques. La grande intelligence avec laquelle ce poème est conçu, l'inestimable maîtrise artistique avec laquelle il est exécuté me demeuraient certes cachées. L'œuvre n'avait sur moi qu'un effet quasi matériel ; je m'imaginais pouvoir me montrer aussi aimant et aussi fidèle que le chevalier, et, jugeant Gretchen infiniment meilleure que ne l'avait été Manon, je croyais que tout ce qu'on pouvait faire pour elle était tout à fait de mise. Et comme il est de la nature du roman que la jeunesse en repaisse ses forces surabondantes, et que la vieillesse y réchauffe ses glaces, cette lecture ne contribuait pas peu à rendre mes relations avec Gretchen plus riches, plus agréables, plus délicieuses même ; et lorsqu'elles eurent cessé, mon état plus pitoyable et le mal inguérissable, afin que se réalisât pour moi ce qui était écrit.

Goethe, *Dichtung und Wahrheit,* 1.5
(trad. Deloffre et Picard)

Manon Lescaut, ce roman bon pour des portières [= des concierges].

Napoléon, *Mémorial de Sainte-Hélène.*

Pourquoi Manon Lescaut, dès la première scène,
Est-elle si vivante et si vraiment humaine
Qu'il semble qu'on l'a vue et que c'est un portrait ?
[...]

Manon ! sphinx étonnant ! véritable sirène,
Cœur trois fois féminin, Cléopâtre en paniers !
[...]
Tu m'amuses autant que Tiberge m'ennuie.
Comme je crois en toi ! Que je t'aime et te hais !
Quelle perversité ! Quelle ardeur inouïe
Pour l'or et le plaisir ! Comme toute la vie
Est dans tes moindres mots ! Ah ! folle que tu es,
Comme je t'aimerais demain, si tu vivais !

Musset, *Namouna*, I, 57-60 (1833).

Étant à Venise par un temps très froid et dans une circonstance fort triste, le carnaval mugissant et sifflant au-dehors avec la bise glacée, j'éprouvais le contraste douloureux qui résulte de notre souffrance intérieure, isolée au milieu de l'enivrement d'une population inconnue.

J'habitais un vaste appartement de l'ancien palais Nasi, devenu une auberge et donnant sur le quai des Esclavons, près le pont des Soupirs. Tous les voyageurs qui ont visité Venise connaissent cet hôtel, mais je doute que beaucoup d'entre eux s'y soient trouvés dans une disposition morale aussi douloureusement recueillie, le mardi gras, dans la ville classique du carnaval.

Voulant échapper au spleen par le travail de l'imagination, je commençai au hasard un roman qui débutait par la description même du lieu, de la fête extérieure et du solennel appartement où je me trouvais. Le dernier ouvrage que j'avais lu en quittant Paris était *Manon Lescaut*. J'en avais causé, ou plutôt écouté causer, et je m'étais dit que faire de Manon Lescaut un homme, de des Grieux une femme, serait une combinaison à tenter et qui offrirait des situations assez tragiques, le vice étant souvent fort près du crime pour l'homme, et l'enthousiasme voisin du désespoir pour la femme.

J'écrivis ce volume en huit jours [...].

George Sand, Notice à *Leone Leoni*, janv. 1853.

Combien d'autres romans de la même époque, écrits avec plus d'art peut-être, ont disparu ?... Seule cette nouvelle immorale et vraie, si juste qu'elle nous indique à n'en pouvoir douter l'état de certaines âmes à ce moment précis de la vie française, si franche qu'on ne songe pas même à se fâcher de la duplicité des actes, reste comme une œuvre de maître, une de ces œuvres qui font partie de l'histoire d'un peuple.

N'est-ce pas là un éclatant enseignement, plus puissant que toutes les théories et que tous les raisonnements, pour ceux qui ont choisi l'étrange profession d'écrire sur le papier blanc des aventures qu'ils inventent ?

Maupassant, Préface à l'édition de *Manon Lescaut*, 1885.

À défaut de *Moll Flanders*, indiquerai-je à présent *Manon Lescaut ?* — Peut-être. Il y coule un sang chaud… Pourtant je suis gêné devant ce livre ; il a trop de lecteurs, et des pires ; je préfère ne l'aimer point.

— En le lisant vous versiez bien des larmes !

— Précisément, je lui en veux un peu de cela. S'il touchait d'abord mon esprit, je lui permettrais plus volontiers de toucher aussi bien mon cœur.

Gide, *Nouvelle Revue française,* avril 1913.

Quel cortège aux flambeaux de joueurs, de tricheurs, de buveurs, de débauchés, de descentes de police ! C'est ce parfum crapuleux de poudre à la maréchale, de vin sur la nappe et de lit défait qui donne à Manon la force de vivre à travers les siècles et de ne se point confondre avec d'autres figures dont les mouches et le sourire ne suffisent pas. […]

À relire Balzac, on s'effraie. […] À relire l'abbé, nul pessimisme. Son atroce a de l'ingénuité, de la gentillesse. […]

Notre époque ne verrait pas, sans révolte, paraître un pareil livre. Elle aime les éclairages indirects et le chauffage central. Elle n'aime plus le feu.

Cocteau, *Revue de Paris,* octobre 1947.

2. SUITE DE *MANON LESCAUT*

Qu'un ouvrage à succès donne lieu à des imitations et continuations n'est pas pour surprendre. On a alors affaire soit à des admirateurs inconditionnels, auxquels leur goût pour l'œuvre donne de l'émulation, soit à des opportunistes qui greffent leur propre réussite sur le succès, déjà assuré, d'un autre. *Manon Lescaut* a connu tous ces cas de figure. Dès le XVIIIe siècle, on a attribué à l'abbé Prévost lui-même deux de ces « suites », dont l'une, que l'on crut ensuite un moment de Choderlos de Laclos, est probablement d'un certain M. de Courcelles. Elle consistait à imaginer que Manon n'était pas vraiment morte dans les sables de la Louisiane comme, dans son émotion, l'avait cru des Grieux ; que celui-ci, voyageant en Provence avec Tiberge, la rencontrait par hasard ; qu'il la poursuivait, la rejoignait enfin, à travers mille péripéties, et qu'elle lui faisait alors le long récit de tout ce qui lui était arrivé depuis leur séparation.

D'autre part, en 1851, Alexandre Dumas fils, grand admirateur de Manon qu'il venait de faire revivre artistiquement dans sa *Dame aux camélias*, publia en feuilleton dans *Le Pays*, puis à part sous le titre *Les Revenants*, une étrange histoire où il faisait revivre — et cette fois pour de bon, si l'on peut dire — non seulement Manon, mais aussi Paul et Virginie, les héros de Bernardin de Saint-Pierre. L'année suivante, il améliora encore son scénario dans *Le Régent Mustel*, où il entraîna les deux couples en Allemagne, précisément là où vivaient Werther et Charlotte. Un jeu vertigineux d'amours entrecroisées et de sacrifices en cascade (des Grieux aime Virginie, et se tue pour ne pas être infidèle à Manon ; celle-ci aime Paul et, pour ne pas l'enlever à Virginie, part au bout du monde où elle meurt, dans un naufrage, cependant que Charlotte, après avoir cédé à Werther, est arrêtée à Paris et déportée à La Nouvelle-Orléans...) aboutit à la conclusion suivante : les auteurs ont eu bien raison de faire mourir eux-mêmes leurs héros, car leur mort est « juste, indispensable, poétique, providentielle ».

Puisque nous sommes dans la fantaisie de l'apocryphe, nous donnons ici le texte d'une des « suites » du XVIIIe siècle, tel que l'a à son tour remanié Arsène Houssaye, d'abord chez Sartorius en 1847, puis chez Havard, dans la collection des « Romans, Contes et Nouvelles illustrés », en 1851. En le présentant, A. Houssaye faisait état de l'hypothèse suivante : des Grieux, après tout, a peut-être existé. Il serait ce « comte de P. » dans les papiers duquel ces 3e, 4e et 5e parties de son histoire sont censées avoir été retrouvées, et il les aurait lui-même écrites, avant sa mort. En enlevant ainsi à l'abbé Prévost la paternité de cette « suite », on voit quel hommage les pasticheurs rendaient à sa dynamique discursive, capable de donner à ses fictions écrites une vie réelle, à son tour consacrée à et par l'écriture.

SUITE
DE
MANON LESCAUT
ATTRIBUÉE À
L'ABBÉ PRÉVOST

Livre troisième

Dans mon chagrin, je me parle à moi-même des misères de mon cœur. Ne se console-t-on pas à force de larmes ?

À mon retour d'Amérique, mon frère me conduisit vers la tombe de mon père ; mais, le dirai-je ? sur cette tombe ce fut encore Manon, ma chère Manon, que je pleurai.

En vain mon frère et Tiberge, qui connaissaient bien toutes les faiblesses de mon pauvre cœur, tentaient de m'arracher à mes souvenirs par de graves entretiens sur l'immortalité de l'âme. Ce monde où nous sommes n'est que le commencement d'un monde plus beau, disait Tiberge ; notre cœur, là-haut, ne s'attachera plus aux biens périssables ; nous aimerons dans le ciel, mais non plus ces sirènes qui nous entraînent vers tous les dangers de la mer. Si nous aimons dans le ciel, répondais-je tristement à Tiberge, croyez-vous donc que j'oublie Manon ? La mort elle-même ne glacera point mon cœur, et je chercherai cette pauvre fille même parmi les anges.

Je vivais encore avec Manon ; son cher fantôme me suivait partout, dans les salles désertes du château, dans les détours du parc. Mon frère et Tiberge me croyaient avec eux, j'étais avec Manon. C'était elle qui me parlait, et, quand ma bouche distraite lui répondait, mon âme était toute à cette ombre adorée. J'attendais le soir avec anxiété, car, dès que la nuit répandait l'ombre autour de moi, mon imagination affaiblie croyait voir apparaître l'image tant attendue. Je tendais les bras, je sanglotais et je tombais agenouillé. La nuit, quand je cachais mes yeux tout rouges sur l'oreiller, j'espérais que le sommeil rouvrirait le passé à mon esprit. Les songes sont des comédiens qui nous jouent sans cesse nos passions dans nous-mêmes ; mais ces fidèles rapporteurs des idées de la veille ne me rappelaient que mon supplice : j'assistais une fois de plus à l'agonie de Manon, je la couvrais pieusement d'un peu de sable, et je m'éveillais pour pleurer encore. Pleurer ! je n'avais plus de larmes depuis longtemps ; mais ne pleure-t-on pas sans larmes ?

Je ne saurais dire combien de fois les songes me représentèrent Manon ensevelie sous le sable du désert. Au fond de ma douleur j'avais pourtant quelque lueur d'espérance comme au fond de l'abîme on entrevoit le ciel. Ainsi il m'arriva de rêver que la morte soulevait le sable, et que je revenais à temps pour voir se rouvrir ses beaux yeux, qui ont été sa perte comme la mienne.

Mon frère ne me parlait pas du ciel, comme faisait Tiberge, pour me détacher de ce qu'il appelait ma folie. Allons, chevalier, me disait-il, c'est assez mourir avec les morts, vivons avec les vivants. Vous êtes jeune, il y a encore des femmes sous le soleil ; ceux-là qui n'ont qu'une passion ne sont pas des hommes. J'étais indigné d'un tel langage. Oublier Manon dans les bras d'une autre ! Je ne l'oublierai, disais-je, que dans les bras de la mort. Je veux mourir.

La mer m'attirait. Un matin, je pris la poste sans avertir d'abord mon frère, non plus que Tiberge. Où allais-je ? J'allais tout droit au Havre-de-Grâce. Je ne voulais plus m'embarquer ; mais il me semblait que mes larmes seraient plus douces à répandre sur cette jetée d'où j'étais parti avec Manon, malheureux, mais vivant ; car je ne vivais plus qu'à moitié ; mon pauvre cœur avait à peine un battement çà et là. Ah ! quelle heure terrible, et pourtant douce, en la revoyant cette mer calme comme la mort où j'étais, furieuse comme la passion qui m'emportait encore ! La vague venait jusqu'à mes pieds. J'aurais voulu qu'elle m'engloutît et me portât jusqu'à ce désert où dormait Manon. Pourquoi n'étais-je pas mort avec elle ? Je m'en voulais beaucoup d'avoir manqué de courage. Mon sommeil eût été si doux là-bas, dans le silence éternel du désert ! Je lui aurais pris la main, j'aurais appuyé mon front sur son sein, et je ne me serais éveillé que dans un monde meilleur. J'étais lâchement revenu dans mon pays. Y a-t-il un pays quand on n'aime plus ?

Tout bouleversé par ma douleur, je quittai le rivage pour aller retenir ma place dans le premier vaisseau en partance pour le Nouvel-Orléans. Mais Tiberge ? mais mon frère ? Arrivé devant le capitaine, je compris que je ne devais point partir, je lui demandai quelques vagues renseignements, et je retournai sur la jetée pour pleurer encore.

Quand je reparus au château, un soir, pendant le souper, Tiberge et mon frère pâlirent comme s'ils avaient vu entrer une ombre, tant j'étais accablé.

Quelques mois se passèrent sans apporter la paix à mon cœur. J'étais si profondément malheureux que je résolus d'en finir avec la vie. La vie, en effet, ne me gardait plus rien que je pusse envier. Je n'étais pas né ambitieux, je n'ai aimé l'argent que les jours où il en fallait à Manon. Depuis sa mort la fortune m'était une odieuse inutilité. Comment aurai-je le courage de traverser la vie sans horizon qui m'attire ? Mieux vaut mourir une fois que de mourir mille fois. Voilà ce que je me disais un soir, tout pensif au bord de l'étang du parc. Je m'étais penché peu à peu comme si je dusse voir l'image de Manon dans le miroir flottant. C'est la mort, c'est Manon ! m'écriai-je en me jetant avec une sombre volupté.

Quand je revins à moi, Tiberge, pâle et défait, se promenait devant mon lit. Que s'est-il passé ? lui demandai-je sans m'inquiéter de la présence du médecin et des valets. Hélas ! me répondit Tiberge, votre frère a voulu vous sauver, mais il est mort. Mort ! dis-je avec effroi. Oui, reprit Tiberge. Ce brave garçon qui vous soulève la tête s'est jeté à l'eau trop tard : vous vous étiez si cruellement débattu contre votre sauveur que vous aviez épuisé ses forces. Il était d'ailleurs malade depuis la mort de votre père. Il vous l'a caché parce qu'il vous plaignait plus que lui-même. Ô mon Dieu ! mon Dieu ! m'écriai-je avec désespoir, c'était moi qu'il fallait frapper dans votre justice.

Tiberge me prit la main. Maintenant, me dit-il, vous vivrez pour aimer celui que vous avez tant de fois outragé. Dieu n'a pas voulu de votre mort ; vous vivrez pour expier vos fautes. Je n'écoutais pas Tiberge, je m'étais levé et je m'étais précipité vers la chambre de mon frère, repoussant le médecin qui me conjurait d'attendre que mes forces fussent revenues pour un pareil spectacle.

Oui, oui ! m'écriai-je avec angoisse, je suis indigne de la miséricorde de Dieu ! je vivrai pour souffrir ; je me condamne à traîner cette vie de douleurs comme le galérien traîne son boulet.

Mon frère mort, je devenais le comte de P... Ce ne fut pas

sans chagrin que je me séparai de ce nom si doux et si triste du chevalier des Grieux. Quelle radieuse jeunesse avait couronné ce nom d'amoureux, et, le dirai-je ? d'aventurier ! Mon premier devoir, après les funérailles de mon frère, fut de distribuer en son nom, aux pauvres du pays, un don de cinq mille écus. Consoler les autres, c'est déjà se consoler soi-même. Je passai quelques jours dans un morne accablement. Tiberge, tout à Dieu et à moi-même, cherchait à me prouver que j'avais en lui un ami et un frère à la fois. Il était si dévoué dans son amitié, qu'il allait jusqu'à me bercer de mes propres chimères. Un soir, je le suppliai de me parler de Manon.

Parlez-moi de Manon, trompez ma raison même et faites-moi croire, s'il est possible, qu'un Dieu protecteur pourra faire un miracle pour me la rendre un jour. Tiberge flatta ma faiblesse ; toute sa religion, toute sa théologie, vinrent à son secours pour me prouver que l'apparition de Manon ne lui semblait pas impossible : on ne guérit les faibles qu'avec leurs idées. Il me fit recommencer le récit de toutes les particularités de l'enterrement de Manon, pour essayer de trouver des possibilités à sa résurrection ; elle pouvait n'être qu'évanouie, me disait-il, quand vous la mîtes dans le sable. La déclaration que vous en fîtes tout de suite aura pu donner à Synnelet le temps de l'exhumer avant qu'elle fût morte. Ah ! l'interrompis-je, il l'aura donc profanée, morte ou vive, cet indigne rival ! C'est encore un tourment de plus pour un cœur aussi délicat que le mien ; j'aimerais presque autant m'arrêter à l'idée de sa mort, dans la résolution où je suis de ne pas tarder à la suivre.

Tiberge se promettait bien, quand j'aurais repris le dessus, d'employer une autre éloquence pour arracher ensuite cette belle fille de mon souvenir. Il ne m'en parlait donc plus que vaguement ; il imaginait tous les moyens possibles pour me distraire et me dissiper ; il me conseilla de quitter ces lieux remplis de deuil : il ne tarda pas à se repentir de m'avoir fait cette proposition ; car je ne l'eus pas plutôt entendue, que je l'acceptai ; mais, en formant tout de suite le projet de retourner en Amérique, je lui demandai s'il ne voudrait pas m'y accompagner. Vous m'avez représenté, lui dis-je, que Manon pourrait y vivre encore, et je me ferais toute la vie un reproche sanglant de n'avoir pas fait les dernières tentatives pour m'en assurer. Ce fut alors que Tiberge comprit qu'il était quelquefois dangereux de flatter trop nos faiblesses ; on traite un affligé comme un enfant, on ne voit pas les suites de ce qu'on lui promet pour le consoler. Il lui fallut toute l'onction possible pour me faire renoncer à cette chère espérance. Vous retournerez, me dit-il, dans des lieux que vous ne pourrez envisager qu'avec horreur, quand vous y recevrez la confirmation d'un malheur dont vous n'avez déjà que trop de preuves. Je vous trompais moi-même quand je vous laissais entrevoir là-dessus quelque espoir ; vous m'avez démontré cette catastrophe, et depuis le fidèle récit que vous m'en avez fait, j'en ai lu moi-même la conviction sur le visage de votre rival. Synnelet, quand vous fûtes arrivé au Nouvel-Orléans, fut très longtemps malade ; il a pensé mourir lui-même du chagrin de la mort de Manon ; y a-t-il rien de plus fort pour vous convaincre ? Nous nous arrêtâmes cependant à une idée qu'il me suggéra. On ne pense plus à vous, me dit-il, dans cette triste ville ; je ferai écrire par un négociant de Paris qui a de sûrs correspondants dans ces pays ; il y mettra tant de précaution que les enquêtes qu'il y fera faire ne seront point suspectes ; nous en attendrons les réponses, et dans l'intervalle je consens de tout mon cœur à aller faire avec vous le tour de l'Italie, si vous voulez entreprendre ce voyage.

Je souscrivis avec indifférence à tous ses conseils ; il ordonna les apprêts de ce grand voyage, et nous partîmes pour Paris. Tiberge eut soin de ne me pas faire séjourner longtemps dans un lieu qui avait été le théâtre de mon amour et de mes folies, mais, sur toute la route que nous parcourûmes ensuite, il me fit arrêter un peu pour visiter les églises et les paysages, les curiosités de la nature et des arts.

Nous avions passé trois mois à Lyon, et nous nous préparions à en partir, lorsqu'un jour nous promenant, Tiberge et moi, sur les remparts, nous nous vîmes assaillis par une bande d'archers qui se saisirent d'abord de mon épée, ensuite de ma personne ; Tiberge ne portait point d'armes. Il ne fut pas difficile à la multitude de s'assurer de nous et de nous entraîner scandaleusement dans la prison des criminels, avant que nos gens, qui gardaient notre carrosse à l'autre bout du rempart, pussent savoir ce que nous étions devenus ; on nous mit séparément dans des cachots, et Tiberge, qui prévoyait bien que nous étions pris pour d'autres, se livra à tout le zèle que son amitié pour moi lui faisait renouveler.

On se trompe, disait-il aux geôliers, nous ne sommes pas des coupables ; mais, si vous avez quelque pitié, empêchez que le jeune homme qu'on arrête avec moi ne puisse se livrer au désespoir : il en a de puissantes raisons.

On ne manqua pas le lendemain de me faire subir un interrogatoire ; on me demanda mon nom, mon pays ; je dis que j'étais le comte de P... Vous êtes un imposteur, me dit le juge, vous vous appelez le chevalier des Grieux. Nous savons de vos tours, mais enfin nous y mettrons bon ordre ; celui-ci sera sans doute le dernier, car la punition qu'on t'en prépare t'ôtera le désir d'en faire d'autres. Je me sentis si suffoqué, que je n'eus pas la force de répondre : peut-être était-ce l'humiliation de m'entendre tutoyer par un petit marchand en robe ? J'avouerai aussi que le souvenir d'avoir été le chevalier des Grieux me rendit confus et m'ôta la voix. Ce fut bien pis quand mon petit homme, reprenant le ton aigre : Eh ! qu'as-tu fait, me dit-il, qu'as-tu fait, malheureux, des diamants de la marquise de B... ? On ne les a pas trouvés parmi tes trésors ; elle n'y perdra rien ; car ton magot est assez considérable pour les payer ; mais qu'en as-tu fait, scélérat ? dis-le-moi tout à l'heure.

L'imagination fait bien du chemin en une minute ; je compris donc dans le même instant que ces prétendus diamants occasionnaient une méprise qu'il ne me serait pas difficile de faire éclaircir. Quant à ce qu'on pouvait reprocher au chevalier des Grieux, j'avais tout à mettre sur le compte de la jeunesse ; je n'avais que trop subi le châtiment de mes fautes ; je ne m'en embarrassai donc guère, et, prenant d'abord le ton de douceur qui me convenait, j'avouai, en écoutant battre mon cœur, que j'avais été le chevalier des Grieux. J'expliquai comment je m'appelais le comte de P... Je dis qu'on ne devait pas être étonné de ce que, devant faire le tour de l'Italie, je m'étais muni de beaucoup d'argent ; que cela aurait dû servir au contraire à me faire traiter avec plus d'égards, et à réprimer surtout des impertinences dont la suite ne sauverait pas le repentir. Le ton ferme et le regard fier dont j'accompagnai ma réponse aigrirent encore plus le personnage. Il s'éloigna en écumant de colère et en me disant qu'il me ferait bientôt pendre.

Il alla sans doute interroger Tiberge à son tour : on trouva dans nos deux réponses à peu près la même conformité. Tiberge fit la sienne avec plus de sang-froid ; les préventions n'étaient pas contre lui, il se fit écouter ; mais notre petit sénateur s'obstinait à nous trouver coupables. Il faut que je le dise à la honte de l'humanité, c'est un trophée pour ces petits messieurs les conseillers qu'un premier homme qu'ils condamnent à mort. Combien de fois n'en ai-je pas vu depuis venir d'un air important dans les foyers, une main au jabot et la tête enfoncée dans les épaules, y dire comme une merveille : *Je viens de faire pendre un homme !* Le Lyonnais aspirait apparemment à cette première prérogative, ce qui éloignait notre justification. Nous fûmes plusieurs jours sans voir personne et traités avec une extrême rigueur. Je supportais mon état en expiation de mes fautes réelles, heureux si je n'avais eu que cette occasion de me repentir d'avoir été le chevalier des Grieux.

Un matin, mes geôliers vinrent me dire qu'on me donnerait à l'avenir plus de liberté, et que j'allais voir Tiberge, à qui on avait enfin permis de venir. Ce pauvre ami, qui entra le moment d'après dans ma chambre, n'était pas reconnaissable ; il avait souffert de son côté ; il n'était pas à beaucoup près d'une constitution aussi robuste que la mienne ; il m'arracha autant de larmes de pitié que de tendresse : c'était moi qui l'avais mis en cet état ; c'était son amitié pour moi qui lui avait fait subir un sort si cruel. Nous restâmes embrassés sans pouvoir nous exprimer notre douleur. Enfin, nos soupirs et nos sanglots un peu calmés, il m'apprit ce qu'il pouvait savoir de notre aventure, et que c'était encore à ses soins courageux que nous devions l'espèce de liberté dont nous allions profiter en attendant notre entier élargissement. Il me dit qu'après plusieurs tentatives pour gagner un de ses geôliers par des offres de récompense qui ne lui avaient pas réussi, il s'était avisé de lui prêcher la morale. Chose inouïe, et qu'on aura peine à croire d'une créature aussi basse : où l'argent n'avait rien fait, l'esprit de religion devint plus puissant et vainqueur ; il est vrai que, sur ce chapitre, Tiberge était bien éloquent, et j'ai sûrement un reproche à me faire ; car, s'il ne s'était pas associé à mes malheurs, nous le verrions sans doute aujourd'hui exceller dans un genre où tant de gens échouent, et peut-être serai-je un jour comptable des âmes que je l'aurai empêché de convertir. Quoi qu'il en soit, il en séduisit une pour l'amour de Dieu, il démontra à son gardien radouci qu'il faisait un grand crime, qu'il laissait périr deux malheureux, quand il ne tenait qu'à lui de leur procurer les moyens d'établir leur innocence. Celui-ci avait donc fourni à Tiberge les moyens d'écrire au comte de L..., notre ancien camarade, et Tiberge le fit si pathétiquement que ce dernier, qui se laissait aller, comme les autres, à la force de la prévention, et qui n'avait pas osé prendre notre défense, s'intéressa si chaudement dans la suite qu'on commençait à ne nous plus regarder comme des coupables, et c'était ce qui nous avait mis un peu plus au large. Le comte de L... eut aussi la permission de nous venir voir ; il nous apprit (car il est bien temps d'apprendre aussi au lecteur le sujet de notre détention), il nous apprit que, la veille de notre emprisonnement, on avait volé à la marquise de B... pour trente mille francs de diamants, et ce jour-là même nous lui avions été faire une visite ; que les soupçons n'avaient pas d'abord tombé sur nous ; mais que M. de Vigny, jeune étourdi, s'étant trouvé le soir même à souper chez le commandant de la ville avec la marquise, il y avait été beaucoup question de cette aventure, et que ce jeune homme y avait dit que le comte de P... lui paraissait un homme suspect, qu'il l'avait connu à Paris sous le nom de chevalier des Grieux, qu'il l'avait vu en liaison avec des gens mal famés ; qu'il l'avait vu tantôt superbe et tantôt sans habit ; que l'air d'opulence soutenu d'un nom emprunté, l'association d'un abbé, le prétexte de voyager pour dissiper des chagrins, sans être adressé aux supérieurs d'une ville, que tout cela sentait terriblement son aventurier ; que le comte de P... ayant été chez la marquise, le jour même du vol, avec son prestolet, il ne faisait aucun doute que ces messieurs n'eussent enlevé l'écrin, et que, s'il était à la place de la marquise, il en ferait informer. Le comte de L... ajouta que la marquise avait suivi son conseil, qui s'était trouvé unanime dans l'assemblée ; que le lendemain elle avait porté plainte et obtenu un décret pour nous faire arrêter ; qu'on avait été le moment d'après faire la visite de tous nos effets, qui avaient été portés au greffe avec notre argent comptant, qui se montait à quinze cents louis ; que les domestiques de louage que nous avions pris, étant connus depuis longtemps dans Lyon pour d'honnêtes gens, on les avait congédiés sur notre argent, avec ordre de se représenter ; que, dans l'intervalle, on avait écrit à M. le lieutenant de police de Paris ; qu'on avait trouvé des notes très analogues à ce préjugé sur les registres de la police, et que toute la ville était très convaincue que nous avions fait le larcin ; qu'on nous regardait comme des gens bien déterminés, parce que nous ne nous coupions dans aucune de nos réponses ; qu'en un mot, on augurait fort mal de nos affaires. Il ajouta que la quantité d'argent qu'on nous avait trouvée faisait croire que ce n'était pas notre coup d'essai ; qu'enfin, quand il avait voulu s'intéresser pour nous sur la lettre de Tiberge, il avait trouvé tous les esprits révoltés, et qu'il avait eu toutes les peines du monde à dissuader les juges.

Nous n'eûmes pas de peine à le confirmer dans les bons sentiments que la lettre de Tiberge lui avait fait prendre ; je lui racontai une grande partie de mes aventures. Il nous quitta en nous promettant qu'il allait demander notre liberté sur sa caution.

Mais à peine fut-il parti qu'on vint nous annoncer le juge lui-même, qui venait de recevoir avis du prévôt de Roanne qu'un homme qu'il avait fait exécuter la veille pour assassinat avait déposé, avant d'expirer sur la roue, que c'était lui qui avait commis le vol des diamants de la marquise de B... et que c'était injustement qu'on retenait deux honnêtes gens dans les prisons de Lyon ; qu'il ne les avait jamais vus ni connus. Le jeune conseiller nous tourna le dos après cette courte harangue, sans me donner le temps de lui répondre. Je voulais profiter de la liberté qui m'était rendue pour lui demander une justice plus ample ; Tiberge me fit ressouvenir que les mauvais témoignages qu'avait donnés de moi le lieutenant de police de Paris nous éloigneraient de toute sorte de satisfaction ; que le plus court parti, quoiqu'il fût bien dur, était d'aller redemander nos effets et notre argent, et de sortir d'une ville où nous venions d'éprouver innocemment une si cruelle disgrâce.

Nous arrivâmes un matin à Valence. Le premier jour, Tiberge affecta beaucoup de lassitude pour avoir un prétexte de repos ; mais il passa toute la nuit à faire des dépêches. Pendant son voyage de l'Amérique et depuis son retour, il n'avait guère pu cultiver ses parents ni ses amis ; il fut obligé d'entrer dans des détails très longs sur le sujet de notre voyage, sur l'accident auquel nous avait déjà exposés notre imprudence, pour déterminer un ministre à qui il s'adressait et des gens de la première distinction à nous envoyer à Avignon des lettres. Il ne fut pas moins embarrassé pour réparer le tort qu'on avait fait à notre bourse ; cependant (il ne s'était point couché) tout était prêt quand je me levai : il avait même eu le soin de faire les lettres qu'il fallait que je signasse pour les banquiers ; car, quant aux amis, je n'en devais pas compter parmi mes anciennes connaissances, et je n'avais eu le temps ni le désir d'en faire depuis ma nouvelle fortune ; nos lettres partirent de Valence pour Paris tandis que nous montions en chaise pour Avignon, où nous devions attendre les réponses. Nous ne pûmes y aller ce second jour ; un petit désordre arrivé à notre voiture nous obligea même de séjourner vingt-quatre heures dans un petit endroit par-delà l'Isère, dont j'ai oublié le nom. Tiberge voulait que nous mangeassions aux tables d'hôte partout où nous nous arrêtions : c'était toujours un objet de dissipation, et mon ami ne laissait rien passer de ce qui pouvait me distraire ; mais Tiberge, avec de si bonnes intentions, me menait toujours comme par la main à ce qu'il eût voulu me faire éviter. On distinguera cette fatalité plusieurs fois dans la suite.

Deux marchands qui allaient à Beaucaire, un financier de Paris qui venait de faire une banqueroute considérable, à ce que nous sûmes dans la suite, et qui changeait de boîtes d'or à chaque prise de tabac qu'il prenait, un jeune officier provençal en plus mince équipage que les gens de ce pays n'ont coutume de retourner chez eux, et un prieur de bénédictins qui allait à Rome, voilà ce qui composait notre dîner. Le bénédictin, qui marchait à petites journées pour ne pas trop fatiguer sa grosse révérence, demanda des nouvelles à ceux qui étaient en poste ; l'officier, qui venait de Paris, qui avait suivi, à franc étrier, la chaise du financier depuis Dijon, et qui commençait à se familiariser avec son compagnon de route, s'offrit à raconter ce qu'il savait de nouveau : il débuta par une critique sur le ministère, déshonora beaucoup de femmes de la cour, fit l'énumération de toutes ses bonnes fortunes, rapporta mille tours d'escroquerie qui passaient, disait-il, pour des gentillesses dans cette grande ville de Paris ; il s'appesantissait sur les portraits de tous ceux qui avaient causé son désastre à lui-même. Paris fourmille, continua-t-il, de ces jolis messieurs qui croient que le bien des sots est le patrimoine des gens d'esprit ; mais le plus délié de tous est le sieur Turcuing, fameux traitant qui, la veille de mon départ, a emporté un petit capital de dix millions que d'honnêtes usuriers lui avaient confié pour leur faire valoir un peu plus que l'intérêt ordinaire. Cela est fort bien employé ; j'aime, dans toutes les professions, les gens qui enchérissent ; tromper les fins, c'est être digne de jouer : j'affectionne le personnage, et, Dieu me damne ! mon camarade, ajouta-t-il au financier en lui versant une rasade, vous avez assez l'air d'être un millionnaire, je voudrais que ce fût vous qui eussiez fait le coup et que vous voulussiez me donner le quart de la pacotille ; nous boirions de bon cœur à la santé des imbéciles qui payeraient nos futurs plaisirs.

Le narrateur ne croyait pas vraisemblablement si bien rencontrer, et, si le financier eût été homme à se déconcerter, la moindre rougeur nous l'eût décelé sur l'heure ; mais ces gens-là n'emportent pas des millions pour en rougir. Le financier prit la chose sur le même ton de plaisanterie. J'ai autant l'air, dit-il, d'un traitant qui fait banqueroute, que vous avez l'air d'un Provençal qui s'est laissé détrousser par des Parisiens : si la chose est vraie, pour votre honneur vous ne deviez pas le dire ; on sait depuis longtemps que les gens de votre pays ne vont à Paris qu'avec des intentions et des dispositions contraires. Ah ! j'aime qu'on me riposte, repartit l'officier, vous me mettez à mon aise, et, sur ce pied-là, vous me permettrez de faire tout haut le calcul que je faisais tout bas. Attendez. Si je ne me trompe, je suis parti de Paris le 17, mon traitant en était parti le 16 ; je me suis mis dans la brouette du courrier, nous avons couru le jour et la nuit jusqu'à Dijon, je puis bien avoir gagné sur vous vingt-quatre heures ; j'ai quitté la brouette qui me rouait pour suivre votre chaise : allons, je n'en veux pas davantage, vous êtes mon homme, la chose est claire ; quand partageons-nous ? Les voyageurs se mirent à rire, la scène dura encore quelques instants ; je la rapporte, quoiqu'elle me soit étrangère, parce que ce qui va suivre et qui va me regarder fait exactement le pendant de l'histoire du financier, duquel, d'ailleurs, j'aurai à parler dans la suite. Je n'avais, d'un autre côté, prêté mon attention au discoureur que parce que, depuis le commencement du dîner, je le fixais comme quelqu'un que j'avais vu ailleurs.

Le père prieur, continua-t-il, a demandé des nouvelles, donnons-lui celle de Lyon ; le maître de poste nous a assuré, en nous faisant souper, qu'elle était toute fraîche, la voici : « *Deux fameux coquins, contrefaisant les gens de qualité, se sont introduits à Lyon dans toutes les bonnes maisons.* »

Je n'y pus tenir, je mis l'épée à la main et j'allais m'élancer sur lui comme un furieux pour la lui plonger dans le sein, quand Tiberge, faisant un mouvement pour m'arrêter, donna le temps à l'officier de se mettre en défense ; j'écartai violemment Tiberge de la main gauche et je fondis sur mon ennemi avec toute la rage qu'il devait m'inspirer. Nous ne nous croisâmes pas longtemps ; le premier coup que je lui portai l'étendit sur le carreau.

Rien n'égala le vacarme que cette scène produisit ; nous n'entendions autour de nous que des cris furieux : Au meurtre ! à l'assassin ! au voleur ! Les domestiques s'armaient déjà dans les cuisines ; Tiberge me saisit par le bras, et, profitant du moment de trouble qui régnait dans toute la maison, m'entraîna par une porte qui donnait sur le chemin, me dit qu'il était important que nous ne fussions pas arrêtés dans ce petit endroit, que nous étions sur les terres du pape, mais qu'il n'y avait que trois quarts de lieue à faire pour retourner sur les terres de France, qu'il fallait fuir à pied de toutes nos forces, en laissant là tous nos équipages. En effet, nous fîmes grande diligence ; en moins d'une demi-heure nous repassâmes l'Isère et nous nous trouvâmes en sûreté.

J'étais trop agité pour deviner ce que Tiberge se proposait ; je lui demandai ce qu'il comptait que nous allions devenir ; il me proposa d'entrer dans un petit bois qui se trouvait sur notre gauche pour nous y délasser et prendre conseil. Nous nous y enfonçâmes et nous nous assîmes sur l'herbe.

Ô Providence ! m'écriai-je, n'êtes-vous pas lasse de me poursuivre ? Les crimes que vous avez à me reprocher méritent-ils tant de rigueur, et Tiberge, qui est toute vertu, vous a-t-il offensé pour que les mêmes coups rejaillissent sur sa tête en tombant sur la mienne ? Nous avons tous péché contre elle, me répondit mon ami : je remets à d'autres temps à vous apprendre les reproches qu'elle aurait à me faire ; mais ce qui nous presse le plus, c'est de prendre un parti dans la circonstance présente. Ah ! finissons, lui dis-je, cher ami, ou plutôt laissez-moi finir ; je suis un malheureux que le sort accable et qu'il accablera toujours ; cessez de vous associer à mes peines, retournez dans votre famille, allez éclairer l'univers. S'il était possible qu'une âme comme la vôtre sentît les plus légers remords, vous expieriez plus de fautes par le bien que vous pouvez procurer au reste du monde que par votre persévérance à secourir un seul homme que le ciel s'obstine à persécuter. Considérez mon état : privé cruellement de tout ce qui me rendait la vie supportable (car la privation de Manon me paraissait toujours ma plus grande misère) ; soupçonné d'être un voleur de grands chemins et menacé de ne pouvoir jamais effacer ces soupçons ; coupable de la mort d'un homme, mort forcée, qu'on fera passer pour un meurtre ; obligé de me sauver comme un assassin ; proscrit, sans doute, et fugitif comme eux dans le fond des bois : non, Tiberge, je ne suis pas capable de résister à tant de chagrins à la fois !

Disant ces mots je regardai mon épée.

Que faites-vous ? me dit-il ; vous irritez de nouveau cette Providence à qui, tout à l'heure, vous aviez recours de si bonne foi. Expliquez-moi donc, Tiberge, lui répondis-je, comment je peux irriter la Providence en lui rendant ma vie ; l'avais-je demandée à Dieu ? Il me l'a donnée sans me consulter, suis-je l'auteur de la passion qui s'est trouvée chez moi la plus forte, qui a dirigé par son pouvoir suprême toutes les actions de ma vie, et, si j'en ressens aujourd'hui les malheureuses suites sans pouvoir vaincre cette passion toujours triomphante, dites-moi donc comment je fais un crime en voulant en anéantir le principe ?

Tiberge ne manqua pas d'arguments pour détruire mon sophisme.

Le soir même, ayant appris que l'officier n'était pas mortellement atteint, j'allai à lui. Il fut le premier à me demander pardon. On lui avait dit la vérité sur notre compte ; il pensait d'ailleurs que celui qui savait si bien manier l'épée était un bon gentiihomme et non un obscur coquin. Deux hommes qui se sont noblement battus sont presque deux amis. L'officier, après m'avoir pressé la main, me raconta son histoire en peu de mots. Il avait joué à Paris ; il avait perdu sa petite fortune au pharaon, à cet hôtel de Transylvanie où, grâce à mes longues manchettes, j'escamotais si lestement les cartes. Dévorant ma honte, je n'eus pas un mot à dire. Je ne quittai ce pauvre garçon qu'après m'être assuré de le retrouver et de pouvoir lui faire tenir, non seulement ce qu'il avait perdu, mais encore les intérêts de la somme.

La justice du pape se rendit fort coupable envers moi : je ne pus jamais ravoir mes effets, chacun de ces petits juges s'en était approprié une partie ; on me fit cent chicanes pour garder le tout. Je ne regrettai que ma voiture ; nous nous traînâmes enfin, comme nous pûmes, à Avignon.

Nous allâmes d'abord jusqu'à Avignon sans distraction ; nous rendîmes nos devoirs au vice-légat. Tiberge voulut que je me répandisse dans tous les cercles de cette ville, qui est remplie de la meilleure compagnie du monde. Tiberge ne prévoyait pas le triste plaisir qui devait me retenir à Avignon. On nous mena voir la fameuse fontaine de Vaucluse dont tant d'auteurs ont fait la description. Tout le monde sait qu'elle est célèbre par le tombeau de la belle Laure, par les amours et les poésies de Pétrarque. Je trouvai ce lieu si propre à entretenir mes amoureux soucis, que je n'en voulais plus sortir ; j'y relisais sans cesse ce tendre poème. Oh ! Pétrarque, disais-je quelquefois, tu n'as pas tout dit ! j'ai senti plusieurs fois dans mon âme des ivresses et des déchirements dont je ne vois point la vive peinture dans tes tableaux ; il te fallait mon cœur avec ton esprit, ou il aurait fallu, sans doute, que Manon eût été ta Laure !

Tiberge s'apercevant qu'au milieu des agréments multipliés que nous offrait la ville d'Avignon, je redoublais de mélancolie, ne fut pas longtemps à en pénétrer le motif ; il fit tous ses efforts pour m'arracher de ce lieu où je m'enivrais de tristesse ; mais rien n'était capable de m'en faire partir. Tiberge, si vous avez de l'amitié pour moi, laissez-moi y terminer ma vie ; je ne ferai plus rien contre elle ; Dieu peut-il s'offenser que je me choisisse moi-même une sépulture ! Eh quoi ! lui disais-je, ces chers amants, Laure et Pétrarque, ont pensé, ont agi comme moi ; ils ont tout sacrifié à une passion qui les a immortalisés ; ils vivent encore et sont respectés dans la mémoire de tout le monde ! leur créateur seul pourrait-il les condamner ? Vous blasphémez sans le savoir, me répondit Tiberge ; la force de votre passion vous entraîne, et c'est d'abord un crime de ne vous laisser guider que par elle. Pouvez-vous pénétrer les décrets de cette sage Providence ? savez-vous si ces âmes molles ne sont pas punies chaque jour de la gloire même que leur accorde un monde voluptueux et profane ? L'air pernicieux qu'exhale encore leur tombe, et que viennent ici respirer chaque jour ceux qui sont assez faibles pour suivre leur dangereux exemple, est chaque jour un nouveau crime pour eux, dont ils sont responsables. Et savez-vous si cette même Providence n'a pas permis les crimes de ceux-là pour la gloire de ceux qui savent résister ?

Que parlez-vous de crime ? répondis-je à Tiberge ; je vois bien que vous n'avez pas lu Pétrarque, vous auriez vu la pudeur régner sans cesse et servir de modèle dans les ouvrages de ce poète ! Eh bien ! reprit vivement Tiberge, ne comparez donc plus Laure à Manon. Si la première était innocente, l'autre a vécu coupable : elle est morte dans le crime. Ah ! m'écriai-je, cruel ami, qu'oses-tu me rappeler ? Mes genoux tremblants se dérobèrent, je tombai sur les marches du tombeau et je m'y évanouis.

Tiberge me proposa un matin une promenade hors la ville dans notre voiture ordinaire. Il avait fait baisser le rideau sur le devant, sous prétexte de nous garantir du soleil ; il anima notre conversation pour détourner mon attention de ce qui allait se passer ; il me peignait sans cesse les regrets que lui causait l'état où il m'avait mis, et, dans le moment où il m'exprimait tout son repentir, le carrosse s'était arrêté et on y avait attelé six chevaux de poste sans que je m'en fusse aperçu ; nous étions peut-être à une demi-lieue de la ville, je commençai à remarquer tout d'un coup le redoublement de notre marche. — Apparemment, dit Tiberge, que le cocher appréhende quelque orage, puisqu'il nous fait regagner la ville si vite. Je continuai à lui parler sans m'inquiéter davantage ; cependant, arrivés à la première poste, il ne put m'empêcher de voir qu'on changeait de chevaux.

Il se jeta à mes genoux, dans le carrosse même, en me demandant pardon de la supercherie qu'il venait de me faire. Je n'avais pas deux partis à prendre : Mon ami, me dit-il, il fallait que je vous enlevasse de cette ville fatale, ou que je vous y visse mourir.

Quelque étonné que je fusse de son entreprise et quelque regret que je donnasse à la perte d'un séjour qui avait paru si doux aux tristesses de mon âme, je sentis une petite satisfaction de voir Tiberge réduit à ma façon de penser. Est-ce l'amour-propre qui s'avise d'être, par intervalle, plus fort chez nous que les grandes passions ? Quoi ! ce philosophe si hérissé, me disais-je, cède donc à la puissance de mes arguments ! Je me plus à le fortifier dans ces idées, et nous en raisonnions pendant que la voiture faisait la plus grande diligence : nous nous vîmes aux portes d'Aix sans que j'eusse pu lui faire le moindre reproche sur mon enlèvement.

Dès le lendemain, nous prîmes le chemin de Marseille.

Sur le point d'arriver, Tiberge me parla de Dieu : Vous croyez, me dit-il, que je suis encore emmailloté dans les langes du préjugé ; mais je me souviens qu'un de nos régents m'a dit dans ma grande jeunesse que, la première fois de sa vie qu'on entrait dans une église, si on demandait une grâce à Dieu, et qu'on la lui demandât avec cette onction attendrissante qui sait si bien le toucher, ce Dieu de paix était toujours disposé à nous l'accorder. Permettez-moi de faire arrêter la voiture devant la première demeure de ce suprême bienfaiteur qui se trouvera sur notre passage quand nous serons entrés dans Marseille ; et promettez-moi que vous lui demanderez sincèrement la grâce de chasser l'infortunée Manon de votre souvenir ; car, enfin, si vous pouviez l'oublier, cette tendresse inutile que vous conservez pour elle et qui vous consume s'anéantirait par degrés, et vous jouiriez d'un calme suffisant pour sentir qui vous l'a procuré, et pour remercier l'auteur d'une tranquillité si désirable : je ferai les mêmes vœux de mon côté.

Je consentis de bon cœur à ce que me proposait Tiberge,

et je trouvai moi-même une joie intérieure à me livrer à ce conseil. Nous prévînmes les postillons du dernier relais, et ce fut moi le premier qui, après avoir traversé quelques rues de la ville, criai d'arrêter là où je voyais plusieurs carrosses assemblés devant une petite église.

Je sautai, plutôt que je ne descendis, de la voiture. Mes entrailles, dis-je à Tiberge, commencent à s'agiter, ce Dieu que je vais implorer commence-t-il à me répondre ? Je l'embrassai devant tout le monde avant d'entrer : il remarqua sur mon visage une joie qu'il n'y avait pas vue régner depuis longtemps ; il se félicitait déjà de toute son âme de m'avoir si bien pénétré. Nous entrâmes ; l'église était presque inabordable ; nous nous prosternâmes, et je fis la prière la plus ardente du plus profond de mon cœur.

Après nous être relevés, nous demandâmes dans quelle église nous étions, quelle fête on y allait célébrer, pourquoi, en un mot, nous y apercevions tant de monde pour un jour ordinaire ? Un suisse vint à nous, nous reconnaissant pour des étrangers, et, au lieu de nous répondre, il nous offrit de nous conduire au premier rang pour voir la cérémonie. Nous le suivîmes avec une vague curiosité. Quand nous fûmes arrivés à la grille du chœur, nous reconnûmes que nous étions dans un couvent de filles. Le suisse nous dit alors que nous allions assister au spectacle d'une religieuse qui devait prononcer ses vœux.

C'était comme un jour de fête dans toute l'église. Les religieuses elles-mêmes semblaient réveillées à la vie par cette solennité. Les plus courbées par la prière, les plus près du ciel par l'extase, levaient la tête tout enivrées par le bruit et par le mouvement, par l'éclat des cierges et par le chant de l'orgue, car on sait que, le plus souvent, ces pauvres filles, qui ne vivent qu'en compagnie de la mort, n'ont pas même les pompes du catholicisme pour soutenir leur ferveur. Elles prient Dieu dans l'ombre et le silence du tombeau.

Cependant la religieuse, qui allait mourir pour revivre en Dieu, s'avançait lentement à l'autel, conduite par ses sœurs. Voyez, me dit Tiberge, ce sont les joies du ciel qui passent devant vous.

À cet instant, la religieuse soulève son voile pour prononcer tout haut les expressions de son sacrifice. — Mon Dieu ! m'écriai-je en me précipitant contre la grille avec la douleur d'un lion qui se voit enfermé, c'est Manon. Arrêtez !...

N'écoutez pas son serment... Manon ! Manon, ne m'entends-tu donc pas ?

La jeune religieuse, pâle comme la mort, quoiqu'elle fût toute au ciel déjà par la pensée, sembla se rappeler un songe et tourna ses beaux yeux vers moi.

Manon, car c'était elle, avait reconnu ma voix. Dès qu'elle reconnut ma figure, elle s'évanouit.

Le scandale que je venais de donner à l'assemblée attira sur moi tous les regards ; on fit plus, car le suisse, qui nous avait amenés si officieusement, vint me dire avec brutalité de sortir de l'église ; tout le monde quitta sa place pour m'entourer : je ne pouvais plus proférer une seule parole, mais je me saisis des barreaux de la grille ; je regardais Manon sans vouloir écouter personne. Je voyais cette fille adorée, je ne pouvais douter que ce ne fût elle-même, je la retrouvais tout à la fois morte et vivante ; j'ouvrais la bouche pour l'appeler, et, semblable à celui qui se réveille à demi, qui se croit poursuivi par son ennemi le plus cruel et qui ne peut appeler du secours, je faisais de vains efforts pour faire éclater mon cœur. Je vis emporter Manon, qu'on ne pouvait faire revenir à elle. Une religieuse vint avertir que la cérémonie serait remise à un autre jour. Je fus contraint de sortir avec un convoi de curieux que Tiberge avait bien de la peine à comprimer. Enfin il m'entraîna à notre carrosse.

Vous l'avez vue, dis-je à Tiberge quand je pus lui parler, me blâmerez-vous encore d'adorer tant de charmes ? Mais... où suis-je ? Manon ! ma chère maîtresse !... Qui l'a conduite là ? Comment pourrai-je la voir ? Où me menez-vous ? Pourquoi m'arrachez-vous d'un lieu qui renferme tout ce que j'aime ?

Je lui fis tant de questions de ce genre à la fois, qu'il eût été bien difficile de me répondre. Je le regardai et le trouvai enseveli dans une profonde méditation sur tout ce qu'il venait de voir et d'entendre. Il ne savait ce que tout cela voulait dire ; il crut que mon cerveau venait de se déranger et que je perdais la raison. C'était encore l'excès de son zèle qui m'avait fait faire cette prétendue extravagance ; mais pouvait-il se reprocher ce qu'il avait employé peu d'heures auparavant dans la vue de me guérir ? Il était confondu, il ne me répondit pas un seul mot jusqu'à l'auberge où nos postillons nous descendirent.

On nous fit entrer dans une salle au rez-de-chaussée, tandis que nos valets montaient nos équipages à l'appartement qu'on nous destinait. Tiberge, gardant toujours son même silence, se jeta dans un fauteuil en couvrant son front de sa main droite. J'allai lui sauter au cou avec transport : Félicitez-moi donc, cher ami, lui dis-je, d'avoir retrouvé ce que j'adore. C'est encore à vos sages conseils que je dois ce dernier bienfait : oui, c'est ce Dieu que vous m'avez dit d'implorer qui me la rend. Ô Seigneur ! ce moment de plaisir me pénètre de toute votre puissance ! Vous pouvez créer des millions d'âmes, mais vous ne pouviez vous montrer plus grand à mes yeux qu'en opérant un miracle si doux à mon cœur. Je continuai : Mais pourquoi donc, Tiberge, ne partagez-vous point ma joie ? Pourquoi ce silence obstiné sur un ami dont vous faites le bonheur ? Car enfin Manon m'est rendue, je ne sais quelles raisons l'obligent à prendre le parti du cloître ; mais elles ne peuvent que me la représenter fidèle ! Elle ne l'a point achevé ce sacrifice fatal qui achevait mon malheur ! Elle m'a vu, elle m'a reconnu, puisqu'elle s'est évanouie...

Je quittai Tiberge avec précipitation pour courir hors de la chambre ; j'appelai celui de mes gens que je connaissais le plus alerte. Va-t'en, lui dis-je, cours au couvent ; demande comment se porte la novice ! Voilà ma bourse, elle est à toi si tu reviens au plus vite.

Je rentrai. Tiberge, qui ne s'était point levé de son fauteuil, et qui m'avait vu le quitter comme un écervelé au milieu d'un discours assez suivi, sans deviner ce que j'allais faire, et qui me vit rentrer quelques moments après avec l'air d'inquiétude que cette réflexion sur la santé de Manon venait de me donner, ne douta plus que le passage de l'extrême joie à cet air pensif ne provînt de mes différents accès de folie ; il me regardait avec des yeux où l'étonnement, la douleur, l'incertitude, l'effroi et le repentir se peignaient tour à tour et tout ensemble. Il avait le dos tourné à la porte ; le domestique rentra tout essoufflé, pouvant à peine proférer d'une voix basse : *Fort bien*, en accompagnant ces deux mots d'un signe de tête. Tout cela se fit sentir à mon cœur sans que Tiberge pût le voir ni l'entendre ; je sautai tout d'un coup de dessus ma chaise, et, plein de l'allégresse que me causait cette chère nouvelle, j'allai encore une fois embrasser Tiberge, qui, pour le coup, croyait qu'il faudrait bientôt me faire attacher. Mais qu'as-tu ? lui dis-je, es-tu devenu fou ? Tu me regardes d'un air égaré et interdit : tu m'aimes, j'ai retrouvé Manon, et tu ne me dis rien ! Oui, me répondit-il enfin, oui, mon cher comte, j'ai perdu l'esprit, ou vous ne jouissez pas de tout le vôtre ; car je ne comprends rien à tout ce que j'ai vu depuis une demi-heure, et j'attendais que vous fussiez revenu de tout votre désordre pour vous répondre. Eh bien ! vous avez vu une fille qui ressemble à Manon, et, vous figurant tout à coup que c'est elle, vous vous livrez d'abord à l'imprudence, ensuite à la joie ; l'inquiétude lui succède, et la joie reprend le dessus à son tour : voilà pourtant le rôle que vous jouez depuis notre arrivée, et vous voulez que je sois de moitié dans vos égarements ! Reconnaissez votre erreur. Reconnais toi-même la tienne, lui répondis-je ; c'est Manon, c'est elle-même ; mon cœur ni le sien n'ont pu se méprendre. Ne s'est-elle pas évanouie ? Une fille indifférente et qui ne m'aurait pas reconnu n'eût pris d'intérêt qu'au vœu qu'elle avait à prononcer. C'est elle, je te le jure ; il ne s'agit plus de m'opposer tes doutes : il faut employer le temps qui nous reste ; j'ai déjà su qu'elle était hors de danger, je saurai bientôt par elle-même quelle main l'a tirée du tombeau. Mais, mon ami, que faut-il faire pour la revoir ? lui écrirai-je ? irai-je la voir ? Si les religieuses ne veulent pas me la laisser approcher, emploierai-je la force, la protection ou l'adresse ? Nous sommes ici bien recommandés, je vais porter mes lettres à l'évêque, je lui dirai d'interposer son autorité pour tout suspendre. Je reverrai Manon ! elle m'aimera ! je passerai le reste de mes jours avec elle ; je mettrai ma fortune à ses pieds ; elle est toujours belle ; elle vient de donner la plus grande marque de sagesse. Ah ! tu n'es pas fait pour concevoir toute ma joie.

Tiberge se rappelait tout ce qui s'était passé, il ne voyait rien dans mon discours qui sentît le dérangement, si ce n'est la réalité de Manon, qu'il croyait impossible. Comment avez-vous su, me dit-il, qu'elle se porte mieux ? Je fis rentrer le domestique, qui, s'étant un peu reposé de sa course, nous rapporta avec plus de sang-froid que la novice, qui s'était trouvée mal, se portait beaucoup mieux ; qu'il avait demandé à une tourière son nom et qu'elle s'appelait mademoiselle Lescaut ; qu'il n'avait pas fait d'autres questions, parce que je lui avais dit de faire la plus grande diligence.

Eh bien ! dis-je à Tiberge, en croiras-tu ce garçon plus que mon cœur et mes yeux ?

Qu'on se représente un homme raisonnable qui ne croit point aux revenants, et à qui on dit qu'on a vu vivante la même personne qu'on lui avait dit avoir enterrée soi-même. Qu'on se représente un bon ecclésiastique pénétré de tous les mystères du christianisme qui, après avoir fait tous les efforts possibles pour chasser du cœur de son ami une passion qu'il a crue contraire à son salut, va se trouver dans l'obligation peut-être de la servir lui-même, si la rencontre ne tient point du prestige ; qu'on se représente le modèle des vrais amis, qui a abandonné sa famille, son pays, son état, qui s'est associé aux malheurs d'un homme pour lui conserver son honneur et contribuer à sa tranquillité, et qui va peut-être être réduit à lui laisser faire, pour dernière ressource, ce que les gens du monde appellent un mariage de fou, s'il ne veut pas le laisser vivre dans le crime ; plus on voudra songer à tout cela de sang-froid, plus on trouvera que la situation de Tiberge était terrible.

Je fis toutes les tentatives imaginables pour voir ma chère maîtresse ; on me ferma tous les parloirs. Qu'on juge de ma douleur quand j'appris que c'était Manon elle-même qui refusait de se présenter à ma vue ! que pouvais je penser de cette étrange résolution ? Pouvais-je me croire indigne de ses regards ? On a dû voir, par tout ce que j'ai rapporté, que je méritais plus que jamais sa tendresse : a-t-elle pu douter que je n'aie arrosé son tombeau de mes pleurs ? que dis-je ? Manon a pensé que je lui devais plus que des pleurs, sans doute ; mais, si je m'étais déchiré le cœur pour la suivre dans la nuit éternelle, elle a dû réfléchir depuis qu'étant rappelée à la lumière, elle m'en aurait vu privé pour toujours, et elle a dû me justifier. Manon se repentirait-elle de m'avoir aimé ? Aurait-elle horreur de sa vie passée ? En serait-elle touchée au point de me sacrifier à son salut ? Mais j'aurais donc été moi-même l'artisan de mon malheur en la rappelant aux sentiments chrétiens que je lui inspirais dans notre dernier asile ; et ce serait là comme le ciel récompenserait des intentions si pures, lui qui s'est appliqué à punir si sévèrement mes fautes ! Non, grand Dieu ! je ferais tort à ta justice si je persistais dans cette idée. La prière et les mortifications peuvent bien réparer ses fautes, mais notre union approuvée les efface ; elle peut reprendre aujourd'hui toute sa vertu. Dieu peut-il se refuser à des inspirations si justes ? Non, Manon a sûrement d'autres motifs. Cependant elle a vécu parmi les morts, du moins a-t-elle été mise comme eux sous la terre ! Elle a peut-être retrouvé la vie, quand elle était encore couverte du sable que j'avais mis sur elle ! À combien de réflexions cruelles n'a-t-elle pas dû se livrer en cet état ? À quels vœux n'a-t-elle pas dû s'engager pour sortir de l'affreuse situation où elle se trouvait ? Le ciel l'a secourue ; elle remplit ses engagements : son zèle l'emporte sur son amour ; mais mon amour l'emporte sur le sien. Ah ! Manon, tu ne m'aimes pas comme je t'aime. Je ne te retrouve donc que pour être assuré de ta perte... Je te saurai vivante, et tu ne vivras pas pour moi...

C'est ainsi que j'extravaguais en cherchant à approfondir les raisons qui forçaient Manon à refuser de me voir. Je lui écrivis les lettres les plus tendres et les plus désespérées ; elle ne voulait pas seulement les recevoir, on me les rendait cachetées. Si le lecteur s'est intéressé à mon amour, s'il s'est mis quelquefois à ma place, il se peindra mieux l'effroi de ma situation que je ne pourrais le lui rendre. J'essayai tout, je mis tout en usage ; j'intéressai enfin, par le récit de mes aventures, l'évêque même de Marseille, prélat respectable par sa piété sans exemple ; il eut la bonté de donner ses ordres pour faire suspendre les vœux de la demoiselle Lescaut, et il poussa pour moi la complaisance jusqu'à me promettre de la voir et de lui parler de moi.

J'avais bien senti que ce n'était pas à Tiberge à agir dans cette conjoncture, et je n'avais pas voulu là-dessus mettre sa délicatesse à l'épreuve ; était-ce à lui, était-ce à sa piété à faire des efforts pour détourner une fille d'une action sainte, quelque légitime qu'en eût pu devenir le motif ! Cependant, quand je vis que l'évêque m'avait donné sa parole d'aller voir Manon le lendemain, je me crus autorisé à supplier mon ami d'y aller le jour même, tant j'avais peur de perdre l'instant de lui faire parler de moi ; je l'en priai avec cette chaleur qui pouvait tout sur le cœur de ce véritable ami. Il alla se présenter à la porte : il osa même s'annoncer de la part de l'évêque. On dit à Manon qu'un ecclésiastique, envoyé de la part de monseigneur, avait deux mots à lui dire ; elle vint au parloir.

Tiberge m'a avoué depuis qu'à son aspect il s'était vivement troublé ; cependant il s'était remis après avoir tourné avec son adresse ordinaire ce qu'il avait à lui dire. Il me rapporta qu'en prononçant mon nom, Manon était devenue furieuse ; qu'elle m'avait traité d'ingrat, de parjure, d'infidèle, et qu'elle l'avait quitté avec toutes les marques de l'indignation et de la colère.

On croit que je m'attristai de cette réponse ; au contraire, un autre passé et un autre avenir se peignirent à mes esprits, je poussai un grand soupir comme quelqu'un qui est prêt à succomber sous l'effort d'un grand fardeau et qui en est tout d'un coup dégagé. En effet, j'entrevis que Manon était trompée, puisque je n'étais sûrement ni parjure, ni ingrat, ni infidèle. J'entrevis qu'il m'allait être fort aisé de la désabuser ; je sentis que le sacrifice qu'elle avait déjà fait était moins l'effet de la grâce que l'ouvrage du dépit ; que, par grandeur de sentiments, elle aimait mieux faire son tombeau d'un cloître que d'imiter par vengeance dans le monde l'inconstance dont elle me croyait coupable. Je me flattai que, son erreur seule s'opposant à mon bonheur, il me serait aussi facile d'être heureux qu'il me l'était de la désabuser ; que je la posséderais enfin quand elle me croirait innocent. Je passai toute la nuit dans ces espérances menteuses.

Le lendemain, l'évêque me fit dire qu'il avait été au couvent et qu'il n'y avait plus trouvé personne. Manon, craignant les puissances qui s'étaient déjà mêlées de son affaire, et ayant appris par Tiberge qu'il n'était que l'avant-coureur de l'évêque qui devait l'aller voir, craignit d'être la victime de l'autorité, et, voulant sérieusement exécuter son projet, elle jugea que la ville de Marseille ne lui laisserait jamais la facilité de le remplir. Elle prit sur-le-champ toutes ses mesures, elle fit avertir les personnes qui lui prêtaient leur secours de venir la chercher le jour même que Tiberge lui avait fait sa visite, et la nuit elle sortit non seulement du couvent, mais encore de la ville.

Je demeurai interdit à cette foudroyante nouvelle : tout ce que l'esprit pourrait me suggérer, à présent que je la rapporte d'une âme plus tranquille, n'approcherait pas de ce que je sentis d'horrible et d'accablant ; on dira que je ne connaissais que le désespoir, mais aussi on conviendra qu'on a vu peu d'hommes en avoir tant de sujet. Je fis donc, comme à mon ordinaire, tout ce que je pus pour m'y livrer.

Monseigneur l'évêque, à qui j'allai porter mes plaintes et mes regrets, ajouta à toutes ses grâces celle de retourner avec moi au couvent pour apprendre de l'abbesse même ce que pouvait être devenue mademoiselle Lescaut. Elle nous dit que le sieur Marsaing, capitaine de navire, la lui avait amenée comme sa nièce, qu'elle avait pris l'habit du monastère, que l'année de son noviciat s'était passée de façon à faire désirer à toute la communauté de l'acquérir, qu'on n'avait démêlé en elle qu'un fonds de mélancolie qui pouvait s'attribuer au tempérament ; mais que, le jour des vœux, la scène que j'avais donnée au public et l'évanouissement de Manon lui avaient fait soupçonner qu'il y avait dans tout cela une intrigue, et qu'elle était fort aise que le capitaine qui la lui avait donnée fût venu la reprendre ; qu'elle n'avait fait aucune difficulté de la rendre le soir précédent, et qu'elle ne s'était pas même informée de ce que cette fille pourrait devenir. C'était toujours beaucoup de savoir le nom de son ravisseur (car j'appelais ainsi celui qui me privait de ma chère maîtresse) : j'allai du même pas à l'amirauté m'informer de l'heure du départ et de la route qu'avait pu prendre Marsaing. On me dit que c'était un de ces capitaines ordinaires qui naviguaient alternativement sur toutes les mers, suivant les commissions qu'ils en avaient des différents armateurs qui les employaient ; qu'il avait fait plusieurs voyages en Guinée, à l'Amérique, dans l'Archipel, et qu'à présent son expédition était pour Livourne, qu'il avait mis à la voile à la pointe du jour, et que, comme le vent était favorable, il devait être déjà loin. Je demandai si on ne pouvait pas me dire dans quel temps à peu près il avait été à l'Amérique. On consulta les registres, sur lesquels on trouva qu'il était revenu depuis treize mois environ du Nouvel-Orléans : tout cela parut bien se rapporter, et quand je me fus encore assuré chez ses armateurs qu'il devait s'arrêter huit ou dix jours à Gênes avant d'aller jusqu'à Livourne, je fis équiper une tartane, ne doutant pas que je ne l'eusse bientôt rattrapé.

Je retournai à l'auberge porter toutes mes découvertes à Tiberge. Enfin, lui dis-je, elle ne m'échappera plus, car elle ne sera pas grillée dans l'endroit où je la pourrai rejoindre : j'irai me jeter à ses genoux ; elle entendra ma justification ; elle me rendra toute la tendresse que je mérite. Partons, mon ami, le vent souffle. Ah ! qu'il me tarde de la serrer dans mes bras et sur mon cœur qui l'appelle !

Tiberge, à son tour, se laissa conduire comme je voulus ; nous nous embarquâmes avec la plus grande diligence, et nous cinglâmes pour la rivière de Gênes.

Notre petite traversée fut courte et heureuse avec le meilleur vent ; nous doublâmes le cap de Nole et la pointe de Final en deux jours, et le troisième nous débarquâmes dans le beau port de cette ville surnommée la Superbe, et qui le mérite à tous égards. Mon premier soin fut de m'informer dans toute la rade s'il n'était point arrivé de navire venant de Marseille, la veille ou le même jour. On nous assura fort qu'on n'en avait point vu ; le capitaine du port nous le certifia. Nous jugeâmes que le navire monté par Marsaing n'avait pas si bien marché que notre tartane, que nous avions bien pu gagner ce temps-là sur lui, et même plus, et qu'il arriverait le soir ou le lendemain. Je restai tout le reste du jour sur le port ; le jour d'après, j'y retournai de très grand matin, mais cette journée ne fut pas plus heureuse, et l'inquiétude s'empara de moi pour régner encore longtemps dans mon âme, car plusieurs jours se passèrent sans que nous vissions rien arriver.

Tiberge ne me conseillait plus rien ; il semblait que cet ami se fût ralenti depuis que nous avions retrouvé Manon. Je ne savais à quoi attribuer ce changement ; il était devenu rêveur, taciturne, hébété, pour ainsi dire : j'étais bien loin d'en soupçonner la cause ; il me passa mille idées vagues par la tête, et je ne m'arrêtai à pas une ; il me vint une réflexion cependant qui me fit frémir : je me rappelai ce qu'il m'avait dit sur la beauté éclatante de Manon, le jour qu'il s'était présenté à elle. Ciel ! en serait-il amoureux ? m'écriai-je. Tiberge ! ce modèle de vertu ! cet homme de Dieu ! cet homme à toute épreuve ! serait-il possible que les charmes de Manon t'eussent touché ? Toi qui n'eus jamais le moindre désir ! toi qui mets ton triomphe à les réprimer dans les autres ! toi que la probité, la religion, la candeur, l'amitié, trouvent toujours prêt pour les plus grands sacrifices ! toi, tu serais devenu faible ! Mais de quoi ne sont pas capables ces charmes enchanteurs de qui personne n'a pu jusqu'à présent se défendre ? n'en ai-je pas trop fait jusqu'aujourd'hui la cruelle expérience ? Tout ce qui a vu Manon n'est-il pas devenu jaloux de mon bonheur ? Tout ce qui l'a abordée n'a-t-il pas voulu me la ravir ? Ce trait manquait à toutes mes infortunes ; Tiberge ! Ah ! Manon, tu séduirais donc Dieu lui-même, Dieu qui t'a créée si belle !

Cependant, venant à réfléchir ensuite que si Tiberge se fût laissé enflammer pour elle, il serait le premier à me conseiller avec plus d'empressement de marcher sur ses traces, je l'excusais, et je me savais mauvais gré de l'avoir accusé ; puis ma jalousie devenant la plus forte : Tiberge est plein d'honneur, me disais-je, il se résiste à lui-même, il fait des efforts pour vaincre une passion naissante, mais il y succombera ; Manon ne fait pas ses conquêtes à demi.

Je passai le jour et la nuit dans ces cruels combats que ma jalousie livrait à l'amitié de Tiberge : n'avais-je pas assez de l'inquiétude des accidents qui pouvaient être arrivés à Manon, du chagrin d'en être encore séparé, de la crainte de la perdre pour toujours ? fallait-il appréhender encore que mon ami le plus cher me l'enlevât ? Je résolus de m'éclaircir de ses sentiments, sinon par sa bouche, du moins par ses actions. Le lendemain matin du cinquième jour que nous avions passé à Gênes, je lui dis : Il n'y a pas d'apparence que Marsaing relâche dans ce port, il aura été en droiture à Livourne. Tiberge, il y va de ma tranquillité et de ma vie, courons où mon amour m'appelle, courons chercher Manon !

Mon ami fut un moment sans me répondre, comme s'il avait voulu méditer son discours. Enfin il prit la parole en ces termes : Cher comte, vous m'avez vu ardent à vous servir tant que j'ai cru votre Manon morte ; vous m'avez donné des marques trop évidentes de votre désespoir pour que je vous laissasse à vous-même ; je vous aimais trop, et je vous aime trop encore, pour ne pas travailler de tout mon pouvoir à vous guérir ; la gloire d'une si belle cure ne fut pas le prétexte de ma résolution : ma tendre amitié seule m'a guidé, tant que j'ai espéré de vous faire oublier ce qui n'était plus ; mais aujourd'hui que vous l'avez retrouvée (et reperdue peut-être), me convient-il de vous suivre et de vous faire renouer avec elle ? Si vous vouliez vous servir de toute votre raison et considérer vous-même ce que vous allez faire, vous renonceriez à courir après elle. Je ne vous parle point du mal que vous avez déjà fait, en vous opposant à des vœux qui allaient expier tous ses crimes ; vous diriez que je vous moralise, et je ne veux vous parler aujourd'hui qu'en homme du monde ; laissons donc là cette paix troublée, paix qui allait devenir précieuse à son cœur, et que vous ne pourrez jamais lui rendre. Je vous ai déjà dit que je ne voulais parler qu'à votre raison, et c'est peut-être la dernière fois que je vous ouvrirai mon cœur. Je suppose donc que vous l'ayez retrouvée, comment comptez-vous vous conduire avec elle ?

Tiberge, lui répondis-je, je la ramènerai par les preuves de mon innocence à tout l'amour qu'elle avait pour moi ; vous-même vous le cimenterez dans nos cœurs par le lien le plus indissoluble ; je la mènerai sur mes terres jouir en paix du bien de mes aïeux.

C'est à ces dignes aïeux que je vous attendais, reprit-il ; que diraient-ils, s'ils pouvaient reparaître dans la suite comme Manon, de voir que vous auriez choisi cette fille pour les faire revivre par elle ?

J'avais envoyé retenir une felouque pour Livourne : mais les vents étant devenus contraires, il fallut se déterminer à attendre jusqu'au lendemain, ce qui nous donna le temps d'approfondir notre matière ; en reprenant la conversation, je crus entrevoir plus d'intérêt de sa part, dans sa persévérance à me conseiller d'abandonner Manon, que de raisons convaincantes pour mon salut. Justement, me disais-je, il en est épris ; il ne veut pas que je la rejoigne, c'est toujours autant de gagné pour son cœur, s'il peut m'empêcher de l'épouser ; il y met toute son application ; il espère peut-être me la faire oublier pour jamais. Pourtant, il me voit aller à sa poursuite, et il dit qu'il ne veut plus me suivre : quelles sont donc ses raisons ? Je m'y perds.

La jalousie est une autre passion qui nous aveugle, ou qui nous fait voir ce qui n'existe pas ; nous sommes ingénieux à nous tourmenter nous-mêmes : quoi qu'il en soit, il m'importait de deviner Tiberge, et je crus qu'il fallait feindre avec lui pour le démêler davantage. Je lui dis que je m'étais toujours trouvé si bien de tous ses avis qu'après avoir bien réfléchi à tout ce qu'il m'avait dit ce jour-là, j'étais déterminé à l'en croire sur un article, et que je ne penserais peut-être plus à mon mariage avec Manon, mais que cette pauvre fille que j'avais vue prête à faire une action forcée, que le désespoir sans doute lui avait seul suggérée, pourrait bien à la première occasion se sacrifier tout à fait et s'en repentir dans la suite ; que je ne devais pas lui laisser prendre ce parti violent sans lui avoir fait connaître auparavant toute ma façon de penser pour elle, et sans lui avoir offert assez de bien pour finir ses jours dans le monde, au cas qu'elle aimât mieux y rester, encore que je ne vécusse pas avec elle ; que j'allais donc me rendre pour cet effet à Livourne ; qu'il ne devait pas trouver étonnant que je cherchasse à sauver Manon de son désespoir, lui qui m'avait tant de fois sauvé du mien. J'ajoutai que je m'apercevais depuis longtemps combien son amitié pour moi lui avait attiré de disgrâces, que j'en craignais pour lui de nouvelles, que je le priais de ne me pas suivre dans ce voyage, et que, cependant, s'il le voulait, je ne pourrais le trouver mauvais.

Tiberge, qui ne m'avait jamais vu parler de si grand sang-froid ni avec tant d'indifférence pour Manon, me répondit froidement qu'il était prêt à tout, même à retourner en France, quand il aurait eu le temps de voir et de connaître la ville ; que je pouvais partir quand je le jugerais à propos. Nous dînâmes, et j'allai seul sur le port donner l'ordre à mon petit équipage pour le lendemain de grand matin ; je me promenai ensuite sur les bords de la mer en réfléchissant à tout ce qui s'était passé entre Tiberge et moi. Tiberge, me dis-je, veut rester à Gênes et me laisser aller seul à Livourne : quel peut être son dessein ? Espère-t-il que le vaisseau qui porte Manon, arrêté par quelque cas qu'il ne peut prévoir, arriverait ici pendant que je serai allé plus loin ? Sans doute, car il n'est pas naturel qu'il consente à me quitter si des intérêts plus forts ne l'arrêtent, et je ne connais que ceux qui lui peuvent venir de son amour pour Manon qui lui puissent faire abandonner les miens.

Si Tiberge eût voulu venir, malgré ma prière, à Livourne, je n'aurais pas douté que ce ne fût son amour qui l'y eût conduit ; il voulait rester, je trouvais dans son séjour une nouvelle preuve de cet amour. J'étais jaloux, et c'est le sort des jaloux que tout, jusqu'aux contraires, leur porte ombrage. Cependant mon cœur ne pouvait plus rester dans cette cruelle incertitude : j'allai retrouver Tiberge, résolu de m'expliquer plus ouvertement avec lui.

Eh bien ! Tiberge, lui dis-je, je pars demain et vous restez ; si d'aventure Manon allait arriver pendant que je serai à Livourne, que lui direz-vous ? Je lui dirai, me répondit-il, que vous lui conservez tous les sentiments qu'un galant homme doit à ce qu'il a fortement aimé, que vous êtes prêt à lui faire un sort honnête, si elle aime mieux rester dans le monde, et que ce soit son peu de fortune qui la détermine seul à se faire religieuse ; mais que vous ne l'aimez plus et que vous lui laissez toute sa liberté. N'est-ce pas là votre intention ? J'étais hors de moi. Courage, Tiberge ! vous lui ajouterez que, si vous n'étiez pas prêtre, vous l'épouseriez à ma place, car je n'ai que trop vu que vous ne sauriez vous défendre de l'aimer.

Tiberge me prit tristement la main et me regarda en silence. Ses yeux étaient troublés ; j'y vis briller une larme. Voilà, lui dis-je, une réponse éloquente, mais je n'y entends rien. Parlez-moi sans détour. Pourquoi vous avouer ma faiblesse ? murmura Tiberge. Ainsi, vous l'aimez ? m'écriai-je furieux, attendri, perdant la tête. Écoutez-moi, reprit Tiberge, comme s'il cherchait à lire dans son cœur ; je ne sais si je l'aime encore, mais je l'ai aimée. Ne vous ai-je pas dit qu'au parloir du couvent où j'allai lui parler de vous, je ressentis une agitation surnaturelle quand je la vis apparaître plus belle que jamais, parce que sa beauté avait pris dans cette sainte maison un caractère de noblesse et de gravité ? Elle me parla de vous avec indignation ; je n'écoutais pas : toute mon âme était dans mes yeux. Sans doute, Dieu voulait me punir d'avoir trop compté sur ma force.

Tiberge ne put arrêter ses larmes. Ne suis-je pas bien à plaindre ? Me laisser aller à la tentation, aux joies de la terre, moi qui ne vivais qu'en Dieu ! aimer d'un amour périssable avec cette âme faite pour aimer le ciel ! aimer Manon, le crime en personne ! aimer la maîtresse de mon ami !

Je n'avais plus le ressentiment de la jalousie, je plaignais Tiberge, je ne pensais plus à moi-même. Mais rassurons-nous, me dit-il en essayant un sourire ; j'ai tant prié, j'ai tant banni les songes coupables que, peu à peu, Manon s'est éloignée de mes esprits. Je dégagerai mes pieds des épines fleuries ; votre rival d'un jour redeviendra votre ami de tous les âges. Je dis plus, et je vais bien vous étonner : j'ai fait de très longues méditations sur vous-même, et plus j'examine tout ce qui vous est arrivé depuis votre retour de l'Amérique, plus j'ai sondé votre cœur, plus je lui ai fait soutenir d'épreuves, et plus je vois que votre amour pour la belle Manon est l'âme de votre vie, plus je trouve que sa dernière action l'en rend digne. Continuez donc à l'aimer de tout votre cœur, mon cher comte. Ne croyez pas que j'aie pu former le projet de vous abandonner ; je vous suivrai, s'il le faut, aux extrémités de la terre ; je ferai tout pour vous rendre Manon, je saurai bien vous justifier dans le monde.

J'embrassai Tiberge avec cordialité. Il me semblait qu'il m'avait rendu Manon et qu'il me la faisait trouver présente. Jamais ce cher ami, qui m'avait plusieurs fois sauvé la vie, n'avait rien fait de si doux pour mon cœur. Attendez, me dit Tiberge, quand nous fûmes un peu plus tranquilles, je mets une petite condition à notre marché, donnez-moi votre parole que vous l'exécuterez. Quelle est-elle ? lui répondis-je ; je vous promets tout ce que vous pourrez me demander. C'est, ajouta-t-il, si le ciel vous accorde des fils de votre mariage avec mademoiselle Lescaut, que vous ne confierez à personne qu'à moi le soin de leur éducation. Va, nous les élèverons ensemble, lui dis-je, car je ne crois pas que nous nous séparions de la vie.

Dès que le jour put éclairer notre départ, nous nous embarquâmes pour Livourne ; je n'étais point géographe, je ne savais pas que le trajet d'une de ces villes à l'autre fût si court : je fus tout étonné d'y être si tôt rendu, et je me repentis mille fois de n'y avoir pas envoyé un exprès pendant que nous étions à Gênes ; nous nous serions épargné peut-être bien des peines, mais nous n'y avions pensé ni l'un ni l'autre. Enfin, nous mîmes pied à terre et nous allâmes au plus vite aux informations sur le compte de Marsaing. Nous apprîmes qu'il y était venu depuis peu de jours, qu'il y avait laissé quelques marchandises qui s'étaient déchargées avec bien de la précipitation ; qu'il n'y avait séjourné que deux fois vingt-quatre heures, et qu'il était reparti pour la France. Je demandai s'il n'avait pas des femmes dans son bâtiment, et s'il ne les avait pas débarquées. On ne put me donner là-dessus d'éclaircissement, ce qui nous fit courir, Tiberge et moi, tous les couvents de la ville sans rien apprendre. Nous allâmes dans l'auberge de ce maudit capitaine, que nous découvrîmes par hasard : on nous dit qu'il avait avec lui deux femmes, dont une faisait l'admiration de tous ceux qui la regardaient, qu'on ne savait si c'était sa femme ou sa fille ; qu'il les avait emmenées toutes deux.

Ah ! Manon, ma chère Manon ! m'écriai-je, vous m'êtes donc encore ravie ! Où courir ? où la chercher ? Quels sont les desseins d'un homme qui l'amène ici, qui repart avec elle, qui se détourne de son chemin ? Où va-t-il la conduire ? Je m'égarais en mille et mille espaces. Je voyais Manon partout, je ne la trouvais nulle part. Tiberge me dit que, sans doute, le capitaine ayant des commissions pour Gênes, il avait pu les remettre à son retour de Livourne au lieu de les faire en y allant. Nous nous serons croisés en chemin ; retournons à Gênes. Nous retournâmes donc à Gênes, mais ce fut un voyage inutile. En vain nous y restâmes deux jours, courant les églises, les couvents et les hôtels. Il ne nous restait qu'à partir pour Marseille où peut-être, après une tempête, Marsaing était retourné, où sans doute nous devions apprendre de ses nouvelles par ses armateurs. Nous nous remîmes en mer. J'étais tombé dans un profond chagrin. Dieu, me disais-je, ne veut pas du spectacle de notre amour. Manon, ma chère maîtresse ! si tu savais comme mon cœur t'appelle !

À peine en mer, nous subîmes une tempête terrible. On a tant lu de tempêtes dans les romans que je ne m'appliquerai point ici à donner des portraits effrayants de la nôtre. Tout ce que j'en dirai, c'est que nous pensâmes périr, et que je n'envisageais pas cette mort comme quelque chose de redoutable. Les horreurs d'une mer écumante qui semble dévorer d'avance tout ce qui s'y engouffre ne me présentaient point un tableau si affreux, je contemplais les flots comme un asile où j'allais ensevelir mes malheurs et ma vie. Manon, courant les mers de son côté, pouvait être livrée aux mêmes dangers, et je trouvais un sinistre plaisir à imaginer que nous aurions au moins la même sépulture ; ensuite, venant à penser que, si elle y survivait, et qu'elle se trouvât ou poursuivie par quelque ravisseur, ou exposée par son indigence à des maux que j'aurais pu lui épargner, je regrettais de périr sans avoir pu lui donner des secours et sans m'être justifié dans son esprit. Cette mort, qui tantôt m'avait semblé douce, me représentait alors tout ce qu'elle avait de cruel.

Cependant, l'orage se dissipa, et ramena peu à peu le calme sur les flots et dans mon cœur ; nous remouillâmes dans le port de Marseille, et nous ne fîmes qu'une course chez les armateurs de Marsaing, qui nous dirent qu'ils n'en attendaient pas si tôt des nouvelles.

Quand nous leur eûmes appris qu'il ne s'était point arrêté à Gênes, ni en allant, ni en revenant de Livourne, qu'il n'avait passé que deux jours à Livourne, qu'il avait dit qu'il retournait en France, et qu'il n'avait point paru dans leur port, nous les vîmes s'alarmer et former mille conjectures qui me causaient encore plus de trouble qu'à eux. Quoi ! me dit l'un d'eux, il n'est resté que deux jours à Livourne ? Et sa cargaison était pour ce pays-là ! Nous comptions qu'il y passerait un mois, nous ne comprenons rien à sa manœuvre ! C'est un voleur qui aura conduit notre navire dans quelque pays étranger pour y vendre le bâtiment et sa charge ; d'autant mieux, qu'il avait des ordres pour déposer des effets précieux à Gênes, qu'il n'y a point laissés. Un autre disait : Il y a eu une tempête considérable, le navire aura péri. Un autre ajoutait : Si la tempête ne l'a pas abîmé, elle l'aura jeté fort loin, et les Saletins l'auront pris.

Aucune de ces idées n'était faite pour m'apporter de la consolation ; je ne voyais que des extrêmes de côté et d'autre. Manon était donc ou chez les étrangers, entre les bras d'un ravisseur, ou noyée, ou au pouvoir des pirates. Comment supporter tant d'appréhensions à la fois ? A laquelle s'arrêter qui n'eût été désespérante ? Je ne pus retenir mes larmes, je tombai dans les bras de Tiberge.

Les marchands provençaux chez qui j'étais ne furent guère attendris de ce spectacle : plus effrayés de la perte de leur argent que de l'état d'un pauvre amoureux tout défaillant, ils ne me donnèrent pas le moindre secours. Tiberge appela nos domestiques, et me fit mettre dans une chaise à porteurs ; on me transporta à l'hôtel, où je souffris une cruelle secousse.

Pendant ma maladie, Tiberge n'avait rien négligé pour

apprendre des nouvelles de Marsaing. Les marchands, n'en entendant plus parler, avaient fait visiter la côte, et, n'ayant trouvé aucun débris de naufrage, ils assurèrent que le vaisseau n'avait pas péri. Le commissaire de l'amirauté, chargé de la partie des captifs, et que Tiberge avait été voir exprès à Toulon, ne put rien lui dire de positif, parce qu'il y a dans les parages de Salé des corsaires et des pirates. Si Marsaing, lui dit-il, avait été pris par des corsaires, je le saurais ; mais s'il a été pris par des pirates, espèces de brigands qui détruisent le bâtiment quand ils ont pillé tout ce qu'il renferme, cela ne peut venir à ma connaissance qu'à la longue et par bien des hasards. De sorte qu'il ne me restait plus d'espérance de ce côté-là que celle de savoir Manon prise et vendue par des voleurs ; la ressource de la croire dans les pays étrangers était si vague, que nous ne pouvions l'envisager sans être embarrassés de choisir au hasard parmi tous les ports où Marsaing aurait pu l'avoir conduite.

Tiberge avait appris que les Pères de la Merci, qui vont de temps en temps à la rédemption des captifs, allaient incessamment partir pour Alger, Tunis et Tripoli. Il me proposa de les suivre. Vous, Tiberge, vous viendriez avec moi chez les infidèles ? lui disais-je. J'irai partout avec vous, me répondit-il ; nous philosopherons là-dessus en route. Partons, j'ai déjà prévenu les Pères.

Nous nous munîmes de tout le crédit que pouvaient nous donner nos correspondances, et nous nous confiâmes de nouveau au caprice des vents et de l'orage. Cependant, après quelques lenteurs, nous abordâmes au premier port sans avoir encouru de dangers.

Si je faisais un roman, j'aurais beau champ pour placer ici un épisode, il serait même de règle de ne pas mener impunément mon héros en Barbarie ; j'aurais mille scènes tragiques ou voluptueuses à rapporter : cette différence de mœurs, ces sultanes lascives, ces cruautés, ces esclavages, tout cela mis en contraste avec mes inquiétudes et ma douleur, avec l'état de Tiberge, tout cela, dis-je, me fournirait une matière intarissable ; mais, comme j'amuse ici mon cœur dans la seule vue de me rappeler à moi-même les événements de ma vie, comme si je trouvais de la douceur à me raconter mes maux passés, je ne m'écarterai pas de mon sujet. Je ne sais pas même si je ne passerai pas par-dessus les petites aventures qui ont pu m'arriver là-bas.

Quoi qu'il en soit, nous parcourûmes les trois royaumes

sans qu'il nous arrivât rien de bien particulier, et sans rien avoir pu découvrir qui nous marquât les traces de Manon ; les Pères mêmes, que nous avions instruits de nos desseins, avaient fait des perquisitions inutiles : nous n'attendions que leur retour pour repasser en Europe, désolés que nos recherches eussent été vaines, et nous promettant de parcourir le monde entier, jusqu'à ce que nous eussions trouvé la terre heureuse qui portait tout mon bien.

Nous reparûmes donc pour la troisième fois à Marseille, obligés de suivre la destination des Pères de la Merci.

Notre projet de faire le tour de la Méditerranée se trouvait dérangé, parce qu'il ne nous restait plus assez d'argent pour l'exécuter. Nous sentîmes la nécessité de revenir à Paris et même dans ma province pour rétablir l'ordre de mes correspondances pécuniaires. Nous avons le tour du monde à faire, me disait Tiberge, peu importe par où nous commencerons. C'est le hasard qui doit nous faire retrouver Manon ; il n'y a pas plus de certitude à commencer plutôt par un endroit que par un autre ; de la Picardie, où sont vos terres, nous nous embarquerons pour l'Angleterre ou la Hollande ; il y a même à parier que si le capitaine a voulu s'approprier le bien de ses commettants, il sera sorti de la Méditerranée, et aura été dans ces pays de liberté où il est de la politique de donner asile aux malheureux qui viennent les enrichir de la dépouille des autres.

Nous revînmes dans mes terres avec toute la précipitation possible, en ne faisant que traverser Paris, comme nous avions fait avant d'aller à Marseille. Mais, au premier voyage de Paris, le hasard m'avait fait rencontrer chez des marchands un homme que j'avais précédemment connu, à qui j'avais été obligé de dire, pour m'en défaire, que j'étais devenu l'héritier de ma maison, et que, n'étant à Paris que pour des emplettes, j'y resterais fort peu de jours ; celui-ci en avait fait part à d'autres ; de manière que toutes les personnes de ma connaissance ayant su le changement de ma fortune, m'avaient écrit, les unes pour m'en féliciter, les autres pour se féliciter euxmêmes : ils apprenaient que je pouvais leur payer quelques restes de comptes. Toutes ces lettres s'étaient accumulées, parce que je n'avais point donné d'ordres pour qu'on me les fît parvenir ; dans un premier moment, je voulus les jeter au feu sans les ouvrir, bien résolu de ne conserver aucune de mes anciennes liaisons. Tiberge m'arrêta en me représentant qu'il pouvait y en avoir d'intéressantes. Nous brûlerons, dit-il, tout ce qui ne le sera pas ; il s'en pourrait trouver de M. T..., qui vous a rendu de grands services, ou d'autres que vous regretteriez de n'avoir pas lues.

Nous les ouvrîmes donc l'une après l'autre : Justes dieux ! m'écriai-je, en voici une de la main de Manon. Je portai à ma bouche ces chers caractères, comme si j'avais tenu celle qui les avait tracés ; je déchirai précipitamment le cachet, et je lus ces lignes :

« Adieu. Vous m'avez trahie, comptant sur ma mort ; je vis, et je vous pardonne. Je vais demander à Dieu la force de vous oublier. Que votre femme vous accorde des enfants comme ceux que j'attendais de vous et du ciel. Adieu ! »

Ma femme ! m'écriai-je, elle est donc folle ! La lettre était datée du couvent de Marseille et des premiers mois de l'année du noviciat de Manon ; je n'eus pas la force de la lire tout entière. Chaque mot, depuis le premier, m'avait saisi de douleur ; je l'avais donnée à Tiberge au moment où mes pleurs et mes sanglots m'avaient arrêté.

Ah ! qu'on aime sa douleur et qu'on trouve de volupté à s'y abandonner de bonne foi ! On dirait qu'elle emploie moins de force contre nous quand nous n'essayons pas de la combattre ; elle se ralentit du moins, et elle s'épuise ; elle nous laisse ensuite à nous-mêmes, et fait place aux réflexions qui nous donnent assez de courage pour la détruire.

Tiberge convenait avec moi de tout ce que cette lettre avait d'accablant, il me la relisait même, et nous formions mille conjectures qui ne pouvaient nous apprendre comment Manon pouvait me croire marié : nous supputâmes, par le temps qu'il y avait de notre départ de l'Amérique jusqu'à celui où elle avait écrit, qu'elle avait pu, en effet, recevoir au Nouvel-Orléans deux fois des lettres de France depuis que j'y étais de retour, et que, sans doute, quelque rival, Synnelet peut-être, avait travaillé à la confirmer dans son erreur. Quoi qu'il en soit, disais-je à Tiberge, elle est fidèle, et, si je la retrouvais encore sans qu'elle eût rempli ses vœux, elle me rendrait tout son amour en apprenant toute mon innocence : il ne faut donc pas perdre un instant à la chercher. Allons, Tiberge ; mais, avec ce désir si marqué de renoncer à toute la terre, elle n'aura pas été en Angleterre ni en Hollande, puisqu'il est de la religion même de ces pays de n'y point souffrir l'établissement de ces asiles sacrés pour les cœurs au désespoir. N'importe, me dit Tiberge, plus j'y réfléchis, plus je me persuade que Marsaing n'aura pu porter ses rapines qu'à

Londres. Cette ville est tout un monde ; c'est la seule où un réfugié puisse jouir en paix (s'il en est une pour les cœurs criminels) du fruit des vols qu'il a faits ailleurs. L'extrême liberté y confond le droit des gens ; il aura pu y débarquer Manon, pour de là la faire conduire ailleurs ; mais sa cargaison et son navire étaient tout ce qui devait diriger sa marche ; si nous en apprenons des nouvelles, nous le suivrons jusqu'à ce qu'il nous dise le sort de votre maîtresse, et nous courrons du moins avec plus de certitude. Il n'y a pas à balancer, et, si vous m'en croyez, nous partirons demain pour Calais.

J'y consentis ; dès que le jour parut, nous nous mîmes en route. Nous arrivâmes le lendemain à Calais, d'où nous nous embarquâmes sans halte pour Douvres. Nous y abordâmes le soir et nous descendîmes dans une auberge qui était presque remplie par un nombre considérable de voyageurs. Après un léger souper, nous nous couchâmes. La quantité de voyageurs qui étaient arrivés avant nous ne nous avait pas permis de choisir nos logements ; nous couchions dans deux chambres séparées.

On m'avait donné une très petite chambre, qui n'était séparée d'une autre que par une cloison de planches ; à peine y ai-je été un quart d'heure recueilli, que j'ai entendu dans la chambre voisine pousser de très grands soupirs ; j'ai prêté une oreille plus attentive : j'ai entendu la voix d'une femme. Mon cœur a tressailli. Manon ! si c'était ta voix. J'écoutais de toute mon âme, mais les bruits du dehors couvraient la voix. Hélas ! me suis-je trompé ? cette voix traînante n'est pas la sienne. Je compris que deux femmes s'entretenaient tristement. Je m'étais soulevé et j'écoutais sans respirer. Allez, mademoiselle, disait l'une, il faut prendre une brave détermination : il vous a trahie, oubliez-le. Hélas ! répondait l'autre, ma raison me le conseille ; mais, dans ce mauvais monde, c'est son cœur qu'on écoute. Bonne nuit, mademoiselle, reprit la première ; allez, j'ai plus de philosophie que vous, je me suis déjà vingt fois consolée de la perfidie de mon premier amoureux. La demoiselle ne daigna pas répliquer. Un instant après, elle se plaignit de ce que cette fille eût éteint la lumière. Cette fois, je crus bien reconnaître la voix de Manon. Je m'élançai hors du lit, cherchant à m'habiller en toute hâte. Tiberge frappa à ma porte un flambeau allumé à la main. Mon cher comte, me dit-il, je ne sais si je dois vous apprendre... Je sais tout ! lui dis-je avec exaltation. Que savez-vous ? me demanda-t-il. Je ne sais rien, parlez, répliquai-je d'un air suppliant.

Tiberge s'asseyant sur mon lit continua ainsi : J'étais tout à ma prière quand un valet de l'hôtellerie est entré et m'a prié d'inscrire mon nom sur le registre des voyageurs ; qu'ai-je vu en déposant la plume ! le nom de mademoiselle Lescaut ! Elle est là, dis-je à Tiberge en lui pressant la main. Je frappai doucement contre la cloison. On ne répondit pas. Je frappai une seconde fois. Mademoiselle, entendez-vous ? dit sa compagne. Le silence me fit jurer qu'elle écoutait. C'est, dis-je d'une voix tremblante, le chevalier des Grieux qui vous demande un quart d'heure d'entretien. J'entendis un cri perçant. En reconnaissant ma voix, Manon était tombée sans connaissance. Qu'avez-vous, mademoiselle ? dit sa compagne en s'élançant à son lit. Comme Manon ne répondait pas : Secourez-la, dis-je à cette fille ; nous allons vous porter de la lumière. En effet, cette fille ne consulta que son effroi et vint toute nue à la porte, où nous nous étions déjà rendus avec la lumière. Je la reconnus pour une ancienne amie de Manon, Marianne, surnommée la Bouquetière, parce qu'elle avait vendu à tout le monde les roses de sa bouche. Elle me reconnut aussi et tomba sur le plancher.

C'est ici qu'il faut se représenter l'état de Tiberge, un ecclésiastique qui se trouve à cinq heures du matin dans une hôtellerie où personne n'est éveillé, un flambeau à la main, dans la chambre de deux femmes, dont l'une, évanouie dans ses draps, est bientôt embrassée par un amant éperdu, qui semble se jeter plutôt sur le même lit, pour y mourir avec ce qu'il aime que pour lui donner du secours, dont l'autre est couchée nue au milieu de la chambre. Je ne lui ai jamais demandé comment il s'était tiré des premiers instants de cette aventure. Enfin, l'amie de Manon se leva et vint devant le lit. Je tenais encore Manon embrassée, elle commençait à rouvrir ses beaux yeux. Manon, mon adorable Manon, m'écriai-je, quand je jugeai qu'elle pouvait m'entendre, oserais-je t'approcher ainsi, si je n'étais qu'un parjure et si j'avais pu cesser un moment d'adorer tous tes charmes ? Dieu te répondra de ma tendresse ; sois donc enfin désabusée ; je t'aime, je t'ai toujours aimée, je t'ai cherchée à travers les périls et j'allais parcourir le monde entier pour te chercher encore.

Cette chère fille, qui ne pouvait alors parler, se transporta tout d'un coup, et, se livrant au sentiment le plus cher à son âme, elle me passa ses bras autour du cou avec une ardeur digne des beaux jours, et porta ma tête sur son sein, où je sentis bientôt tout le feu dévorant de son cœur.

Cher chevalier, me dit-elle enfin, est-il vrai que le ciel te rende à mes vœux et qu'il te rende avec tout ton amour et toute ta confiance ? Et elle me regardait avec une attention curieuse, comme si elle eût voulu pénétrer encore dans mes regards la vérité de ce que j'allais lui répondre. Oui, lui répondis-je à mon tour, avec cette candeur qu'il est impossible au mensonge de contrefaire, oui, divine Manon ! trop belle Manon ! adorable idole de ma vie ! oui, tu me retrouves toujours le même, j'en atteste les dieux ! Parle donc, Tiberge, où es-tu ? Mais Tiberge s'était éloigné.

Je n'en veux pas davantage, me répondit Manon, j'en crois plus ce qui se passe en mon cœur que tous les témoignages de l'univers ; viens donc te confondre encore dans mes embrassements. Nos cœurs semblaient venir jusque sur le bord de nos lèvres, ils s'élançaient comme pour passer d'un corps à l'autre. Heure d'ivresse adorable qu'il faut voir et non pas peindre ! Oui, je crois que la mort même nous eût paru douce en nous frappant alors du même coup.

Tiberge venait de descendre : quand il avait cru que Manon n'était plus en danger, il avait voulu donner le temps à la Bouquetière de se rajuster, et il observait au-dehors si cette scène n'avait point été aperçue ; il rentra et certifia tout ce que j'avais pu dire à Manon pendant ce moment d'absence ; il voulut m'entraîner de cette chambre ; les voyageurs se levaient et allaient bientôt prendre, chacun de leur côté, leur essor. Vous vous rejoindrez, me dit-il, quand tout le monde sera parti, Manon prendra quelques heures de repos. Sortons, mon cher comte.

Il fallut que Manon parût désirer ce moment de calme pour m'arracher de ses bras, quoique ce ne fût que pour quelques heures. Nous nous quittâmes, mais ce ne fut pas sans remettre nos âmes dans ce premier état d'effusion, par nos embrassements redoublés, dont nous ne voulions jamais voir la fin ni l'un ni l'autre.

J'allais de temps en temps sur la galerie qui régnait autour des appartements, pour écouter si je n'entendais pas du bruit dans la chambre de Manon, ou si je ne verrais personne qui essayât de me l'enlever, car le peu d'habitude d'être heureux fait qu'on est inquiet de son bonheur même. Le ciel n'est jamais plus près de l'orage qu'au milieu des beaux jours. Laissez-la goûter toute sa joie et la comprendre, me disait Tiberge, nous allons bientôt la revoir plus calmée et plus en état de nous conter tout ce qu'elle a souffert depuis votre absence. La Bouquetière ouvrit la porte et vint nous dire que Manon, ne s'étant point rendormie, nous faisait dire de passer chez elle.

Je ne peux plus me priver si longtemps de ta présence, mon cher chevalier, me dit-elle ; réunissons-nous une bonne fois pour ne plus nous quitter. Nos embrassements recommencèrent et ne cédèrent qu'aux représentations de Tiberge.

Manon était déjà si abattue qu'il n'y avait pas moyen de l'exposer ce jour-là aux fatigues de la route. Nous arrangeâmes que nous passerions cette journée-là à Douvres, sans sortir de l'auberge, et que le lendemain, après la traversée, nous reprendrions le chemin de mes terres ; que Manon choisirait celle qui lui serait le plus agréable, et que nous y fixerions notre séjour. Mais nous n'étions pas à la fin de tous les dangers. Qui peut répondre d'un jour de paix et de bonheur dans la tempête des passions ?

C'était à qui raconterait la suite de nos tristes aventures. Nous nous interrogions des yeux, nous nous répondions par des baisers. Manon, quoiqu'elle aimât à parler, même quand elle ne disait rien, ce qui arrive aux plus honnêtes femmes, ne voulut pas me détailler tous ses chagrins sans avoir appris les miens. Elle me supplia de commencer. Je n'avais que trois mots à lui dire : Je t'aime, je t'ai cherchée, je t'ai retrouvée. J'employai à cela toute la matinée ; ce ne fut pas sans nous attendrir et sans rire beaucoup. Le récit était souvent interrompu par nos embrassements. Tiberge n'était pas là. Ce pauvre ami avait peut-être, qui le sait ? retrouvé toutes les agitations de son cœur. Pour nous, redevenus, malgré les leçons du malheur, aussi fous et aussi enfants qu'autrefois, nous prenions la joie comme il faut la prendre, sans regarder ni en arrière ni en avant.

Cependant comme j'étais impatient de savoir les événements étranges qui avaient pu rappeler Manon à la vie et me rendre cette chère fille quand je m'y attendais le moins, je la priai de prendre à son tour la parole ; elle le fit à peu près de la manière suivante, s'interrompant quelquefois pour essuyer une larme ou pour se jeter sur mon cœur.

Livre quatrième

Il faut, mon cher comte, ou plutôt mon cher chevalier, car tu seras toujours pour moi le chevalier des Grieux, il faut que je me remette sous le sable où vous m'aviez enterrée, pour ne vous faire perdre aucune des situations où j'ai été réduite depuis ce jour fatal qui nous a séparés ; quoi qu'il en doive coûter à votre cœur, ne craignez point la peinture de ces instants terribles ; nous nous les représenterons plus d'une fois avec plaisir, pour nous faire trouver plus délicieux les moments de bonheur que nous aurons à leur comparer dans la suite.

Je ne sais combien de temps avait duré ma léthargie ou mon épuisement ; mais, quand je retrouvai mes sens, je ne pouvais comprendre ma situation, et mon âme s'égarait pleine d'étonnement, sans s'arrêter à aucune idée qui pût l'éclairer : accablée d'un poids considérable, mais incompréhensible, puisqu'il prenait régulièrement tous les contours de moi-même, j'essayais de faire des mouvements qui étaient toujours comprimés ; mes deux mains étaient croisées sur ma poitrine ; vos habits, qui me couvraient le visage et le cœur, avaient laissé, par leurs plis, quelques vides où le sable ne s'était point introduit. Je sentis que je pouvais agiter les mains dans un petit espace, je fis des efforts plus grands pour leur donner plus d'essor ; je m'aperçus que ce qui me pressait était mouvant en quelque sorte ; je ne doutai plus que je n'eusse été nouvellement couverte d'une terre qui n'avait pas encore eu le temps de se consolider ; mes mains gravissaient, en s'élevant, jusqu'à ce qu'enfin elles se firent un passage. Je sentis renaître mes espérances, je travaillai avec courage, et sans trop de peine, à me dégager, au moins la tête, afin qu'il me fût possible de recevoir la respiration qui commençait à me manquer. J'y parvins, non sans avoir cruellement à souffrir.

Dieu sans doute soutenait mes forces à tout moment chancelantes ; enfin, quand j'eus le visage découvert, je me reposai, et c'est dès ce moment seulement que je m'abandonnai à des réflexions suivies et que je formai diverses conjectures : la mort ne m'avait point encore montré tout ce qu'elle avait d'horrible. Un homme qui se noie voit son danger, il y pense en pensant aux moyens mêmes de se sauver ; mais moi qui ne comprenais pas ma situation, je n'envisageais pas encore cette mort qui en devait être la suite ; quand je pus voir le ciel, et que je pensai que je n'avais pu être ainsi abîmée que pour être privée pour toujours de sa lumière ; quand je me demandai qui avait pu me vouloir tant de mal, je m'égarais de nouveau et je ne savais à quoi me résoudre. Je vous croyais en pareil état ; j'imaginais que l'oncle de Synnelet nous avait fait poursuivre et qu'il nous avait immolés tous deux à sa vengeance ; qu'on nous avait percés de coups et qu'on nous avait enterrés. Je portais mon attention sur moi, pour sentir où je pouvais avoir été blessée ; mes sens se promenaient intérieurement dans toutes les parties de moi-même. Ils ne m'auront porté, disais-je, que des coups légers ; mais mon amant, ils l'auront exterminé dans leur rage ! Juste Dieu ! l'avez-vous pu permettre ? Cette crainte ranima ma vigueur, je travaillai de nouveau, et vers le coucher du soleil, je pus me mettre sur mon séant et distinguer que je n'avais aucune blessure. La terre au loin ne m'avait point paru remuée, et nulle éminence sur sa surface ne m'annonçait qu'on vous eût fait éprouver le même sort. En portant ma vue jusqu'où elle pouvait s'étendre, pour vous chercher, j'aperçus des hommes qui venaient à moi ; leur nombre me les fit prendre pour mes ennemis ; je me recouchai pour me dérober à leur vue ; et, ce que vous aurez peine à croire, je me recouvris de sable pour m'enterrer moi-même toute vive, plutôt que de me voir exposée à leur nouvelle férocité ; je n'en pus jamais venir à bout assez vite ; ils s'approchèrent de moi, et je reconnus l'aumônier avec les gens de Synnelet, à qui j'inspirai un effroi mortel. Les plus hardis avaient peine à en revenir. Après toutes les simagrées de leur frayeur, ils me débarrassèrent et me firent lever ; mais je ne pouvais me soutenir. On me porta ; on me fit faire autant de chemin que nous en avions fait ensemble ; je ne voyais point que nous approchassions de la ville : l'aumônier, qui ne m'avait point voulu répondre, quelque question que je lui fisse sur votre compte, me déposa dans une maison isolée au bord d'un bois ; il me fit garder par ceux qui l'avaient accompagné et nous quitta ; j'ai su depuis qu'il avait été donner avis de tout ce qui venait d'arriver à Synnelet. On eut la prudence de me faire reprendre mes forces par degrés, et je restai là plusieurs jours sans entendre parler de personne, mais bien soignée par une bonne vieille et ses filles, à qui l'aumônier m'avait recommandée comme la parente de M. le gouverneur.

Je ne me ferai pas un mérite des réflexions qui me roulaient dans la tête ; elles vous concernaient toutes ; vous étiez ma seule inquiétude : jugez de ce que je souffrais sans que je vous le raconte. Je voulais courir au hasard pour vous chercher, mais je n'étais plus qu'une ombre.

J'essayai plusieurs fois de séduire quelques-uns de mes gardes pour les envoyer à la ville savoir de vos nouvelles ; je n'en trouvai qu'un prêt à me servir ; mais hélas ! à quelle condition ? vous le dirai-je ? J'en fus trop humiliée moi-même pour n'en avoir pas perdu jusqu'au souvenir. Je me regardais comme votre épouse ; je me comparai à toutes celles qu'on avait mises à pareille épreuve pour sauver leurs maris ; je me dis tout ce qu'il y avait à dire pour et contre ; si vous existiez, je ne vous sauvais pas en commettant une action qui vous aurait plus fait souffrir que la mort même ; et, si vous n'existiez plus, ma honte me restait en pure perte. Cependant l'ardente envie que j'avais d'être instruite de votre sort me fit imaginer une alternative ; je promis à ce malheureux tout ce qu'il me demandait, s'il m'apportait des preuves qu'il vous eût parlé et qu'il vous eût instruit de ma retraite, bien persuadée que, si vous l'appreniez, vous seriez aussitôt que lui près de moi pour ma défense ; s'il me rapportait que vous n'existiez plus, je n'avais que le désespoir pour ressource, et je me serais moi-même soustraite par la mort à ses brutales prétentions. Je me munis à cet effet d'un couteau que je serrai précieusement sur mon cœur. Je le fis partir le lendemain sous quelques prétextes qu'il exposa à ses camarades ; il ne revint pas le même jour, parce que le trajet de là à la ville demandait plus de temps que je ne l'avais imaginé. Le troisième jour, je le vis arriver seul sur le midi. Mon sang se glaça, quand je pensai que vous ne l'aviez pas devancé ; il m'apprit que vous aviez été pris et mis en prison, qu'il lui avait été impossible de vous parler, mais que Synnelet n'étant pas mort de la blessure qu'il avait reçue de vous, il avait demandé lui-même votre grâce. Je lui fis sentir qu'il ne convenait pas qu'on nous vît longtemps ensemble à son retour de la ville. Il me répondit qu'il aimait mieux aussi que nous achevassions la conversation la nuit, et qu'il était sûr du moyen d'entrer dans ma chambre quand tout le monde serait endormi. Il me quitta en me laissant en proie à toute la frayeur que devaient me causer ces dernières paroles. Une heure après je vis arriver l'aumônier ; quand il se fut un peu remis de l'extrême chaleur, il vint auprès de moi et me parla en ces termes : Vous verrez bientôt, mademoiselle, arriver dans ces lieux l'homme à qui vous paraissez la plus belle et à qui vous êtes la plus chère. Le chevalier ! m'écriai-je toute transportée. J'étais prête à lui sauter au cou. Votre chevalier ! me répondit-il, ce monstre qui vous avait enterrée toute vive pour se débarrasser de vous ! non. Le ciel l'a puni de son forfait abominable, nous l'avons trouvé à demi dévoré des bêtes féroces ; il n'a survécu qu'autant de temps qu'il en fallait pour nous avouer son crime, et nous vous cherchions partout pour vous donner une sépulture honorable, quand nous vous avons trouvée vivante.

On ne débite pas le plus monstrueux de tous les mensonges sans que le visage en laisse apercevoir quelques marques ; le rapport de mon commissionnaire et l'air faux de l'aumônier me rassurèrent sur les alarmes qu'on voulait me donner sur votre compte, et je continuai de l'écouter tranquillement pour savoir où il en viendrait. Il poursuivit de la sorte : J'ai porté à Synnelet l'heureuse nouvelle de votre résurrection ; vous ne sauriez croire, mademoiselle, quel baume j'ai versé sur sa plaie ; il vous adore, il brûle de venir vous le dire lui-même ; il m'a chargé de vous annoncer qu'il viendra vous offrir sa main, dès que ses forces pourront le lui permettre ; vous serez la plus heureuse personne du pays, et je vous demande l'honneur de votre protection. Vous êtes un fourbe atroce, monsieur l'aumônier, lui dis-je tout indignée, je suis la femme du chevalier des Grieux ; les serments que nous nous sommes faits d'être toujours unis sont plus forts qu'une vaine cérémonie administrée par un prêtre ; Dieu ne veut que des sacrifices purs, offerts par des mains plus pures encore. Mon amant vit, je ne puis être à d'autres sans être parjure, et, quand il ne vivrait pas, tous les Synnelet du monde ne me feraient pas renoncer à la gloire de lui être fidèle après sa mort même ; vous voulez me tromper, et vous vous y prenez lourdement, car si le chevalier des Grieux était mort, comme vous le dites, pourquoi ne m'auriez-vous pas menée droit à la ville, quand vous m'avez trouvée ? Réponds, si tu l'oses, à cette preuve convaincante de ton imposture ! D'ailleurs, un de tes gens, qui vient de la ville, m'a rapporté que le chevalier était en prison et qu'il allait avoir sa grâce. Quelle foi puis-je donc ajouter à tes discours ? Mais ton Synnelet, ajoutai-je tout de suite, pleine de fureur, et en lui montrant mon couteau, qu'il m'approche : voilà qui me délivrera de sa présence odieuse ! ce couteau ne sortira plus de mes mains, et, si quelqu'un s'avise de franchir les trois derniers pas qu'il lui faudrait faire pour arriver jusqu'à moi, je me perce à ses yeux. Je sens que je vais être en butte à la persécution, que j'en serai tôt ou tard la malheureuse victime, ainsi rien ne me paraîtra plus doux que de me délivrer par la mort de ce qui me serait plus affreux que la mort.

Mes yeux étincelants, le ton de fermeté avec lequel je proférai ces paroles, le bras levé, la pointe du couteau tournée sur mon cœur, le firent sur-le-champ reculer de frayeur à la distance prescrite. Ne me parle jamais de plus près, lui dis-je, toi ni les tiens, ou tu verras quel cas je fais de la vie. L'aumônier ne sut que me répondre ; je démêlai que mon discours l'avait animé de colère, et, ne sachant à qui s'en prendre, il la passa sur le malheureux qui avait été à la ville et qui m'en avait apporté les nouvelles. Il le fit venir et le fit garrotter en ma présence par ses camarades, pour être gardé jusqu'à ce que M. le gouverneur vînt à décider de son sort. Je me trouvai soulagée de ce côté, car les dernières paroles que ce forcené m'avait proférées m'avaient causé la plus vive inquiétude.

L'aumônier retourna à la ville ; je n'abandonnai pas mon arme ; je me faisais servir au milieu de ma chambre ; quand on servait je me réfugiais dans un des coins, et je ne m'approchais de la table qu'après que tout le monde s'en était éloigné. Quand je voulais me coucher, j'allais barricader les portes et les fenêtres pour qu'on ne me surprît point pendant mes instants rares de sommeil, et je n'entrais dans mon lit qu'avec le fatal couteau si cher à mon désespoir.

Ma vie d'ailleurs était si uniforme que, jusqu'à l'arrivée de Synnelet en ces tristes lieux, je n'ai rien d'intéressant à vous dire. Pour ce qui me regarde, je vous fais grâce de mes réflexions, réflexions d'un cœur brisé ; je craindrais de pénétrer le vôtre davantage et j'éviterai autant que je pourrai de l'émouvoir.

L'aumônier revint encore une fois avant Synnelet, mais ce fut pour une expédition qui me fit frémir. Il apporta la sentence du malheureux qui m'avait voulu servir. M. le gouverneur, pour donner un exemple rigide de l'exactitude avec laquelle il voulait qu'on servît les indignes amours de son neveu, l'avait condamné à la mort ; l'aumônier l'exhorta très cavalièrement, et ses camarades le pendirent presque sous mes yeux, avant que j'eusse eu le temps de demander sa grâce ; mais l'aurais-je demandée ? Il n'était donc plus possible, après cet exemple, de rien tenter pour vous faire savoir où j'étais.

Enfin Synnelet arriva après plusieurs semaines et se présenta en amant soumis. Il avait passé une partie de sa jeunesse en France et avait en vérité le ton du monde ; vous l'avez assez connu, et, si son fol amour ne lui eût pas tourné la tête, il eût été incapable de tous les traits indignes qu'il employa pour déranger la mienne.

Si vous ne me ramenez pas mon chevalier, lui dis-je fièrement, n'espérez pas que je vous écoute, et ne croyez pas avoir le privilège de m'approcher de plus près que les autres. Tout est perdu pour moi, puisque vous ne me rendez pas ce que j'aime : je n'ai plus rien à désirer ni à craindre, et ce couteau protecteur m'affranchira du plus affreux des esclavages. C'eût été quelque chose d'assez plaisant pour toute autre que moi de voir un galant faire le transi à quatre pas de ses amours, sans oser en approcher davantage ; mais il ne devait pas se soumettre pour longtemps à cette ridicule contrainte. Belle Manon, me dit-il, votre état me fait pitié ; croyez-vous qu'il me serait difficile de vous désarmer, si je le voulais absolument (le mot était déjà donné et on en épiait le moment) ; mais, quand vous me connaîtrez bien, vous verrez que vous n'aviez pas besoin de la gêne que vous vous donnez à vous-même ; je ne devrai jamais rien qu'à votre cœur : s'il doit me détester toute la vie, du moins n'aurez-vous jamais à vous plaindre de moi et je vous donnerai bientôt des preuves que mon amour respectueux, autant qu'il est violent, mériterait du retour de votre part, si vous n'étiez pas préoccupée pour un traître, indigne mille fois de la tendresse que vous lui gardez. Je voulais vous faire accroire qu'il était mort pour vous éviter le récit de son crime ; mais je vois bien que ce n'est pas la feinte qu'il me faut employer avec vous.

À cet instant je me sentis frapper le poignet armé du couteau. Ma main s'engourdit sans ressentir une vive douleur : le couteau alla tomber à quelque distance ; deux hommes agiles accoururent et se ruèrent par terre pour le ramasser ; ils s'en emparèrent pendant que je me baissais pour le reprendre de la main gauche.

Tout le monde sait combien les sauvages sont adroits à décocher une flèche : Synnelet, averti de mes résolutions funestes par l'aumônier, avait amené celui qui était le plus expert en cet art, lui avait fait répondre de son coup sur sa tête ; celui-ci, d'un des côtés de la chambre, m'avait lancé une flèche émoussée et garnie de façon qu'elle me frappa sans me faire aucun mal.

Synnelet vint s'exposer lui-même à toute ma fureur. Eh bien ! belle Manon, me dit-il, je suis votre vainqueur et c'est moi qui m'expose à vos coups ; je vous rendrai ce couteau si cher ; mais si vous voulez m'entendre, je vous désabuserai de toutes les erreurs où vous êtes, et, si vous avez décidé ma mort, je souffrirai plutôt mille morts que de rien entreprendre qui puisse vous déplaire.

Il se jeta à mes genoux : Qu'on lui rende son couteau. Mais non, s'écria-t-il en me remettant son épée, elle servira mieux votre colère : frappez-moi, Manon, si vous ne devez jamais m'accorder votre tendresse.

Il était fort près de moi : j'acceptai son épée, mais c'était pour la tourner contre moi-même ; il suivait de l'œil tous mes mouvements, et le circuit que décrivait mon bras pour me frapper lui fit bientôt connaître mon dessein ; il n'eut pas de peine à le prévenir en me reprenant son épée. Grand Dieu ! s'écria-t-il, si le chevalier des Grieux était encore digne d'un amour si excessif, je lui sacrifierais tout le mien dans cet instant même ; mais, encore une fois, Manon, il ne mérite pas de posséder un cœur comme le vôtre, et je reproche bien à ma générosité d'avoir imploré sa grâce : vous seriez vengée ; mais j'ai cru qu'il suffisait d'avoir été aimé de vous pour mériter de la pitié. D'ailleurs, on aurait pu penser que c'était moins votre intérêt que mon amour pour vous qui portait mon oncle à la vengeance, et, supposé que vous vinssiez à m'aimer un jour, j'en éloignais le moment : en le faisant punir sans vous avoir persuadée de son crime, n'aurais-je pas... Quel est-il donc ? lui dis-je en l'interrompant. Hélas ! reprit-il d'un air triste, n'avez-vous donc pas remarqué, pendant votre traversée du Havre-de-Grâce au Nouvel-Orléans, que le chevalier des Grieux s'est souvent entretenu avec une des malheureuses qui vous accompagnaient dans votre exil ? On la nommait, je crois, Olympe ; il paraît qu'elle était aussi infortunée que vous : beaucoup de faiblesses et beaucoup de désordres, c'était tout son crime ; mais elle était plus jolie et moins coupable que toutes ces pauvres créatures que Paris rejetait de son sein. Eh bien ! dis-je à Synnelet avec impatience. Eh bien ! continua-t-il, en revenant de pleurer sur la fosse où il vous avait enterrée toute vivante, le chevalier des Grieux rencontra cette fille en prison et lui conta son chagrin ; elle pleura avec lui... Achevez ! m'écriai-je toute pâle. Vous ne devinez pas, belle Manon, qu'ils se sont consolés ensemble ? C'est impossible ! dis-je avec colère : je réponds du cœur de mon amant. Ah ! mademoiselle, poursuivit Synnelet, vous ne connaissez guère les hommes : celui-ci vous a aimée, mais le tombeau met un siècle de distance entre les cœurs les plus passionnés. Non seulement le chevalier des Grieux a pris goût à la belle Olympe, mais il s'est embarqué avec elle pour la France où il espère la faire rentrer à la faveur d'un nom de guerre. J'ai moi-même prié mon oncle pour lui faciliter les moyens de retourner dans son pays. Nous nous sommes quittés sans rancune en nous donnant la main.

J'étais confondue, j'étais plus morte que sous le sable où vous m'aviez enterrée. Je ne trouvai pas un mot à répliquer. Une voix plaidait pour vous dans mon cœur, mais une autre voix affirmait à mon esprit que tout ce roman était vrai : vous m'aviez quelquefois parlé de cette fille avec faveur pendant la traversée, pourquoi ne l'eussiez-vous pas aimée après ma mort ? Le cœur est si fragile ! C'est un abîme, on s'y perd.

Synnelet me laissa à mon chagrin et à mon dépit. Je voulais mourir, je voulais vivre pour me venger. Je tombai agenouillée ; je levai les yeux au ciel, et, dans une sainte effusion, je promis à Dieu de lui consacrer mes jours, si je pouvais retourner en France.

Quoique cette promesse fût solennelle et qu'elle calmât mon cœur, un instant après je tentai de gagner la vieille et ses filles pour avoir la liberté : elles furent inexorables, et mes tentatives ne servirent qu'à me faire observer de plus près.

Synnelet revint, toujours plus tendre et plus soumis. Quel est donc le pouvoir de vos charmes ? me disait-il ; vous me traitez avec la plus grande rigueur, il ne tient qu'à moi de mépriser vos mépris mêmes : mon oncle est après Dieu le maître de cette contrée, il me persécute pour m'obliger à me servir de tous mes droits sur vous ; je meurs de mon amour, et c'est moi qui suis votre esclave ! Qu'employez-vous donc pour m'enchanter de la sorte ? En effet, je trouvais rare, et je n'en reviens pas encore aujourd'hui, qu'un homme ait été capable à la fois d'une pareille délicatesse et d'un artifice soutenu et combiné, comme celui qu'il employait chaque jour pour vous chasser de mon cœur.

Synnelet repartit et revint plusieurs fois encore ; il ne me parlait jamais que de son désir de me plaire ; il voulait ne devoir ma main qu'à son amour et à ma tendresse. Vous allez revenir à la ville, me disait-il ; là, si je ne parviens pas à toucher votre cœur, du moins aurai-je le plaisir de vous contempler sans cesse.

Ma retraite avait quelque chose de conforme aux sentiments qui régnaient au fond de mon âme ; je commençais à l'aimer : je suppliai Synnelet de m'y laisser du moins pour quelque temps. Mais, pensai-je tout à coup, j'en apprendrai plus par la voix publique que je ne pourrai faire dans ma retraite : retournons à la ville.

Synnelet me ramena et me fit occuper le plus bel appartement de la maison de son oncle. Nous y passâmes quelques semaines sans qu'il se démentît de sa soumission ; mais il m'en accablait. Je lui annonçai que, si on exerçait jamais sur moi la violence, on pouvait peut-être me posséder un quart d'heure ; mais que, si on m'aimait véritablement, on s'en repentirait toute la vie. Synnelet me parut moins pénétré du respect qu'il m'avait toujours fait paraître. Si mon oncle, dit-il, veut absolument que notre mariage s'achève, il faudra bien que je le laisse agir ; je sais que j'aurai à souffrir de vos premières répugnances ; mais vous vous ferez à mon amour et à votre devoir, et je suis sûr que nous vivrons les meilleurs amis du monde dans la suite.

L'air cavalier avec lequel il me débitait ces paroles, le danger où je me trouvais exposée dans une maison et dans un pays où on avait tout pouvoir sur moi, me firent imaginer un expédient bizarre, auquel j'eus recours avec succès. L'aumônier avait la permission de me venir voir et s'acquittait faiblement de la charge qu'on lui avait donnée de me réduire par les principes du christianisme à ce qu'on exigeait de moi ; je n'avais pas pour lui une aversion décidée ; je ne comprenais pas pourquoi, car il m'avait donné assez de sujets de me plaindre ; mais il est sans doute des sympathies qui préviennent nos cœurs. Ne tremblez point, mon cher chevalier, laissez-moi vous conter sans vous troubler d'où celle-là pouvait naître ; néanmoins, soit qu'elle se fît vraiment sentir, soit que j'entrevisse qu'il pouvait un jour me secourir, je ne lui parlai pas avec la dureté que j'aurais dû lui faire voir, et je lui dis même que je m'étonnais de la complaisance que j'avais à l'écouter sans haine. D'où cela peut-il venir, monsieur l'aumônier ? Ah ! sans doute, me répondit-il en se jetant à mes genoux, de tout l'amour que j'ai pour vous, belle Manon ; vous m'autorisez vous-même à vous déclarer le feu qui consume mon âme ; je sais combien il est illégitime ; je sais qu'il me fait trahir ma religion et mes maîtres ; mais il est si dévorant, qu'il ne me laisse plus la liberté de me posséder, et que j'aime mieux mourir que de ne pas vous le faire connaître. Mais, continua-t-il, si vous voulez mettre cet excessif amour à l'épreuve, il pourra vous servir, j'ai des ressources ici ; on ne me soupçonnera jamais de vous être favorable ; et je ne doute pas qu'avec le temps je ne vous débarrasse de Synnelet, qui vous est odieux, et que je ne vous rende à votre patrie.

Je m'étais levée dans les commencements de son discours. À genoux devant mon fauteuil, il y appuyait ses deux mains. Synnelet entra ; dès que l'aumônier le vit, il leva les mains au ciel en restant toujours à genoux ; Synnelet lui demanda ce qu'il faisait là. Il se retourna en feignant de ne l'avoir pas aperçu, et, prenant le ton de l'hypocrisie la plus attendrissante : Je suppliais le Tout-Puissant, répondit-il, d'inspirer à mademoiselle les sentiments nécessaires au bonheur de vos jours, que tous mes conseils ne peuvent lui faire naître. Synnelet le remercia de son zèle et nous annonça qu'il était obligé de s'absenter pour tout le jour. Écoutez, me dit-il avant de partir, écoutez M. l'aumônier ; c'est un saint homme, qui ne vous parlera que pour votre bien, et dont les lumières et les connaissances ne peuvent que vous mettre dans le bon chemin. Pour partir d'ici, me dis-je à moi-même, après avoir eu le temps de réfléchir à tout ce que m'avait dit l'aumônier et à la conduite que j'avais à tenir avec lui. Il se releva, et, me pressant de retourner à mon fauteuil pour se replonger à mes genoux : J'aime mieux, lui dis-je, que vous me parliez debout : on pourrait encore nous surprendre. Ah ! charmante Manon, me dit-il, je lis dans vos yeux que je ne suis pas indigne de votre cœur. Que voulez-vous que je fasse de l'amour dont vous me parlez ? lui répondis-je. Je ne vous aime point ; où cela nous mènera-t-il ? Votre état ! Qu'appelez-vous mon état ? reprit-il ; j'ai celui-là ici parce qu'il m'y fait vivre ; mais dans un autre pays je n'en ai plus ; débarrassé de mon habit, je ne suis plus qu'un homme. Mais Dieu, m'écriai-je, à qui vous avez promis... Sortez de l'erreur, me répondit-il. Là-dessus il me tint des discours auxquels une raison plus faible que la mienne se serait laissé prendre, pour me persuader que toutes nos idées sur notre culte et sur nos mystères n'étaient qu'une convention de ceux d'entre les hommes qui s'étaient les premiers arrogé le droit de commander aux autres ; qu'il était du secret ainsi que tous ceux de sa profession, et que je ne devais pas m'arrêter à ces bagatelles. Il me fit frémir et admirer tout ensemble comment j'en étais réduite à me servir, pour retourner moi-même à ce Dieu que j'adorais dans mon cœur, du bras d'un homme qui le reniait hautement, ou qui s'efforçait de me donner les preuves les plus convaincantes que, s'il en existait un, il ne se mêlait en aucune manière des actions des hommes.

Oui, belle Manon, poursuivit l'aumônier, je vous promets de vous enlever d'ici par le premier vaisseau qui viendra d'Europe. Quand en attend-on ? lui dis-je. Au plus tard dans un mois, me répondit-il. Mais vous ne savez pas, lui répliquai-je, que l'oncle de Synnelet vient de me déclarer qu'il voulait que mon mariage s'accomplît avec son neveu dans quinze jours ; comment parerons-nous à cet inconvénient ? Voyons si cet amour dont vous me parlez tant sera fertile en stratagèmes ; voyons si cet homme sublime, qui trouve tant de moyens pour saper les fondements d'une religion établie sur les plus solides principes, en trouvera pour arrêter la puissance d'une passion criminelle ? Il réfléchit un instant, et me dit : J'en sais un tout simple, mademoiselle ; le vieux gouverneur a eu autrefois le cœur aussi tendre qu'un autre : ranimez les étincelles d'un feu qui couve sous la cendre, rien n'est impossible à vos charmes ; paraissez le préférer à son neveu, il ne pourra se défendre de vous aimer. Par tendresse pour son neveu, il sera quelque temps à lui cacher votre amour ; vous nourrirez son espoir ; il voudra donner des couleurs honnêtes à ses actions ; il éloignera peut-être ce neveu, que sais-je ? Ce sera à votre adresse à conduire cette intrigue. Du moins gagnerez-vous du temps jusqu'à ce qu'il arrive des vaisseaux, et ce sera à moi à me charger du reste.

Je ne pus m'empêcher de sourire : c'était là précisément le projet bizarre qui me roulait par la tête depuis quelques jours, et je confessai à l'aumônier qu'il n'avait pas les gants de cette invention. Ah ! me dit-il, belle Manon ! n'en augurez-vous pas que nos cœurs sont faits l'un pour l'autre, puisque déjà leur opinion est la même sur ce qui doit, dans ce moment, vous intéresser davantage. Ce n'est pas là tout à fait ma conclusion, lui dis-je, mais soyez prudent, je veillerai à mon rôle, songez à bien exécuter le vôtre ; et, avant tout, dites-moi toute la vérité sur le chevalier des Grieux. Est-il parti avec une femme ? L'aumônier me jura par le ciel et par l'enfer que vous étiez parti avec une fille perdue nommée Olympe, dont vous aviez fait votre maîtresse.

Je lui dis de me laisser ; je ne pus m'empêcher de réfléchir aux faiblesses qui maîtrisent un cœur dévoré par l'amour ; car, me disais-je, cet aumônier est une grande dupe si, avec l'esprit le plus fort, il peut se persuader que Manon va se jeter entre les bras d'un prêtre renégat, ou peu s'en faut, pour aller courir le monde avec lui et s'associer à ses crimes et à sa misère, tandis que je refuse opiniâtrement Synnelet, homme riche, jeune et presque beau, le fils de mon supérieur et le maître de mes actions et de ma vie ! N'importe, profitons de son aveuglement pour partir, car rien ne m'est si insupportable que ce séjour.

Je ne me fiais pas tout à fait à la réponse de l'aumônier sur ma dernière question ; je voulais sonder là-dessus encore quelque autre personne. Un secrétaire du gouverneur m'ayant présenté une pièce de vers en forme d'élégie qu'il avait composée et que je trouvai analogue à la tristesse de mon cœur, je le retins près de moi, et après mille propos indifférents je fis tomber la conversation sur ma catastrophe, qui avait été longtemps l'histoire à la mode dans tout le Nouvel-Orléans. Peut-être, disais-je, celui-là n'a-t-il aucune raison pour me déguiser la vérité. Il me raconta votre départ avec les mêmes circonstances. C'était comme un jeu. J'étais en prison chez le gouverneur ; je ne voyais que l'aumônier, Synnelet et une servante dévouée à son maître comme un chien, qui me répétait chaque jour la même histoire.

Je vous avoue, mon cher chevalier, que, ne pouvant pas vous comprendre, vous perdiez tous les jours quelques flammes de ma tendresse ; je sentis que je parviendrais par degrés à vous chasser tout à fait de mon souvenir ; et je fis alors à Dieu, plus solennellement, la promesse de n'être jamais à aucun autre homme et de me vouer à lui.

Le vieux gouverneur ne tarda pas à me fournir l'occasion que j'avais désirée ; il avait fait une absence pour des tournées imprévues ; à son retour, il me vint voir.

Je vous avais accordé quinze jours, me dit-il, voilà près de deux mois expirés, vous devez vous être toute consultée. Je prétends, mademoiselle, que mon neveu vous épouse la semaine prochaine, et, pour vous faire voir qu'on ne cherche point à vous séduire et à vous détourner injustement d'un amour ridicule, lisez vous-même une lettre que je viens de recevoir de France. Il était arrivé la veille une de ces frégates en course qui avait apporté des ordres de la cour concernant le service du pays et qui devait repartir quand le gouverneur aurait fait ses dépêches ; l'aumônier m'en avait prévenue en m'avertissant que ce n'était pas là une occasion favorable pour notre départ.

Je lus alors une lettre maudite qui avait été fabriquée pour être produite en cette occasion. Elle était signée d'un vieil ami du gouverneur, homme de condition, dont le nom m'a échappé, qui mandait que le chevalier des Grieux, devenu riche par la mort de son père, lui avait demandé sa fille en mariage, qu'il avait appris que c'était un maître libertin ; que ses aventures l'avaient forcé d'aller au Mississippi, mais qu'il paraissait corrigé ; que le chevalier lui-même lui avait avoué que l'amour seul qu'il avait eu pour une certaine petite Manon lui avait fait faire bien des sottises, mais que, pour les oublier et pour l'en punir, il l'avait abandonnée dans le désert. Ce vieil ami demandait dans la suite de sa lettre comment vous vous étiez comporté au Nouvel-Orléans, et si on avait trouvé en vous le repentir sincère de vos fautes.

Cette lettre, où l'on avait imaginé la mort de votre père au hasard, puisqu'on vous y nommait toujours le chevalier des Grieux, ne me parut cependant pas fabriquée, et vous conviendrez qu'elle était bien faite pour me jeter dans le désespoir ; je m'y voyais méprisée par vous autant qu'abandonnée ; vous y faisiez vous-même l'aveu du crime d'abandon ; le dépit m'inspira du mépris à mon tour, et, ne perdant pas de vue mon projet de départ, j'avouai au gouverneur que ce n'était plus le sentiment que je conservais pour vous, puisque vous n'en méritiez plus, qui m'éloignait de Synnelet, mais un penchant plus raisonnable dont je n'étais pas la maîtresse. J'ai eu tant à souffrir des écarts de ce jeune homme, lui dis-je tout de suite, que si jamais je m'engageais de mon plein gré dans les liens du mariage, je désirerais trouver un homme mûr, qui me consolât par sa sagesse. Je le regardais tendrement en lui disant ces paroles. Si jamais j'ai désiré que ma figure prît quelque empire sur un homme, ce fut sur celui-là. Je l'animai de tout ce que je crus capable de le séduire ; je lui pris les mains en le priant de ne me pas contraindre. Mon père, lui dis-je, car désormais je voudrais que vous voulussiez bien m'en servir, pourquoi Synnelet n'a-t-il pas votre âge et votre figure !

Je me jetai à ses genoux en me couvrant le visage d'une rougeur qui ne m'avait jamais servi si à propos. Mes yeux mouillés cherchaient amoureusement sa réponse dans les siens ; le vieillard me releva, m'embrassa et versa des larmes. Oh ! Manon, s'écria-t-il, la plus belle de toutes les filles ! que je suis charmé de tes sentiments, ils me rajeunissent et me comblent de joie ! Va, tu seras heureuse ; mon neveu n'est qu'un sot qui ne mérite pas en effet ta tendresse.

Il se rengorgea tout de suite comme quelqu'un qui croit devoir un bonheur si imprévu à sa bonne mine. Ne songeons plus, dit-il, qu'au moment de nous unir et au moyen de guérir ce pauvre garçon sans le désespérer (car au fond je serais fâché de le perdre). Ce n'est pas une petite affaire, mais j'en viendrai à bout. Sois toujours inexorable avec lui de ton côté, et laisse-moi conduire toute l'intrigue.

Tout en finissant son discours, le bonhomme se permettait déjà de petites privautés, comme si c'eût été le jour de nos noces. Il me quitta en me disant qu'il allait faire ses réponses à la cour, et qu'il répondrait aussi au vieil ami qu'il pouvait donner sa fille au chevalier des Grieux, que ce jeune homme avait pris d'autres sentiments depuis ma mort, et qu'il était devenu sage. N'est-ce pas, ma fille, continua-t-il, tu as pardonné à ce garçon ? tu ne veux pas t'opposer à sa fortune ? Je vous croyais coupable, je ne vous croyais plus amoureux, ce qui était bien pis. Il me paraissait bien douloureux de donner moi-même mon consentement à votre mariage. Faites comme il vous plaira, dis-je tristement.

Je rendis compte de mes succès à l'aumônier ; nous n'attendions plus que le moment heureux qui devait nous faire finir cette comédie en quittant nous-mêmes la scène.

Le vieux gouverneur, après avoir fait ses dépêches, s'était livré à toute la joie de cette journée : elle lui causa une révolution singulière ; à minuit, il se trouva mal dans son lit, il mit toute la maison en alarmes : il était fort âgé, quoique encore vert ; il eut une fièvre violente qui mit ses jours en péril. Dieu ! disais-je à l'aumônier, s'il allait en mourir ! quel moyen de me soustraire à l'amour de son neveu, qui allait devenir le maître du pays et de ma personne ? Nous nous désespérions ; cependant, ce qui nous avait d'abord paru si fort à craindre nous devint favorable quelques jours après, car le vieux gouverneur n'en mourut pas ; il traîna fort longtemps et eut toutes les peines du monde à se rétablir, et, quand Synnelet me persécutait avec trop d'importunité, je le menaçais de le dire à son oncle, qui de son côté avait remis au temps de son rétablissement à reparler de cette affaire. Pendant cette maladie, qui dura deux mois, sans que nous vissions arriver de navire, j'étais assez souvent auprès du lit du malade pour troubler quelquefois ses meilleurs moments par les plaintes que je lui faisais de son neveu et les appréhensions où je le mettais que notre mariage ne les brouillât tous les deux. Comptez sur moi, me dit-il un jour, je vais l'envoyer en France pour lui faire solliciter ma survivance : je lui représenterai qu'il ne lui convient pas de se marier pendant que je suis au lit, que je veux d'ailleurs avoir l'agrément de la cour sur ce mariage, et, pendant qu'il sera en Europe, nous nous marierons. Je ne vis pas d'abord tout le danger de cette résolution, et quand j'en fis part à l'aumônier : Ciel ! s'écria-t-il, nous sommes perdus, mademoiselle, et nous n'exécuterons plus rien si vous permettez que Synnelet parte ; nous allons donc nous trouver dans le même vaisseau avec lui, et, quand il nous verra, il nous fera remettre à terre, ils me feront pendre, et, pour qu'il ne vous arrive plus de vous échapper, ils vous épouseront sur-le-champ. Ne vous effrayez pas, lui répondis-je, je mène à présent le bonhomme comme je veux ; Synnelet restera, je vous le promets.

En effet, le vieux gouverneur n'eut pas seulement le temps d'en parler à son neveu ; je lui représentai qu'il était inutile qu'il se privât de sa présence, que Synnelet commençait à se lasser de mes rigueurs, et que je lui promettais, avec le temps, d'éteindre tout son amour et de lui voir donner les mains lui-même à notre union.

Enfin, un beau matin, on attacha sur le haut de la ville le signal ordinaire pour annoncer une voile au large. Je tressaillis comme si j'allais vous revoir. Je me disais que c'était pour Dieu seul que je retournais en France, mais mon cœur pensait à vous seul, mon cher comte.

C'était un navire d'armateurs de Marseille, conduit par un capitaine nommé Marsaing. L'aumônier s'entendit sans peine avec lui. Tout alla bien. La nuit la plus orageuse nous couvrit de ses ombres ; je n'étais plus observée depuis longtemps ; l'aumônier fit, sous mes fenêtres, un signal convenu ; à trois heures du matin, je me dérobai par un petit escalier ; un canot nous attendait à l'entrée du port, nous y montâmes avec la joie de la délivrance : on nous mena rapidement à bord ; comme le capitaine n'attendait que nous pour lever l'ancre, nous nous éloignâmes bientôt à toutes voiles. Le capitaine du vaisseau avait avec lui sa femme ; je leur demandai la permission de faire mettre mon lit dans leur chambre ; ils y consentirent ; on parvint à l'y arranger, malgré les murmures sourds du prêtre amoureux, qui regardait déjà ce navire comme le champ où il allait cueillir le fruit de ses services.

Je mis tous mes soins à me faire aimer de la femme du

capitaine, afin d'avoir un prétexte pour lui tenir dans le jour une fidèle compagnie : c'était une de ces femmes ordinaires qu'il me fut aisé de subjuguer ; quelques ouvertures que je lui fis sur mes malheurs la mirent bientôt dans mes intérêts. J'entrevis que j'aurais en elle un appui, si l'aumônier ne se contenait pas dans les bornes du plus scrupuleux respect. Pour le capitaine, c'était un fieffé coquin, sous des dehors de bonhomie. En me promenant sur le pont un soir, je le vis entrer furtivement dans une cabine, où il s'enferma comme pour commettre une mauvaise action. Une heure après, sa femme, qui le cherchait partout, me demanda si je ne l'avais pas rencontré. Je crois bien, lui dis-je toute distraite, qu'il est là-bas encore dans cette cabine. Elle alla frapper à la porte de cette retraite indigne. Il sortit bientôt et ferma subitement la porte. Que fais-tu donc toujours là ? lui demanda sa femme. Mes comptes, répondit-il sèchement. Le lendemain, à la même heure, le hasard m'avait encore conduite sur le pont par un beau clair de lune. Même comédie que la veille. La curiosité m'entraîna à la porte. J'entendis parler. On ne faisait pas des comptes, car je reconnus une voix de femme dans l'éloignement. Mais alors un homme du bâtiment vint à moi et me pria de rentrer, déclarant que le capitaine, une fois minuit sonné, ne souffrait personne sur le pont ; que ses ordres étaient rigoureux et qu'il était là pour y veiller. J'obéis, mais tout en me promettant d'avoir la clef de cette énigme. Je me jetai sur mon lit sans pouvoir dormir. Une heure après, j'entendis le capitaine qui descendait chez sa femme. Dès que je jugeai qu'il était endormi, je retournai bravement sur le pont et j'allai frapper à la porte mystérieuse. On ne répondit pas ; je frappai encore. Cette fois on vint ouvrir. Je vis apparaître une jeune femme à peu près nue, qui, ne s'attendant pas à ma visite, poussa un cri d'effroi. Ne vous effrayez pas, lui dis-je d'une voix amie ; je connais votre secret et je ne le trahirai point. Tout en parlant ainsi, j'étais entrée dans la cabine. Il était temps, car l'homme de garde allait me surprendre. Puisque vous êtes si bien avec le capitaine, dis-je à l'inconnue, vous me protégerez auprès de lui et me ferez protéger contre les tentatives criminelles de l'aumônier qui m'emmène. L'inconnue répondit par un éclat de rire. La bonne rencontre ! dit-elle en me tendant la main. Nous étions dans la nuit la plus profonde. La bonne rencontre ! dis-je avec surprise, je ne vous comprends pas. Allons donc, répliqua-t-elle, vous êtes Manon, et je suis Marianne, autrement dit la

Bouquetière. Nous n'espérions pas retourner si vite en France. Cette fille me raconta qu'elle avait vu le capitaine dans un cabaret ; qu'il l'avait trouvée jolie, qu'elle s'était montrée rigoureuse sur le point d'honneur, qu'elle n'avait consenti à tomber en son pouvoir qu'à la condition de partir avec lui soit pour retourner en France, soit pour aller ailleurs, mais loin d'un pays où elle vivait dans l'esclavage. Après bien des débats, il avait bien voulu la prendre dans son bâtiment, mais à la dérobée, car il était marié, et sa femme voulait être tout à fait sa femme. Il avait mis un matelot dans sa confidence. Cet homme montait jour et nuit la garde à la porte de la cabine où nous étions.

Marianne alluma une lampe et me fit les honneurs de sa prison. Il y avait de quoi se tenir debout et se coucher. Vous savez, me dit-elle en riant, que j'ai depuis longtemps pris l'habitude de vivre couchée. Je lui fis quelques représentations sur ses tristes folies. Mais elle n'avait pas comme moi entrevu le ciel et elle se moqua de moi. Je la quittai, après lui avoir promis de trouver l'instant de rentrer chez elle les nuits suivantes.

Nous avions avec l'aumônier, sur le tillac, des entretiens particuliers, sans cesser d'être en vue à tout l'équipage. Je ne pouvais m'empêcher de lui parler de ma reconnaissance ; il saisissait ces instants pour me renouveler les expressions de son amour. À la fin, bien assurée de la protection de mes hôtes et convaincue que la connaissance que l'on avait de son état à notre bord le réduirait, au moins sur le vaisseau, à la modération que j'en devais exiger, je résolus de m'ouvrir à lui sincèrement pour ne pas flatter et nourrir davantage ses feux ridicules.

Monsieur l'abbé, lui dis-je (car quand vous voudrez que je vous appelle par votre nom, vous me le ferez savoir), je suis pénétrée des soins que vous vous êtes donnés pour moi et du sacrifice même que vous avez fait de votre place pour me tirer de l'Amérique. Vous ne l'avez pas fait pour Dieu, puisque vous ne croyez pas *qu'il se mêle de nos actions*, aussi vous n'attendez de lui aucune récompense ; je suis donc seule votre obligée, et c'est à moi à vous récompenser. Les promesses que je me suis faites de renoncer à tout commerce avec les hommes ne me permettent pas de payer de ma main le prix de vos services ; quand je ne serais point asservie à des préjugés qui me paraissent raisonnables, que dis-je ! quand je ne serais pas persuadée qu'il y a une religion et des lois qui défendent ces assortiments monstrueux, auxquels je ne peux penser sans frémir, pourrais-je compter sur les serments que vous feriez au pied des autels en recevant ma main, vous qui êtes prêt à violer tous ceux que vous avez faits sur les mêmes autels de ce Dieu dont vous êtes l'infidèle ministre et dont vous interprétez les lois selon que l'intérêt de vos passions le demande ? Parjure sans scrupule à votre Dieu, vous le seriez sans regret à votre épouse. Vous vous êtes épris de moi, parce que j'ai un peu de figure ; l'amour que les sens seuls font naître ne dure qu'autant qu'eux : d'ailleurs, c'est chez moi un parti pris de me vouer à la solitude. Ainsi, voici quelles sont mes intentions. Le gouverneur m'a donné à peu près pour cinquante mille livres de diamants ou de bijoux ; quand nous serons débarqués, j'en prendrai une part pour payer ma dot dans le couvent que je choisirai ; nous ferons présent au capitaine d'une autre part ; je vous abandonnerai tout le reste : vous vous ferez 1 500 livres de rente, vous reprendrez votre état, qui vous sera encore de quelque secours, et vous y vivrez en honnête homme.

Il m'écoutait attentivement, je lui avais enjoint de ne me pas interrompre ; je poursuivis ainsi : Il vous paraîtra peut-être étonnant que Manon, cette fille que ses égarements seuls vous ont fait connaître, entreprenne de vous représenter vos devoirs ; mais soyez sûr que l'exemple d'un débauché converti est plus propre à bien faire connaître la vertu que toute la ferveur inhabile d'un théologien qui ne l'a jamais mise en opposition pratique avec les vices. Je lui débitai là-dessus une morale dont je fus étonnée moi-même : jamais je n'avais eu tant d'éloquence ; il pétillait de me répondre. Son esprit lui aurait fourni des arguments, je l'en empêchais toujours. Que l'esprit de la bonne cause m'inspirât ou qu'on se plaise à se laisser persuader par ce qu'on aime, ou bien que j'eusse été assez heureuse pour rappeler le sentiment dans son âme, je le voyais en secret m'applaudir. Il me laissa achever ma tirade, que je terminai par trois ou quatre de ces sentences gravées dans tous les cœurs par Dieu lui-même.

J'ai si fort présent, mademoiselle, me dit-il, tout ce que vous m'avez dit, et je veux y répondre avec tant d'ordre que, premièrement, je n'oublie point que vous m'avez demandé mon nom ; il vous a peu intéressée jusqu'à ce jour ; on ne m'appelait que l'Aumônier à l'Amérique, et vous n'avez pas cru dans ce temps qu'il vous importât d'en savoir davantage : je m'appelle Lescaut. Lescaut ! lui répondis-je, tout étonnée qu'il portât mon nom. Et de quelle province êtes-vous ? De Bourgogne. De quelle ville ? De Dijon. Savez-vous mon nom ? lui demandai-je. Non, me dit-il ; on vous a toujours nommée madame des Grieux au Nouvel-Orléans jusqu'à votre séparation ; le chevalier vous a donné le nom de Manon lors de votre catastrophe, je ne sais si vous en portez un autre. Eh bien ! lui dis-je, je m'appelle Manon Lescaut et je suis de Dijon. Je n'en suis pas la dupe, me répondit-il, pensant que je voulais lui faire accroire que je pouvais être sa parente pour mettre une digue plus forte à ses prétentions, et je n'en croirai rien jusqu'à ce que vous me l'ayez prouvé. Malgré l'étonnement que me causait cette heureuse découverte, j'eus assez de prévoyance pour ne pas vouloir parler la première ; il pouvait profiter de mon ouverture pour bâtir une histoire à sa fantaisie après celle que je lui aurais faite sur la vérité : je lui dis de commencer à me parler de sa famille avec assez de particularités pour me faire apercevoir s'il y avait quelque affinité entre nous ; je le vis dans la même défiance. Je lui proposai alors d'écrire chacun de notre côté ce qui pourrait nous faire reconnaître. Il y consentit ; il pouvait encore me tromper en me forgeant une naissance différente de la sienne ; mais, soit qu'il n'y songeât pas, soit qu'il voulût bien pour ce moment être de bonne foi ou que, se figurant que je lui en avais imposé, il ne crût pas que je pusse avoir la moindre connaissance de sa famille, nous travaillâmes séparément à mettre les choses comme elles étaient, chacun de notre côté. Une heure après, nous étant rapprochés les papiers à la main, nous les échangeâmes ; mais à peine eut-il lu la moitié de l'écrit, qu'il me sauta au cou en me nommant sa chère nièce ; moi, je le laissai faire, parce que je venais de lire aussi qu'il était frère de mon père.

Je ne m'étonnais plus des penchants intérieurs qui me l'avaient fait supporter malgré ses vices ; il attribua aussi à la force du sang toute celle de son amour : nous scandalisâmes un peu l'équipage par nos embrassements redoublés ; mais on nous rendit toute notre gloire quand on fut éclairé ; car nous nous empressâmes aussi de rendre notre histoire publique.

À quelle joie ne me livrai-je pas alors, mon cher comte ? Je venais de me soustraire aux persécutions de mes ennemis en Amérique ; il ne m'en restait plus qu'un qui se trouvait mon oncle : je devenais maîtresse de toutes mes volontés, avec assez de facultés pour remplir le seul projet que j'envisageais avec plaisir ; si votre cruel et cher souvenir ne m'avait pas toujours occupée, je me serais regardée comme la plus heureuse personne de l'univers.

Il me restait encore sur le cœur un petit sujet d'amertume ; j'étais fâchée de savoir mon oncle dans des sentiments si éloignés de ceux que j'aurais voulu trouver dans un homme de ma famille ; j'entrepris de le rapprocher de Dieu : vous ne vous y attendiez pas, mon cher comte ; cependant il n'est que trop vrai que je mis toute ma gloire à venir à bout de cette conversion. Nos journées étaient longues, je ramenais toujours la conversation à cette matière ; vous diriez que je vous prêche, si je vous rapportais tout ce que j'employai de force, d'onction, de ferveur et d'éloquence même (je ne sais où je la prenais), pour effacer de son cœur ces funestes erreurs que j'y avais vues régner. Quoi qu'il en soit, j'eus la consolation, sinon de l'avoir persuadé, du moins de lui faire faire la plus authentique promesse qu'il se conduirait dans tout le reste de sa vie sur mes principes. Et j'aime à croire qu'il me la gardera inviolablement.

Je lui fis alors un détail fort long de toutes nos aventures, et je saisissais dans mon exemple même toutes les occasions de lui prouver que les crimes ne restaient jamais impunis. Il me fit à son tour le récit des circonstances de sa vie, qui était tout simple : il avait de tout temps été destiné aux ordres sacrés ; il avait fait toutes les études nécessaires pour parvenir au dernier avec tout le succès possible ; il prétendait alors à de grands bénéfices ; mais une scène éclatante qui lui était arrivée l'avait pour ainsi dire exilé depuis une vingtaine d'années en Amérique. Vous serez bien surprise, me dit-il, ma chère nièce, quand je vous dirai que jusqu'au moment de vous voir, exactement je n'avais jamais connu ce que c'était que l'amour : j'ai quarante-cinq ans, et je vous jure à présent que j'achèverai ma vie sans chercher d'autres occasions de recevoir de sa part une seconde blessure. Quant aux sentiments que j'ai pu vous donner de ma façon de penser sur les mystères, ils ne sont point à moi : un capucin défroqué est venu il y a cinq ou six ans à l'Amérique, il s'était lié avec moi de la plus étroite amitié ; quelques vaisseaux anglais ayant relâché sur nos côtes, il fit les plus grandes tentatives pour me déterminer à fuir en Angleterre : il se servit pour me séduire de toute la mauvaise logique que je vous ai rendue ; il m'avait presque ébranlé par l'esprit et la force qu'il savait donner à ses faux raisonnements ; cependant je l'ai laissé partir seul, et c'est d'après lui, ou d'après l'amour inconcevable que vous m'avez inspiré, que je vous parlais.

Cependant nous avions un vent si constamment favorable, et nous avions un si bon voilier, que nous achevâmes notre traversée en beaucoup moins de temps que n'en mettent ordinairement les autres bâtiments pour cette course. Avant de mouiller dans le port de Marseille, qui était celui de notre destination, nous avions prévenu le capitaine et sa femme du dessein que j'avais de devenir religieuse ; nous les priâmes de me faire passer pour leur nièce dans le couvent que je choisirais ; je les récompensai assez pour les faire entrer dans mes vues, qui n'avaient rien que d'honnête, et nous n'eûmes pas plutôt mis pied à terre, que je cherchai une retraite conforme à mes souhaits ; j'en trouvai une comme je la voulais dès le premier mois de mon arrivée.

Mon oncle, qui avait assisté à ma prise d'habit, dans le couvent où vous m'avez vu, craignit que le vieux gouverneur du Nouvel-Orléans, désespéré d'avoir perdu sa proie, n'écrivît en cour, qu'il ne donnât à l'évasion de son aumônier avec une fille une tournure plus maligne encore qu'elle ne se présentait d'elle-même, qu'il ne demandât une éclatante punition, et que la cour ne fût prévenue avant qu'il pût la désabuser ; craignant enfin d'être arrêté avant de pouvoir travailler à sa justification, il me représenta qu'il devait aller lui-même exposer qu'il m'avait reconnue pour sa nièce dès mon arrivée à l'Amérique, et que c'était là ce qui l'avait engagé à me délivrer d'une tyrannie inhumaine. Je trouvai sa précaution fort raisonnable ; je lui avais donné en entrant au couvent tout ce que j'avais apporté de l'Amérique. Il partit et il m'écrivit plusieurs fois pendant mon année de noviciat que son affaire était arrangée, qu'il avait parié avec un évêque qu'il n'aurait pas un bon bénéfice, qu'il était sur le point de perdre sa gageure et qu'il désirait que ce bénéfice le mît à la portée de me voir autant qu'il le désirait. Je répondis à ses lettres que ce n'était pas là ce qu'il m'avait promis ; qu'il paraissait avoir oublié mes maximes et la parole qu'il m'avait donnée de s'y conformer, que j'eusse désiré, pour me convaincre de toute la pureté de ses mœurs, qu'il eût pris un autre chemin pour se placer, et que j'avais même des remords sur les présents du gouverneur, qui troublaient ma tranquillité. Je n'ai pas eu le temps de recevoir ses réponses à mon dernier mandement.

Je ne passai pas, comme vous pouvez le croire, mon année

de noviciat sans me livrer de cruels combats ; vous m'étiez toujours présent, tous les tableaux de notre folle vie passaient sans cesse sous mes yeux ; mille songes vous offraient à moi avec toute votre fidélité, et mon réveil me retraçait votre abandon. Trois mois s'étaient passés dans ces agitations violentes, j'avais même prié mon oncle l'aumônier de s'informer de vous à son arrivée. Apparemment que, tout pénétré encore de mes sermons, il jugea que mon repos dépendait entièrement de votre oubli : il m'écrivit qu'il avait su que vous jouissiez dans votre ménage d'une paix parfaite. Je vous avoue que je trouvai à mon tour du plaisir à la troubler, et ce fut après avoir reçu cette lettre de mon oncle que je pris le parti, dans un moment de douleur plus vive, de vous écrire cette lettre qui vous a désolé. Dans mes instants de ferveur, je suppliais Dieu de m'envoyer un peu de haine contre vous ; il fallait que mon amour fût bien enraciné dans le fond de mon cœur, puisque je recourais à des moyens, j'ose dire si impies, dans le fort de ma dévotion, pour vous en arracher. Mais non ! c'était cet amour lui-même qui me dictait de vous peindre encore mes fureurs, comme si vous eussiez pu trouver le moyen de les modérer. Vous ne pouviez me faire de réponse ; cependant mon oncle, de son côté, m'ayant abusée, et vous croyant tranquille dans vos terres, je pris ce silence encore pour une dernière marque de dédain : il ne servit qu'à redoubler mes mépris. Enfin mon année expira et j'allais faire les vœux d'une désespérée : vous ne pouvez vous figurer tout ce que les jours, tout ce que les nuits qui précédèrent cette cérémonie eurent pour moi de terrible ; une voix criait toujours au fond de mon cœur, mais elle était bientôt étouffée.

Je ne connais point d'état plus cruel que celui où je me voyais réduite ; j'appuyais mon front et mon cœur sur le marbre des autels, je passais mes nuits à pleurer et à prier ; mais, au lieu d'entendre le concert des anges, j'entendais toujours les voix du monde. Enfin je me traînai toute tremblante à l'autel ; vous jetâtes un cri, je me tournai vers vous : je vous reconnus sans pouvoir entendre ce que vous me disiez ; il n'en fallait pas tant, dans ma situation, pour m'accabler. Vient-il ici, me dis-je en revenant à moi, insulter à ma misère ? Le sacrifice était fait ; pourquoi vient-il me rappeler que c'est un sacrifice ?

Le sieur Marsaing et sa femme m'avaient toujours continué leur secours. Comme leur vaisseau était depuis peu de retour d'une autre traversée au Nouveau-Monde, ils accoururent au bruit du scandale que j'avais donné dans le couvent. Je leur dis que j'étais toujours dans les sentiments de prononcer des vœux, mais que, dans ce monastère, j'aurais toute ma vie à rougir devant les autres religieuses de ce qui m'était arrivé, et que je les priais de m'en chercher un autre : ils me le conseillèrent d'autant mieux, qu'ils m'assurèrent savoir que vous n'étiez venu à Marseille que pour me faire un mauvais parti, que votre femme voyageait avec vous et parlait de moi avec indignation. Quand Tiberge, qui venait pour me parler de vous, m'eut quittée, le sieur Marsaing vint me dire qu'il n'y avait pas de temps à perdre, que vous aviez apporté des ordres du ministre pour le commandant et pour l'évêque, et qu'il ne s'agissait pas moins que de me faire retourner à l'Hôpital, où j'avais déjà été mise plusieurs fois ; il ajouta avec mystère qu'il partait le lendemain matin, sur son vaisseau, pour Livourne, que si je voulais il m'y conduirait, que je serais à l'abri de toute crainte dans le pays étranger et que j'y pourrais suivre ma vocation, puisqu'on professait dans cette ville la religion catholique. Je ne pensais qu'aux horreurs de l'Hôpital. J'acceptai l'offre du sieur Marsaing tout de suite, sans réfléchir à tout ce qu'il me disait ; nous n'attendîmes que la nuit pour sortir du couvent ; il me mena droit à son bord, où je retrouvai la Bouquetière, que le capitaine tenait rigoureusement sous sa loi sans que sa femme y prît garde ; cette pauvre Marianne avait peur d'être ressaisie par les archers et reconduite au désert. Elle attendait une occasion pour recouvrer sa liberté dans un meilleur pays, en Italie ou en Angleterre. Dès que le jour parut, nous fîmes route pour Livourne.

On tramait contre moi une petite trahison, et on eut soin de me la cacher jusqu'à ce qu'on ne craignît plus les emportements de ma part qui pouvaient la déceler. L'auteur de ce complot était dans notre vaisseau quand nous partîmes de Marseille ; mais il n'osa se montrer à mes yeux pendant cette courte traversée.

Le sieur Marsaing me mena à terre le premier jour de notre arrivée, pour ne me rien faire soupçonner. Le second, il me ramena au vaisseau, me disant que jusqu'à ce qu'il m'eût trouvé un logement convenable, avant de me choisir un couvent, il était plus décent que je tinsse compagnie à sa femme dans le bord que de loger dans une auberge. Mais quel fut mon étonnement quand, le troisième jour, de très grand matin, il déploya ses voiles et que je vis que nous quittions le port de Livourne !

Je montai sur le tillac pour lui en demander la raison. Le capitaine était occupé à commander ses manœuvres, il me reçut presque brutalement, et me dit d'aller l'attendre dans sa chambre jusqu'à ce qu'il y descendît pour m'instruire.

J'allai frapper à la porte de sa chambre, où sa femme était verrouillée ; elle vint m'ouvrir, elle en sortit en m'y faisant entrer précipitamment. Je m'aperçus qu'elle m'y enfermait ; je crus que c'était une badinerie et je lui parlai à travers la serrure, mais je sentis tirer ma robe en dedans de la chambre : je me retournai et je vis un homme vêtu superbement qui me tirait d'une main et qui tenait une glace de l'autre. Il ne me fut pas difficile de le reconnaître pour le prince italien à qui j'avais fait à Paris la mauvaise plaisanterie du miroir. Vous vous imaginez peut-être que sa vue inopinée, dans un lieu où je n'étais pas la maîtresse et où j'étais enfermée seule avec lui, me fit évanouir. Il n'aurait peut-être pas demandé autre chose, mais mon indignation et ma colère me donnèrent des forces. J'attendis son fade début pour lui répondre ; il me présenta la glace à son tour : Regardez-vous, me dit-il, belle Manon, et voyez si vous n'êtes pas faite pour réduire un homme épris de tant de charmes aux dernières extrémités. Il se jeta à mes genoux. Vous êtes libre à présent, me dit-il ; vous fuyez votre amant furieux qui voulait vous perdre ; vous alliez, sans doute par désespoir, embrasser un genre de vie pour lequel vous n'étiez point née ; la misère, peut-être, vous avait réduite ; vous aimez la dépense, je suis prodigieusement riche, et rien ne me paraîtra d'un trop haut prix avec vous. Oui, belle Manon ! continua-t-il en me serrant une main qu'il approchait déjà de ses lèvres, soyez sûre que je ne connaîtrai jamais que vos volontés, et que je n'aurai jamais d'autre but que celui de vous servir.

Je compris que je ne pourrais triompher de cet homme qu'en lui inspirant autant de respect qu'il paraissait avoir d'amour ; c'est pourquoi je pris sur-le-champ avec lui un ton de dignité et un air de souveraine qui déconcerta sa principauté. La première de mes volontés, lui dis-je, est que vous fassiez ouvrir la porte dans la minute, si vous voulez que je vous parle et que je vous regarde. Il alla tout de suite faire sans doute le signal convenu ; on ouvrit. Je vous ordonne, lui dis-je aussi majestueusement, de faire entrer ici la femme du capitaine et de ne me jamais parler que devant elle. Elle doit être de votre gracieux complot ; elle vous servira d'auxiliaire.

Il alla, avec toute la douceur possible, la chercher. Elle ne fut pas plutôt entrée que je l'accablai des reproches les plus humiliants. Cette femme se mit à pleurer et n'eut pas la force de me répondre.

L'Italien m'assura que ses vues étaient les plus douces. C'est ce que je verrai, lui dis-je brusquement. Sans vouloir l'entendre davantage, je sortis de la chambre pour aller prendre l'air ; et, pour montrer que la tranquillité d'âme me mettait au-dessus de la crainte, je tirai, sur le tillac, un livre de ma poche et je fis semblant d'y lire ; je fis semblant, car je voyais trouble.

La Bouquetière vint vers moi : Eh bien ! mademoiselle, est-ce que vous lisez votre bréviaire ? me demanda-t-elle en se penchant au-dessus de mon livre. Je lui contai en peu de mots mon aventure. Elle se prit à rire : Soyez sans inquiétude et sans crainte, mademoiselle ; si le prince persiste, je me jetterai entre vous et lui.

J'eus beau prier le prince et le capitaine de m'abandonner, au premier port venu, à mes infortunes et d'oublier que j'existais, puisque je ne voulais plus vivre que pour Dieu ; j'eus beau les menacer de ma vengeance et de ma mort, ils continuèrent à espérer, l'un pour sa récompense odieuse, l'autre pour sa passion frénétique, que je finirais par m'attendrir et reconnaître que la fortune m'offrait ses plus vives tentations. Le vent était bon, la mer favorable, le bâtiment dévorait l'espace. Où allons-nous ? demandais-je tous les jours. Nul ne voulait ou ne pouvait me répondre. La Bouquetière croyait que nous allions vers la principauté de mon ravisseur ; elle me conseillait de prendre mon parti ; elle me demandait à devenir ma première dame d'honneur. Elle ne comprenait pas mes airs farouches. Tu n'as donc pas un souvenir dans ton cœur ? lui dis-je un jour avec indignation. Je comprends, dit-elle avec sa philosophie habituelle : mon cœur veut vivre, le vôtre veut mourir.

Enfin, la femme du capitaine, qui m'aimait et qui, tout en servant les desseins du prince, cherchait à me défendre de ses attaques, m'avoua tout, un soir que je pleurais sur le tillac. Elle me dit que le prince, revenant de Paris, avait séjourné à Marseille, dans le temps que mon aventure du couvent faisait un bruit surprenant dans la ville ; qu'il avait su, elle ne savait comment, que c'était son mari et elle qui s'intéressaient à mon sort et qui m'avaient fait entrer dans cette communauté ; qu'il était venu leur conter que nous avions été intimement liés, qu'il avait appris par eux mes desseins ; qu'il leur avait recommandé de me proposer d'aller à Livourne ; qu'ensuite il leur avait promis de faire leur fortune s'ils voulaient passer en Angleterre avant de vendre leurs marchandises en Italie, pensant bien que je ne voudrais pas le suivre dans un autre navire ; que, quand nous serions arrivés à Londres, le capitaine reconduirait son vaisseau à sa première destination ; qu'il sentait bien que ses commettants n'approuveraient pas ce retardement, mais que sa récompense les dédommagerait de tous les événements à cet égard. Comme la femme du capitaine en était là de sa confidence, nous arrivâmes devant Portsmouth. Je dis au prince que je voulais prendre terre, parce que je n'avais rien de plus à cœur que de retourner en France ; il m'assura que j'en trouverais plus de facilités à Londres. Nous ne fûmes que peu de jours à nous y rendre.

Le prince me parut de la plus grande docilité. Il ne fallait pas être grand politique (et les gens de cette nation ont la réputation de l'être) pour juger que, s'il me paraissait avoir oublié sa promesse d'attendre sans violence que mon amour s'éveillât pour lui, j'aurais été très fondée à lui faire une scène, qui lui serait devenue disgracieuse, en débutant dans un pays où il voulait s'attirer des égards, et où il avait à traiter quelque affaire importante ; c'est pourquoi il parut le plus honnête de tous les hommes tant que nous fûmes dans le vaisseau, et il dit au capitaine qu'il me conduirait à son auberge, pour me faciliter lui-même les moyens de passer en France.

On avait rendu au capitaine une grande partie de ma dot, il me la remit ; le prince voulut y joindre des présents, je les refusai. Je dis que je ne voulais pas loger dans son auberge, mais dans celle où logerait le capitaine ; le prince parut encore y consentir, et, quand notre vaisseau fut à l'entrée de la Tamise, on descendit dans un canot quelques équipages, tous les miens, le prince, Marsaing, sa femme, Marianne et moi, et nous remontâmes cette rivière pour arriver à Londres ; dès que nous eûmes pris terre, le prince parla bas à un de ses gens, il finit tout haut en lui disant de faire avancer un carrosse de louage ; je descendis du canot en tenant la dame Marsaing sous le bras ; il fallut cependant la quitter pour monter dans le carrosse. Le prince, qui m'y soulevait, monta tout de suite, son valet de chambre ferma rapidement la portière sur nous deux ; le carrosse partit comme la foudre ; je ne revis plus le capitaine, ni sa femme, ni Marianne. Malgré mes cris affreux, le cocher avait le mot, le prince et ses gens connaissaient Londres, nous entrâmes dans une grande auberge à sa discrétion. On ne s'arrêta point à mes plaintes, on feignit de ne point entendre mon langage ; les gens de ce lieu, accoutumés sans doute à de pareilles aventures, me riaient au nez en me disant : *She is vastly pretty.*

Vous êtes étonné, mon cher chevalier, de ce que je n'ai pas marqué dans le carrosse toute ma rage à mon ravisseur. Les forces m'avaient abandonnée, je m'étais contentée de crier, espérant que, dans une ville policée, mes cris m'attireraient du secours ; et, quand j'avais vu que le carrosse marchait toujours, je m'étais livrée à des craintes qui m'avaient presque ôté l'usage de mes sens. Le prince me tenait encore son flacon sous le nez quand nous descendîmes à l'auberge.

On me fit monter, malgré moi, dans une chambre au second étage ; je ne montais pas un degré que je ne sentisse mes jambes tremblantes prêtes à m'abandonner ; je me laissais conduire comme une criminelle qui va au supplice et qui semble à tout moment voir la hache sur sa tête.

Le prince ne m'y eut pas plutôt fait entrer, qu'il me déclara en termes fort clairs qu'il prétendait voir la fin de toutes mes rigueurs cette nuit-là même ; que je m'y résignasse ; que je ferais de vaines tentatives pour lui échapper ; que tout était à sa dévotion dans cette maison ; que les portes en étaient scrupuleusement fermées, et qu'il allait donner des ordres pour notre souper.

Ah ! mon cher comte, les grands périls, la mort, Synnelet, l'aumônier, votre inconstance même, rien n'avait encore fait sentir à mon cœur la révolution convulsive qui agita tout mon être. Je regardais le prince avec des yeux où il devait lire la fureur et le désespoir ; j'épiais le moment où je pourrais m'emparer de son épée pour le poignarder ; il me devina et se tint un peu à l'écart : je saisis un flambeau de cuivre qu'on avait apporté pour nous éclairer, je le lui lançai de toutes mes forces à la tête avec la lumière, qui tomba avec lui et s'éteignit. Je l'avais dangereusement blessé ; car, après sa chute, je ne l'entendis que soupirer. Je voulus profiter de cet instant pour me sauver ; mais je ne voyais plus à me conduire : je pensai lui marcher sur le corps, mon pied s'embarrassa dans un des plis de son habit, je tombai aussi, et je ressentis une douleur si vive que je perdis toute connaissance.

Le bruit de nos chutes attira du monde ; on nous transporta sur des lits qui se trouvaient dans la même pièce ; je revins la première, et je vis le valet de chambre du prince jeter de grands cris sur l'état de son maître, qu'il regardait comme un homme mort ; l'aubergiste, qui parlait fort bon français, dit qu'il craignait les suites de cette aventure, que sa maison serait murée, s'il n'en donnait avis à la justice, il lui dépêcha un de ses garçons ; il me semblait que c'était un secours pour moi que cette justice : je repris courage, je me levai, et dès que le shérif parut avec sa cohorte, je m'accusai moi-même d'avoir jeté un flambeau à la tête du prince, et j'ajoutai que, désirant de tout mon cœur qu'il en pût mourir, si on voulait me mener en prison, je rendrais compte de ma conduite à la cour.

Vous irez, me dit en français cette sorte de commissaire ; vous irez, ma gentille demoiselle, en me passant la main sous le menton : c'est grand dommage, vous êtes bien jolie ; je pourrais vous mettre sous ma protection, si vous voulez... Point d'impertinence, lui répondis-je gravement. Il fit écrire, un secrétaire me fit répéter mes dépositions, et on me mena fort civilement coucher à Newgate. Le prince ne fut pas témoin de toute la joie que je ressentais de l'avoir puni avant son crime, et d'aller partager plutôt le lit des criminels que le sien.

L'entrée de cette prison me parut celle d'un palais, quoique cette prison soit infâme. Je ne fus interrogée que deux jours après. Je recommandai qu'on prît les témoignages des gens du navire français qui devait être dans le port ; mais j'appris le lendemain qu'il n'y était déjà plus. Marsaing, ayant su notre scène tragique, et craignant justement d'être impliqué dans cette malheureuse affaire, avait repris le large sans vouloir en apprendre le dénouement, aimant mieux renoncer aux récompenses qui lui avaient été promises que d'attendre la mort du prince, dont on pouvait à bon droit le regarder comme le premier auteur. Croyant emmener sa maîtresse, il était même parti sans emmener sa femme. Il n'emmena ni l'une ni l'autre ; car Marianne était redescendue lestement dans une nacelle pendant que le navire levait l'ancre au commandement de Marsaing.

La nouvelle de son départ m'affligea. Cependant on me permit de me choisir deux avocats pour défendre ma cause. La maladie du prince devenait assez dangereuse, mes avocats me dirent de ne pas m'en inquiéter : ils ne voyaient pas grand mal à toute mon affaire, et d'ailleurs ils m'apprirent qu'en Angleterre les lois penchaient toujours, par leurs constitutions, à la plus grande faveur pour les femmes.

J'avais sur moi en or ce que le capitaine m'avait remis de ma dot. Il est permis à Londres aux prisonniers, même criminels, de se faire bien servir. Je répandis mes libéralités dans la prison ; le geôlier avait pour moi plus de douceur que je ne devais l'espérer ; il me dit que, si je voulais me faire servir par une femme de chambre, il y avait une malheureuse Française dans la prison même, qu'il allait mettre à la paille faute d'argent pour payer sa nourriture, et qu'elle la gagnerait en me servant. J'y consentis, il me la fit venir, et je la reconnus pour avoir été autrefois à mon service à Paris. Ursule me dit qu'en me quittant, lorsque j'avais été enlevée par ordre de M. le lieutenant de police, elle avait servi une demoiselle qui l'avait fait beaucoup voyager ; qu'elle avait fini ses caravanes par Londres ; qu'elles s'y étaient brouillées ; qu'on l'avait mise à la porte sans la payer ; qu'elle avait été bientôt emprisonnée pour dettes.

Le prince italien était au lit. Mes avocats, apprenant qu'il était touché de mon emprisonnement, me conseillèrent de présenter une requête pour demander que mes juges se transportassent chez lui pour y recevoir ses dépositions ; il avait jusque-là fulminé contre moi ; l'orgueil de la principauté italienne avait été trop humilié, la rage de m'avoir perdue lui avait dicté ses fureurs et ses accusations ; mais la peur de me perdre lui fit tout avouer, il déclara qu'il méritait son sort, qu'il m'avait enlevée malgré moi et malgré le ciel même, à qui il demandait pardon ; il m'envoya une cassette dans laquelle il y avait deux mille sequins, qui me furent remis et que je distribuai aux pauvres de la prison ; enfin, je fus par lui si pleinement justifiée, que peu de jours après on prononça ma grâce en me donnant toute liberté. Mon intention était de regagner Paris, où je comptais aller trouver mon oncle l'aumônier. Je pris une chaise de poste pour me rendre à Douvres, et j'y montai avec Ursule à la porte de la prison, à cinq heures du matin.

Nous n'avions pas fait une lieue dans la campagne, que plusieurs hommes à cheval et armés entourèrent ma voiture ; un d'entre eux vint mettre le pistolet sur la poitrine du conducteur, en lui disant de marcher, par ordre supérieur, où on le conduirait, s'il ne voulait pas perdre la vie ; le même homme vint à moi, et me dit fort poliment de n'être point effrayée, qu'on ne me ferait aucun mal ; mais qu'on lui avait commandé de me mener à fort peu de distance, où j'apprendrais les raisons qu'on avait de me détourner de ma route. Les cavaliers de cette bande qui nous précédèrent firent signe à cet endroit à mon postillon de prendre sur la gauche ; celui qui m'avait parlé était à mes côtés, et le fit obéir au signal avec d'autant plus de docilité que ceux de derrière le mettaient dans le cas de n'oser résister. Nous marchâmes une demi-lieue dans un chemin de traverse ; on me fit descendre de ma chaise pour monter dans une autre ; on congédia mon voiturier, et on changea encore de route. Après une heure environ de nouveau trajet, on me fit mettre pied à terre dans une maison de campagne fort élégante, où on m'offrit tout ce qui me serait nécessaire. Je ne voulus rien prendre qu'on ne m'eût appris chez qui j'étais, et pourquoi l'on m'avait enlevée. Je demandai à ceux qui m'arrêtaient ainsi si l'on en voulait à ma bourse, et j'offris de la donner ; on me répondit qu'on voulait, au contraire, l'augmenter, mais qu'on ne pouvait, pour le présent, m'en apprendre davantage ; que le lendemain je verrais celui qui avait donné tous ces ordres, et qu'il me ferait part lui-même de ses intentions.

Tous ces gens n'avaient apparemment que cette commission ; car, après qu'ils m'eurent remise entre les mains d'un concierge et de quelques domestiques des deux sexes qui ne parlaient pas français, ils se rafraîchirent tous et repartirent.

On m'avait conduite dans un appartement fort beau, mais fort élevé. Le concierge nous ayant fait plusieurs signes pour nous engager à prendre quelque nourriture, nous le refusâmes ; on nous enferma et on nous laissa seules.

Je fus fort aise d'avoir ce moment de liberté pour réfléchir aux causes de cet événement étrange et imprévu : à quoi l'attribuer ? Je n'avais vu dans ma prison que mes avocats et mes juges, je n'avais pu donner de tentation à personne, et personne ne m'avait parlé sur un ton à me faire craindre de nouvelles poursuites amoureuses. Cette nouvelle scène était bien faite pour me donner de nouvelles alarmes ; le moyen d'éloigner un si puissant danger ? car je me voyais enfermée à un troisième étage, dans une maison isolée, où mes cris ne seraient d'aucune ressource ; ma fermeté avait été assez publique pour qu'on ne me laissât plus de flambeau de cuivre sous la main ; j'allais devenir la proie de quelque homme déterminé, qui ne paraissait pas vouloir me ménager, et qui prendrait sûrement toutes les précautions possibles pour que je ne pusse lui échapper ; je n'avais donc évité tant d'écueils que pour tomber dans de plus terribles ! car pouvais-je entrevoir rien de plus affreux que ce que j'avais à craindre ? Dieu peut-il, connaissant le fond de mon cœur, me réduire toujours au désespoir pour lui tenir ma promesse ? Quelle est donc ma destinée ? Veut-il que je succombe ? et peut-il le vouloir ? ou veut-il seulement m'éprouver ? Alors, c'est à lui à me prêter de nouvelles armes ; attendons de sa main celles qu'il me fournira.

Cependant je réfléchissais tout haut à ma situation, afin qu'Ursule pût m'aider dans mes conjectures, et y joignît même les siennes ; et pas une de celles que nous formions ne nous paraissait raisonnable. Le prince était certainement encore au lit, il ne pouvait être question de lui. Ursule me dit que mon histoire avait fait grand bruit dans la ville de Londres ; que quand elle était sortie pour aller faire mes commissions, elle en avait entendu parler partout, qu'on l'avait même interrogée plusieurs fois, sachant qu'elle venait de la prison ; mais qu'elle n'avait répondu que vaguement à toutes ces questions, qui lui paraissaient venir d'une curiosité générale plutôt que d'un intérêt particulier. Mais, mademoiselle, me dit-elle, j'attribue moins tout cet éclat au flambeau si bien assené qu'à la renommée de vos charmes, dont on faisait partout des portraits merveilleux en parlant de vous ; et connaissant, comme je fais, le génie de la nation anglaise, je ne serais point étonnée qu'un de ces messieurs ne fût devenu amoureux de vous, sans vous avoir vue et sur la réputation de votre beauté, et sur la singularité de ce qu'on a pu savoir de vos aventures. Je connais un lord de beaucoup d'esprit, ajouta-t-elle, qui aime passionnément madame de Sévigné, morte il y a plus de cent ans, sur la lecture de ses lettres ; la tête lui tourne toutes les fois qu'il en parle ; il la cherche dans les nouveaux visages qu'il voit, et on craint fort qu'il n'en perde la raison. Vous voyez, mademoiselle, que cette nation est très singulière ; ajoutez à cela qu'il y a des gens fort riches dans ce pays-ci, qui ne plaignent pas la dépense pour satisfaire leurs fantaisies ; un de ceux-là aura voulu vous voir, quoi qu'il lui en coûte : si vos grâces ne répondaient pas à l'idée que chacun s'en est faite, il y aurait à espérer qu'en vous voyant votre ravisseur pourrait ne pas vous contraindre ; mais je ne suis que trop sûre que l'audacieux qui vous verra, quel qu'il puisse être, redoublera de tendresse. Tu es galante, dis-je à Ursule en l'interrompant ; mais le plus aimable et le plus important de tous les hommes me présenterait ses hommages que je les dédaignerais : mon parti est pris de n'en écouter aucun, et de me donner plutôt mille fois la mort que de renoncer au vœu que j'ai formé de passer mes jours dans la retraite.

Je me jetai dans un fauteuil en achevant ces paroles, et je m'y enfonçai dans une profonde méditation que me suggéra un projet que je communiquai tout de suite à Ursule.

Il n'y a que toi, lui dis-je, qui puisses, dans ce moment, me rendre le plus signalé de tous les services, si tes conjectures se vérifient. Te sens-tu pour moi assez de zèle pour me tirer d'embarras ? Ursule se jeta à mes genoux, qu'elle embrassa en les arrosant de ses larmes. Je vous dois tout, me dit-elle, je voudrais voir répandre mon sang pour vous ; mon premier attachement vous en est un plus sûr garant que mes obligations dernières. Parlez, ma chère maîtresse, que faut-il que je fasse ? Vous ne me commanderez rien de difficile, le véritable désir de vous convaincre de mes sentiments aplanira tout ; expliquez-moi seulement ce que vous exigez de moi. J'étais charmée de la trouver dans de si bonnes dispositions ; mais, plus cette fille me montrait de délicatesse, plus je devais craindre qu'elle n'entrât pas dans mes vues ; je m'enhardis cependant à les lui proposer.

Tu es jeune et jolie, lui dis-je ; voici peut-être une occasion de faire ta fortune, si mon ravisseur ne m'a point encore vue : prends ma place ; tu n'as pas, comme moi, renoncé au monde ; nous changerons d'habits ; je mettrai encore plus de désordre dans les tiens que je vais prendre, je me défigurerai de mon mieux. Prends dans ma malle la robe qui te parera davantage ; je te coifferai avec soin. Les gens de cette maison ne nous ont point assez fixées pour qu'ils ne soient pas la dupe de notre déguisement ; ils ne pourront nous trahir. Tu plairas, ma chère Ursule ; moi, jouant le rôle de ta femme de chambre, je saurai te faire respecter ; je dirai que tu es fille de très grande maison, que tu mérites des égards ; et toi, tu paraîtras ne pas t'éloigner d'une alliance raisonnable, si on mérite que tu l'acceptes et si on sait gagner ton cœur. Oui, Ursule, si nous sommes toutes les deux bien adroites, j'augure bien de cette aventure : elle te conduira peut-être à un établissement honnête. Ne te fais point un vain scrupule de tromper un Anglais par une naissance supposée : ils ne connaissent point les mésalliances ; tout leur est bon, et tu as de quoi combler les vœux de ceux qui y mettraient plus de délicatesse.

Je m'aperçus qu'Ursule changeait de couleur pendant ma proposition ; elle fut un moment sans me répondre, elle me prit les mains, qu'elle me serrait tendrement, et elle répandit un torrent de larmes. Je vois bien, lui dis-je, que tu vas me refuser.

Dans quel embarras, répondit-elle, venez-vous de me jeter, mademoiselle ! Si je pouvais vous convaincre d'une vérité rare peut-être dans une fille de vingt-six ans, et surtout de mon espèce, vous sentiriez tout ce que peut avoir d'accablant pour moi le danger où m'exposerait cette démarche ; mais, après tout, que peut-elle avoir de si révoltant pour vous ? Vous connaissez le monde, et vous faites le vœu de le quitter : ce vœu, vous ne le formez que pour expier vos fautes volontaires ; une faute forcée de plus sera-t-elle plus difficile à réparer ? Ah ! Ursule, lui repartis-je, qu'oses-tu imaginer ! Je reconnais ton innocence à l'ingénuité de ta réponse ; mais si tu savais qu'il est mille fois plus cruel d'être forcé à la tendresse que de la laisser croître en nous, tu concevrais toute l'horreur de ma position. La volupté, ce cher trésor de deux cœurs qui s'aiment, est le martyre le plus insupportable quand on veut nous y assujettir en esclaves ; ces doux plaisirs que nourrit une tendre union de sentiments la détruisent par l'indifférence ; la contrainte, à plus forte raison, en fait des peines ; la répugnance et le dégoût en font de vrais supplices.

Mais, reprit-elle fort judicieusement, plus vos craintes sont fondées pour vous, et plus elles doivent redoubler mes alarmes : suis-je faite d'un autre limon que vous ? tout ce que vous envisagez de terrible ne doit-il pas être encore plus effrayant pour moi, qui suis moins aguerrie ? Tu as raison, lui répliquai-je, laisse-moi donc mourir, Ursule, aide-moi même à me donner la mort, puisqu'il n'y a plus que ce moyen de me soustraire à cette dernière infortune. Je me levai brusquement, je parcourus la chambre en cherchant des yeux quelque instrument qui pût servir mon désespoir. Alors je vis Ursule tomber tremblante à mes genoux : Je vous dois la vie, me dit-elle, c'est maintenant à moi, mademoiselle, à mourir pour vous ; calmez ces injustes transports, je suis prête à vous servir comme vous le désirez. Allons, ajouta-t-elle tout de suite, commençons le déguisement sans perdre de temps. Je lui sautai au cou, je l'assurai que j'emploierais toute mon intelligence à lui faire tirer un parti légitime de cette aventure, si les circonstances pouvaient le permettre, et je la flattai d'imaginer quelque ruse pour la tirer d'affaire, si nos forces réunies nous devenaient inutiles.

Nous nous travestîmes ; je lui fis la toilette la plus complète, et n'épargnai rien pour relever ses attraits. En une demiheure, elle eut l'air d'une duchesse, et, le moment d'après, mes cheveux en désordre, une robe sale, des manchettes déchirées, me donnèrent l'air d'une soubrette chiffonnée. Nous répétions, comme vous voyez, notre rôle pour le lendemain, puisque nous n'attendions pas notre ravisseur le même jour. D'ailleurs, nous étions bien aises d'accoutumer les domestiques à ce coup d'œil ; je prévins même Ursule que, quand on viendrait nous offrir à manger, il fallait qu'elle acceptât, qu'elle se mît seule à table, que je me tiendrais debout pendant qu'elle mangerait les premiers morceaux, qu'elle me dirait ensuite de m'asseoir, et que je me mettrais respectueusement à un bout de la table.

On ne tarda pas à nous venir demander par des signes si nous avions faim, et on vint servir plusieurs plats. Ces gens ne nous marquèrent, par aucun étonnement, qu'ils eussent pris garde à notre métamorphose. Nous nous couchâmes de bonne heure, et, à la pointe du jour, nous fûmes sur pied pour arranger la parure d'Ursule et pour désordonner de plus en plus la mienne.

Sur les dix heures du matin, nous entendîmes le bruit d'une voiture qui arrêtait à la porte de la maison ; je courus à la fenêtre ; j'en vis descendre un homme seul, tout encapuchonné. Il était suivi de deux sbires armés jusqu'aux dents, qui me parurent farouches. Il se présenta. J'allai ouvrir la porte, tandis qu'Ursule s'étendait mollement sur le bras d'un fauteuil où elle venait de s'asseoir. Le nouveau venu m'ordonna par un signe de lui traîner un fauteuil devant Ursule. La pauvre fille eut bien de la peine à ne pas se lever elle-même pour m'éviter cette servitude. Mademoiselle Manon, dit-il en français travesti d'anglais, je vous aime à la fureur et à la folie. En parlant, il avait découvert la figure de trente ans la plus flegmatique de la Grande-Bretagne. Il était fort laid : un nez rouge, des oreilles rouges, des cheveux rouges. Monsieur, lui répondit Ursule, je suis vivement touchée de votre tendresse pour moi, mais vous ne m'avez jamais vue ! C'est pour cela que je vous aime ; vous ressemblez au portrait que mon cœur m'avait peint. Si vous voulez, je vous offre mon cœur et mes guinées ; si vous ne voulez pas, je vous enlève. Telle fut sa déclaration d'amour. Ursule ne savait que répondre à cette éloquence. Vous me donnerez au moins le temps de vous aimer ? lui dit-elle. Oh ! cela m'est égal, vous m'aimerez quand vous voudrez. Il se leva : Mettez votre pelisse et partons pour Londres. Oui, dit Ursule en soupirant ; mais cette fille qui m'accompagne veut retourner en France, dans sa famille ; donnez-lui-en les moyens, elle viendra nous rejoindre plus tard. Oh ! oui, reprit le galant sans même me regarder, je lui donnerai beaucoup de guinées. Il prit la main d'Ursule et l'entraîna. Oh ! je suis amoureux ! poursuivit-il, comme s'il eût dit : Je vais descendre l'escalier.

Nous montâmes bientôt en voiture. On daigna m'accorder une place dans la chaise, à côté de ma servante, qui se contraignait beaucoup pour ne pas me conserver sa déférence. Nous rentrâmes dans Londres, et nous mîmes pied à terre dans un hôtel du plus haut goût, tout peuplé de valets. Je songeais à l'inconstance des destinées, qui avaient fait d'abord une servante d'Ursule, et qui, par ma volonté, allaient lui donner un rang dans le monde. Elle voulut que je demeurasse quelques heures avec elle. Elle me baisa les mains en versant des larmes, assez résolue à accepter le sort si inattendu que lui offrait ce grand seigneur anglais.

Elle ordonna en souveraine à son cocher de me conduire au plus tôt à Douvres, où je voulais m'embarquer pour Calais. Je partis sous mes habits d'emprunt. Arrivée ici, je retrouvai dans mes malles un costume plus en rapport avec ma position. Mais vous savez la fin de mon histoire, mon cher chevalier, puisque vous m'avez retrouvée en cette hôtellerie. J'oubliais de vous dire qu'en y arrivant j'ai vu la Bouquetière sur le seuil. Elle m'avait cherchée à Londres ; mais, craignant la prison, elle n'avait jamais osé me visiter à Newgate. Elle se jeta à mon cou, elle voulait aussi retourner en France, elle me supplia de la regarder comme une compagne de voyage toute dévouée. Je lui aurais demandé volontiers la même grâce, malgré ses principes, tant j'avais peur d'être seule. Vous savez le reste : nous sommes ici depuis deux jours, attendant le départ retardé du paquebot.

Livre cinquième

Manon termina ainsi la seconde phase de son histoire. Nous nous promenâmes un peu par la ville avec Tiberge, qui n'avait pas l'air joyeux que mon bonheur aurait dû lui donner. Une vague inquiétude passait sur sa figure. Il regardait le ciel comme s'il y cherchait un conseil ou une consolation.

Ce jour-là, Marianne, qui depuis la veille avait entamé une aventure dans l'hôtellerie, s'embarqua pour le Havre-de-Grâce, sous le nom de la baronne de Montval, avec une espèce de marquis de fraîche date dont la vraie position dans le monde était d'avoir un oncle fermier général.

Nous revînmes en Picardie avec Tiberge sans que rien de fâcheux signalât notre traversée et notre voyage. Parmi les terres de la succession de mon père, la plus simple et la plus retirée fut choisie par Manon : c'était un petit château perdu au fond des bois, qui avait plutôt l'air d'un monastère que d'un séjour d'amoureux. J'y étais à peine allé trois ou quatre fois dans ma vie, quand mon père me conduisait tout enfant chez ses fermiers. Nous le meublâmes au plus vite tant bien que mal. La chambre de Manon avait vue sur un torrent que précipitait la montagne voisine. Dès qu'elle y fut installée, elle passait quelques heures tous les jours à sa fenêtre, se complaisant à ce bruit si triste, comme s'il fallait à son cœur un pareil spectacle. Je m'apercevais peu à peu que sa mélancolie, au lieu de se dissiper, augmentait de jour en jour. Elle avait pris cela en Amérique ; elle s'en était nourrie au couvent : elle trouvait un charme singulier à s'y abandonner encore, quoiqu'elle m'eût retrouvé et qu'elle eût foi en notre bonheur futur.

Nous nous mariâmes, peu après notre arrivée, en ce petit château. Cet hymen ne fut solennel que pour nous-mêmes, car il eut lieu sans éclat au-dehors. Que nous importait le monde ! c'était seulement pour Dieu et pour nous que nous en arrivions à cette cérémonie.

J'espérais bien qu'une fois unis, Manon retrouverait sa tranquillité d'âme. En effet, durant les premiers mois, je remarquai plus de calme en elle. Un sourire tendre et amoureux était revenu sur ses lèvres. En nous promenant dans le parc, elle s'appuyait sur mon bras avec plus de laisser-aller, comme si enfin elle s'abandonnait sans crainte à sa destinée jusque-là si orageuse ; mais cette sérénité de son âme dura peu. Je m'aperçus, trop tôt hélas ! que sa bouche était distraite au milieu de nos embrassements. Elle s'enfermait chez elle, et semblait tourner de plus en plus à la religion ; moi-même je me surprenais souvent agenouillé. Je ne sais plus ce que je demandais à Dieu, tant ma prière était confuse. Peut-être lui demandais-je qu'il voulût bien accorder des enfants à Manon ; mais le ciel fut sourd à cette prière-là.

J'oubliais de dire que Tiberge, qui avait été présent à notre union, nous avait quittés pour aller passer une saison dans sa famille. Quand il revint, il nous trouva tristes et comme découragés. Nous n'avions plus rien à nous dire ; nous errions, comme des ombres, sous les tilleuls du parc. Manon surtout était silencieuse comme les statues. Nous nous étions tant dit que le bonheur serait avec nous, que nous n'avions plus la force d'être heureux.

Manon sembla se ranimer un peu au retour de Tiberge : elle fut plus expansive avec lui. Il m'arriva de les surprendre très émus par la conversation. Je vous avais répété, mon cher comte, me dit-il un jour qu'il venait d'avoir avec elle un long entretien, je vous avais répété que Dieu finit toujours par avoir raison du faible cœur de sa créature. Voyez comme l'amour humain est périssable, puisque le vôtre, que je croyais le plus vif, le plus persistant, commence déjà à sentir des défaillances ! Qui vous a dit cela ! m'écriai-je en interrompant Tiberge ; est-il possible que Manon vous ait avoué qu'elle ne m'aimait plus ! Allons, reprit-il, vous voilà encore dans votre erreur : Manon vous aime toujours, elle est religieusement attachée à ses devoirs ; mais, que voulez-vous ? son cœur s'est élevé plus haut, et je suppose que le vôtre lui pardonnera, si je vous dis qu'elle aime Dieu.

Ô passion humaine ! m'écriai-je tout atterré, tu n'as que la force et la durée de l'orage. Quand l'orage a passé, il reste le ciel plus beau et plus grand ; mais le ciel dans toute sa pureté, le ciel où est Dieu, ne vous offensez pas, Tiberge, vaut-il les folles et adorables agitations de l'orage ? Manon, qui nous écoutait, entra d'un air étourdi et fit semblant de ne pas avoir le mot de notre entretien.

Je remarquai plus que jamais sa pâleur et son abattement. Je pensai que la solitude lui était mauvaise, et je la déterminai, non sans peine, à venir passer l'hiver à Paris ; moi-même ce ne fut pas sans des combats sans nombre que je me résignai à ce voyage terrible dans ce pays où j'avais failli perdre l'esprit et l'honneur. Nous y arrivâmes vers la fin de décembre, au temps où les cercles se rouvrent, où l'on oublie l'hiver à force de folies. Je ne savais quel parti prendre ; je voulais d'abord ne pas me mêler au monde, hormis dans les spectacles ; mais, pour vivre à peu près solitaire à Paris, était-ce la peine d'avoir quitté la province ? et puis je vins à songer qu'après tout le scandale de mes aventures n'avait été répandu que parmi les joueurs, les filles d'Opéra et quelques personnages à peu près étrangers à la bonne compagnie. On me connaissait d'ailleurs sous le nom du chevalier des Grieux, un amoureux de vingt ans ; maintenant que j'avais pris le titre du comte de P..., et que la passion m'avait vieilli plus vite que les années, nul ne viendrait dire qui j'étais autrefois. Je conduisis donc Manon dans les cercles à la mode ; elle y prit d'abord quelque plaisir parce que la curiosité est presque la moitié de la vie chez les femmes ; mais les cercles étaient devenus graves et sentencieux ; la philosophie y avait pénétré, les beaux esprits seuls y trouvaient leur compte. Les femmes avaient beau être jolies, elles y perdaient leur empire.

Manon, qui ne s'était jamais amusée par convention, s'y ennuya beaucoup. Ah ! me dit-elle un jour, comme j'aimais bien mieux le petit cabaret où nous soupions si gaiement jusqu'au matin. Quel charmant tapage, le bruit des verres et des chansons ! Quelle fleur de jeunesse ! Quel oubli du monde où nous sommes et du monde où Dieu nous appelle ! Ah ! mon cher chevalier, où êtes-vous ?

J'étais là triste comme si je pleurais sur mon tombeau. Il y a deux hommes en nous, celui de la folie et celui de la raison ; je pleurais le premier.

Eh bien ! dis-je à Manon, nous irons souper au cabaret ; je retrouverai toute ma gaieté, n'ai-je pas toujours tout mon amour ? Manon se jeta à mon cou. À la bonne heure, voilà qui est bien dit ; oublions tous les mauvais rêves de l'Amérique, et redevenons jeunes, ne fût-ce que pendant une nuit.

Elle s'attifa en conséquence avec plus de laisser-aller que d'habitude ; elle retrouva, comme par magie, un petit bonnet qui rehaussait le charme si coquet de sa figure. C'était presque la Manon du beau temps. Hâtons-nous, me dit-elle, comme si elle eût pressenti qu'il ne fallait pas nous donner le temps de réfléchir.

Nous partîmes sans nous inquiéter de la mine ébahie des valets de l'hôtel ; nous nous jetâmes dans un fiacre et nous descendîmes au petit cabaret de la *Pomme d'Or*, où plus d'une fois, au retour du jeu ou du théâtre, nous avions soupé avec un écu. Elle jeta sa mante sur une table, et parla haut pour se faire obéir, car elle commanda la fête. On nous apporta du vin. Allons, mon cher chevalier, me dit-elle, ne perdons pas les minutes. Nous sommes amoureux, nous voilà réunis, qui sait ce qui nous attend demain ? Cette chère fille m'avait ainsi parlé autrefois en pareille rencontre. Je fis de mon mieux pour répondre à cette ouverture, mais je pensai trop que c'était un jeu. Nous ne réussîmes pas à revivre du bonheur évanoui, ce dieu du hasard qui passe quand on ne songe pas à lui. Le vin nous parut amer ; il ne donnait plus l'ivresse ni la gaieté. Manon versait à boire en fredonnant un air de danse : Eh bien ! mon cher chevalier, votre verre est encore plein, à quoi pensez-vous donc ? Qu'est-ce que la vie ? lui dis-je tristement. Belle question quand on est amoureux ! Il est vrai que vous ne l'êtes plus.

Ah ! Manon, je voudrais mourir à tes pieds. Il s'agit bien de mourir, il faut vivre. Qu'est-ce que la vie ? Voyons, mon cher chevalier, ne reconnaissez-vous donc pas ce réduit charmant avec ses amours au plafond et ses naïades court-vêtues sur le lambris. Ah ! comme on a aimé ici. Oui, c'était une faveur des belles années. Mais ne trouvez-vous pas que tout cela a vieilli ? Autrefois il y avait ici une gaieté bruyante qui sentait ses vingt ans. On chantait, on dansait... Et on s'embrassait, paresseux ! Et elle m'embrassait. Comme toutes ces peintures ont pâli ! ce que c'est que le temps ! Ah ! chevalier, autrefois, vous n'aviez pas le temps de regarder au plafond ! Hélas ! on ne s'amuse peut-être plus à Paris. Ce qui est certain, c'est que je n'y vois plus de jolies filles comme toi, ma chère maîtresse. Le siècle vieillit et devient philosophe. Ce siècle finira mal. Il a commencé par toutes les folies de la régence ; après un pareil carnaval il faudra bien se couvrir le front de cendres. En vérité, monsieur le comte, nous aurions mieux fait de lire une page de Bossuet que de venir ici. Nous fîmes beaucoup de bruit comme pour nous prouver à nous-mêmes que nous nous amusions beaucoup ; mais nous nous levâmes de table fort tristes et nous retournâmes à l'hôtel fort silencieux.

C'en est fait, me dis-je en rentrant, nous ne vivrons plus que du passé. Nous essayerions en vain de rebâtir notre château de cartes : on n'est pas bercé deux fois par le même rêve. L'amour est le dieu des aventures et des romans ; dès que la vie s'étaye sur la raison, il disparaît en se moquant.

Je n'osais interroger Manon qui, de son côté, se jetait en plein désenchantement. Notre tentative avait échoué ; elle ne voyait que trop que le bonheur cherché est impossible à trouver. Mais nous n'avions garde de nous confier les tristes réflexions qui nous étaient venues. Pour expliquer notre abattement, je lui dis qu'à ce souper au cabaret il nous manquait des amis. Oui, dit-elle : mais où sont-ils ? Ah ! si nous avions rencontré la Bouquetière et ses cinquante amants ! Elle m'avoua qu'elle avait averti la Bouquetière de notre séjour à Paris, et que cette fille devait venir le lendemain. Monsieur le comte, me dit-elle en rougissant de cette entrevue promise, ne vous offensez pas de la présence de Marianne ; je ne veux la voir que par curiosité, désirant savoir comment elle a pu recommencer ses folies.

La Bouquetière vint le lendemain. Manon lui fit mille questions ; Marianne éclatait en folie et en gaieté. Voyons, Marianne, lui dis-je à mon tour, donnez-moi le secret de votre bonne humeur. C'est bien simple, dit-elle : je vais de tourbillon en tourbillon, je n'ai pas une heure pour réfléchir et me voir passer. C'est une vie bien malheureuse que la mienne, trahie par l'un, abandonnée par l'autre, jalouse de celui-ci, surprise par celui-là, aujourd'hui riche, demain sans ressources ; mais que vous dirai-je ? je me trouve heureuse de mon malheur comme vous vous trouverez peut-être un jour malheureux de votre bonheur.

Manon s'était singulièrement animée pendant que Marianne expliquait sa vie. Elle a raison, murmura-t-elle, croyant ne se parler qu'à elle-même. Mais j'avais entendu. Oui, dis-je aussi, elle a raison. L'homme est ainsi fait : heureux du malheur, malheureux du bonheur.

La Bouquetière nous quitta et revint le soir même d'un air mystérieux. Monsieur le comte, me dit-elle, j'ai à vous apprendre une fâcheuse nouvelle : M. Synnelet est ici ; je l'ai vu à l'Opéra. J'ai appris de bonne source qu'il n'avait pu vaincre son amour et qu'il venait se distraire en France. Ne lui laissez pas voir madame la comtesse, car il se porterait à des extrémités.

Manon était sortie ; elle rentra avec une lettre de Tiberge. Elle brisa le cachet et la lut tout haut. Tiberge nous parlait des premiers beaux jours et nous demandait s'il nous reverrait bientôt. Répondez-lui vous-même, dis-je à Manon. Eh bien ! s'écria-t-elle en respirant avec plus de liberté, répondons-lui par notre retour.

Nous partîmes sans laisser un regret à Paris. Durant les premiers jours de notre arrivée, nous retrouvâmes cette sérénité qui prend le masque du bonheur. Tiberge, qui était venu, nous avertit qu'il allait entrer irrévocablement dans la vie monastique. Il avait assez couru le monde. Quoi que je pusse lui dire pour l'attacher à notre maison, il tint bon dans

son dessein ; Manon elle-même échoua dans ses prières...
....

Aurai-je la force de terminer ce récit ?

Quand nous touchâmes au jour fixé pour le départ de Tiberge, je surpris cette conversation entre mon ami, mon seul ami, et la seule femme que j'aie aimée. C'était le soir, dans une sombre allée du parc. J'étais descendu de ma chambre, où j'écrivais à un procureur pour un procès important qui menaçait de m'enlever une de mes terres. J'avais laissé brûler ma lumière, qui sans doute indiquait à Manon que j'étais toujours là. Oui, madame, lui dit Tiberge, je pars ; c'est Dieu qui le veut. Vous partez et vous ne reviendrez plus ! murmura Manon d'une voix étouffée ; vous partez !... Mais je vous aime !... Ah ! madame, s'écria Tiberge en tombant à genoux devant elle, j'ai été le premier coupable. À Marseille, ne vous rappelez-vous pas mon trouble en vous revoyant ? Dès ce jour, vous êtes venue vous placer entre mon cœur et Dieu.

Après un silence, Tiberge, se relevant, continua ainsi : Vous comprenez, madame, pourquoi je veux partir. Je ne vous dirai pas combien je trouvais doux de vivre auprès de vous, mais c'est une ivresse qui a déjà trop duré. Dieu me la pardonnera-t-il ? Et mon ami le plus cher ! Je voulais vivre pour lui, mais je m'aperçois que je ne vis plus que pour vous. Adieu, madame ! priez Dieu pour moi. Adieu ! murmura Manon en retenant ses larmes ; adieu ! n'oubliez pas que c'est pour moi qu'il faut prier.

Ils ne se sont pas revus : ils ne se reverront pas ; mais pourtant j'ai le cœur plus triste que jamais. ....

Ah ! Manon ! Manon ! pourquoi n'es-tu pas restée enterrée sous le sable du désert !

*

Ici se terminait le manuscrit intitulé : SUITE DE L'HISTOIRE DU CHEVALIER DES GRIEUX ET DE MANON LESCAUT, *trouvé dans les papiers de la succession du comte de P..., en 1760.*

On lit dans une lettre du temps :

« Le comte de P... est mort sans héritiers ; il vivait seul ; sa femme s'était retirée au couvent, ne voulant vivre qu'en Dieu. Il paraît qu'ils s'étaient aimés jusqu'à la folie, mais ils n'ont pas pu vivre longtemps ensemble, tant il est vrai que l'amour aime l'imprévu et l'impossible. »

C - REPÈRES CHRONOLOGIQUES

Pour chaque date d'entrée sont indiqués d'abord les événements généraux (politiques, militaires, religieux...), puis les événements artistiques et littéraires, enfin, précédés du signe •, les éléments significatifs de la vie et de l'œuvre de l'abbé Prévost (abrégé : « P. »).

1697 P. Bayle, *Dictionnaire historique et critique*.
• Naissance, à Hesdin, le 1er avril, d'Antoine-François Prévost, fils d'un conseiller et procureur du roi.

1698 • Naissance de Thérèse Claire, sœur d'Antoine, à qui le liera une tendre amitié.

1699 Naissance de Chardin.
Fénelon, *Les Aventures de Télémaque*.

1701 Début de la guerre de Succession d'Espagne, qui désolera pendant près de douze ans le nord de la France.

1709 Lesage, *Turcaret*.

1711 Mort de Boileau.
• P. perd sa mère et sa sœur. Études au collège des jésuites d'Hesdin.

1712 Watteau, *L'Embarquement pour Cythère*.
Naissance de Jean-Jacques Rousseau.
Marivaux écrit son premier roman, *Les Effets surprenants de la sympathie*.
• Après la victoire de Villars à Denain, P. s'engage, à seize ans, dans l'armée du roi.

1713 Fin de la guerre de Succession d'Espagne. Paix d'Utrecht.
Bulle *Unigenitus*.

	Naissance de Diderot.
	• Noviciat de P. chez les jésuites de La Flèche.
1714	Fondation de La Nouvelle-Orléans, en Louisiane.
1715	Mort de Louis XIV. Début de la Régence. Mort de Fénelon, Lesage, *Histoire de Gil Blas de Santillane* (→ 1735).
1716	• P. repart comme volontaire à l'armée.
1717	• P. revient chez les jésuites à Rouen et à La Flèche, écrit une *Ode à saint François-Xavier*, mais rompt de nouveau avec eux.
1718	Début de la guerre contre Philippe V d'Espagne. • P. s'engage sous les ordres du maréchal de Berwick.
1719	Daniel Defoe, *Robinson Crusoe*. • P. déserte, et connaît des aventures troubles, à Paris et en Hollande.
1720	Faillite de Law et effondrement de la Banque royale. • P. entre chez les bénédictins de Saint-Maur.
1721	Mort de Watteau. Montesquieu, *Lettres persanes*. • P. prononce ses vœux à Jumièges, « avec restriction mentale ». Jusqu'en 1728, il étudie, prêche et enseigne à Saint-Ouen de Rouen, au Bec-Hellouin, à Fécamp, à Sées et à Évreux, dans les maisons bénédictines.
1722	D. Defoe, *Heurs et malheurs de la fameuse Moll Flanders*.
1723	Mort du Régent. Début du règne de Louis XV.
1724	• P. publie *Les Aventures de Pomponius, chevalier romain*, qui est un pamphlet contre le Régent écrit depuis 1720. À Sées, il commence la traduction de l'*Historia mei temporis* de l'historien de Thou.
1725	Naissance de Greuze.
1726	Voltaire exilé en Angleterre. Swift, *Les Voyages de Gulliver*. • P. est ordonné prêtre, mais n'en mène pas moins une vie libre et mondaine.
1727	Fin de la guerre contre l'Espagne.

Marivaux, *L'Indigent philosophe.*

- P. est envoyé à Paris par mesure disciplinaire, et enfermé à l'abbaye des Blancs-Manteaux, puis à celle de Saint-Germain-des-Prés, où un grave conflit l'oppose au supérieur, dom Thibault.

1728 • P. travaille chez les bénédictins à la *Gallia christiana*, grand ouvrage historique d'érudition pieuse, mais il commence en même temps à faire paraître les *Mémoires et aventures d'un homme de qualité*, dont le septième et dernier volume paraîtra en 1731. Il demande à quitter l'ordre de Saint-Maur pour celui de Cluny, moins exigeant. Refus. Fuite, le 18 octobre. Lettre de cachet. Exil en Angleterre, à Canterbury. Il s'y convertit au protestantisme, et prend le nom de « Prévost d'Exiles », désignation toponymique mais aussi emblématique.

1729 J.-S. Bach, *La Passion selon saint Matthieu.*

- P. fréquente à Londres les protestants français réfugiés. Précepteur du fils d'un grand armateur, John Eyles, il noue une aventure sentimentale avec sa fille.

1730 Marivaux, *Le Jeu de l'amour et du hasard.*

- P. s'enfuit en Hollande. À Amsterdam, il décide de se consacrer à la littérature et signe des contrats avec les libraires.

1731 Marivaux commence à publier *La Vie de Marianne* (→ 1741).

- P. écrit probablement le tome VII des *Mémoires d'un homme de qualité*, c'est-à-dire l'*Histoire du chevalier des Grieux et de Manon Lescaut*. Publication de ce tome, avec les deux précédents, en Hollande. Publication, à Londres, du début de l'*Histoire de M. Cleveland*, en anglais. À La Haye, P. rencontre Hélène Eckhart, dite « Lenki », dite « la Sangsue », dont l'amour va l'entraîner dans les plus folles dépenses et les plus fâcheuses aventures.

1732 Naissance de Beaumarchais.
Voltaire, *Zaïre.*

- P. commence à publier, en français, l'*Histoire de M. Cleveland*, qu'il poursuivra jusqu'en 1739. Il mène une vie dissipée et traverse une crise morale et religieuse grave.

1733 Début de la guerre de Succession de Pologne (→ 1738).

• Retour précipité de P. à Londres, à cause de lourdes dettes. Il commence la publication d'un journal, le *Pour et Contre*, qu'il assurera jusqu'en 1740 et qui comptera alors vingt volumes. Il noue à ce sujet des contacts avec Voltaire. Il est incarcéré en décembre pour faux en signature (chèque frauduleux au nom de F. Eyles, son élève). L'*Histoire du chevalier des Grieux et de Manon Lescaut* est condamnée au feu, à Paris.

1734 Voltaire, *Lettres philosophiques*.
Marivaux commence à publier *Le Paysan parvenu* (→ 1735).

• P. rentre en France, grâce à la protection du prince de Conti, mais doit se cacher jusqu'à ce que le pape lui accorde le pardon et la translation dans l'ordre de Cluny. À Paris, il reprend une vie mondaine et retrouve Lenki.

1735 • P. fréquente les salons de Mmes de Tencin, du Châtelet, Doublet. Il se fait prier pour entreprendre un nouveau noviciat. Il publie le début du *Doyen de Killerine*.

1736 Crébillon fils, *Les Égarements du cœur et de l'esprit*.

• P. est choisi comme aumônier par le prince de Conti, qui est athée et libertin.

1737 Naissance de Bernardin de Saint-Pierre.

• P. rencontre, à Amsterdam, Voltaire, dont il corrige les œuvres en cours d'édition.

1739 • P. rompt définitivement avec les jésuites. Il se rapproche des philosophes et des francs-maçons. Mort de son père : il n'assiste pas à l'enterrement. Il publie la fin de l'*Histoire de M. Cleveland*.

1740 Guerre de Succession d'Autriche (→ 1748).
Frédéric II devient roi de Prusse.

• Lenki pousse une nouvelle fois P. aux dettes et à la ruine. Menacé d'emprisonnement, il refuse la proposition de Voltaire de l'envoyer à Berlin : c'est la fin de leurs relations. Fuite en Belgique et en Allemagne. Il publie la fin du *Doyen de Killerine*, l'*Histoire de Marguerite d'Anjou*, l'*Histoire d'une Grecque moderne*.

1741 • P. rentre en France, rompt avec Lenki et cherche à se réconcilier avec sa famille. Il publie les *Mémoires pour servir à l'Histoire de Malte, ou Histoire de la jeunesse du commandeur de* ***, et les *Campagnes philosophiques, ou Mémoires de M. de Montcal*.

1742 • À Paris, on tient désormais P. pour « le premier romancier de son temps ». Il s'installe à Passy, pour une vie plus calme. Il publie l'*Histoire de Guillaume le Conquérant*.

1743 • P. voyage en Italie.

1744 • P. publie *Les Voyages du capitaine Robert Lade*, mélange de récits de voyages réels et d'une intrigue romanesque.

1745 Bataille de Fontenoy.
La Pompadour devient la favorite de Louis XV.

• P. publie les *Mémoires d'un honnête homme* (inachevés). À l'instigation du chancelier d'Aguesseau, il commence à s'occuper de l'édition française de l'*Histoire générale des voyages* en langue anglaise. Elle comprendra quinze volumes, et il y consacrera quinze années de travail.

1746 Diderot, *Pensées philosophiques*.

• P. s'installe à Chaillot, avec Mme de Genty, une « gentille veuve » qui a 27 ans. Il se met à la traduction littéraire, et s'y livrera jusqu'à sa mort : Middleton, *La Vie de Cicéron* et *Lettres* de Cicéron ; Hume, *Histoire de la Maison de Stuart* ; Richardson, *Clarisse Harlowe, Pamela, Nouvelles lettres anglaises, ou Histoire du chevalier Grandisson* ; Sheridan, *Mémoires pour servir à l'histoire de la vertu* ; Hawkesworth, *Almoran et Hamet*.

1747 Mort de Lesage et de Vauvenargues.

1748 Fin de la guerre de Succession d'Autriche : paix d'Aix-la-Chapelle.

	Voltaire, *Zadig*.
	Montesquieu, *L'Esprit des lois*.
1749	Diderot, *Lettre sur les Aveugles*.
	Buffon commence à publier son *Histoire naturelle* (→ 1788).
1750	J.-J. Rousseau, *Discours sur les Sciences et les Arts*.
	• P. rencontre souvent, à Passy, J.-J. Rousseau, grand lecteur de *Cleveland*, mais qui n'a pas dit un mot de *Manon Lescaut*.
1751	Début de la parution de *L'Encyclopédie*.
	Voltaire, *Le Siècle de Louis XIV*.
1753	• P. donne une édition revue et corrigée de l'*Histoire du chevalier des Grieux et de Manon Lescaut*, à Paris, chez Fr. Didot.
1754	J.-J. Rousseau, *Discours sur l'origine de l'inégalité*.
	• P. obtient le bénéfice du prieuré de Saint-Georges de Gennes, près du Mans.
1755	Tremblement de terre de Lisbonne.
	Mort de Montesquieu, de Saint-Simon.
	• P. dirige un moment le *Journal étranger*, et le cède vite à Fréron.
1756	Début de la guerre de Sept Ans (→ 1763).
	Voltaire, *Essai sur les mœurs*.
1757	Attentat de Damiens contre Louis XV.
	L'Encyclopédie interdite.
	Diderot, *Le Fils naturel*.
1758	J.-J. Rousseau, *Lettre à d'Alembert sur les spectacles*.
1759	Voltaire, *Candide*.
	• P. achève l'*Histoire générale des voyages* et commence *Le Monde moral, ou Mémoires pour servir à l'histoire du cœur humain,* qu'il abandonnera vite.
1760	Voltaire à Ferney.
	Diderot, *La Religieuse*.
	• P. s'installe à Saint-Firmin, près de Chantilly, et, pressé d'argent, se tue au travail.
	Paraît une *Suite de Manon Lescaut,* faussement attribuée à P.

1761 J.-J. Rousseau, *La Nouvelle Héloïse*.

1762 Avènement de Catherine II, en Russie.
Naissance d'André Chénier.
Diderot rédige *Le Neveu de Rameau*.
J.-J. Rousseau, *Le Contrat social, L'Émile*.

1763 Traité de Paris. La France perd la Louisiane.
Mort de Marivaux.
• P. meurt d'une apoplexie à La Croix-de-Courteuil, en forêt de Chantilly, le 25 novembre.

1764 • Paraît une œuvre posthume de P. : *Lettres de Mentor à un jeune seigneur*.

1765 J.-J. Rousseau commence ses *Confessions*.

1768 Naissance de Chateaubriand.

1791 • Mort de Mme de Genty, qui est restée activement fidèle à la mémoire de P.

1884 • *Manon*, opéra-comique de Massenet.

1896 • Début de l'intérêt porté à l'œuvre de P. par la critique universitaire.

1963 • Colloque d'Aix-en-Provence sur l'abbé Prévost.

1977-1986 • Édition des *Œuvres romanesques* personnelles complètes, par J. Sgard.

D - BIBLIOGRAPHIE PRATIQUE

1. Éditions modernes de *Manon Lescaut*

Histoire du chevalier des Grieux et de Manon Lescaut, éd. P. Vernière, A. Colin, Bibliothèque de Cluny, 1957.

Histoire du chevalier des Grieux et de Manon Lescaut, éd. C.E. Engel et M. Brun, Club des Libraires de France, 1960.

Les Aventures du chevalier des Grieux et de Manon Lescaut, éd. A.-M. Schmidt, Club français du livre (1961), 1967.

Histoire du chevalier des Grieux et de Manon Lescaut, éd. F. Deloffre et R. Picard, Garnier, 1965.

Histoire du chevalier des Grieux et de Manon Lescaut, éd. Samuel S. de Sacy, préface de J.-L. Bory, Gallimard, Folio (1972), 1977.

Manon Lescaut, suivi de *Histoire de Cécile*, éd. J.-C. Berchet, Club du Livre français, Lausanne, 1975.

Histoire du chevalier des Grieux et de Manon Lescaut, préface de M. Genevoix, F. Beauval, Genève, 1978.

2. Principales éditions illustrées

Manon Lescaut, éd. J. Janin, ill. par Tony Johannot, Bourdin, 1838. Reprod. fac-similé, Gallimard, 1980.

Histoire de Manon Lescaut et du chevalier des Grieux, éd. A. Houssaye, avec six eaux-fortes par Hédouin, Paris, 1874. Reprod. M. de l'Ormeraie, 1974, 2 vol.

Histoire de Manon Lescaut et du chevalier des Grieux, préface de G. de Maupassant, ill. de Maurice Leloir, H. Launette, 1885.

Histoire de Manon Lescaut et du chevalier des Grieux, ill. de Charles Martin, Rombaldi, 1934.

Histoire du chevalier des Grieux et de Manon Lescaut, éd. R. Mauzi, ill. d'Alain Bonnefoit, Imprimerie nationale, 1980.

3. Autres œuvres de l'abbé Prévost

Le « Pour et Contre » de Prévost, éd. J. Sgard, Nizet, 1969.

Œuvres romanesques, éd. J. Sgard, P.U. de Grenoble, 1977-1986, 8 vol.

4. Ouvrages généraux sur l'époque, le genre, les idées, le climat moral et esthétique

G. MAY, *Le Dilemme du roman au XVIIIe siècle,* PUF, 1963.

H. COULET, *Le Roman jusqu'à la Révolution*, A. Colin, coll. « U », 1967-1968, 2 vol. (voir t. I, pp. 352-364).

J. ROUSSET, *Narcisse romancier*, J. Corti, 1973.

R. DÉMORIS, *Le Roman à la première personne. Du classicisme aux Lumières*, A. Colin, 1975 (voir pp. 414-445).

J. RUSTIN, *Le Vice à la mode. Étude sur le roman français du XVIIIe siècle, de « Manon Lescaut » à l'apparition de « La Nouvelle Héloïse »*, Ophrys, 1979.

J. DEPRUN, *La Philosophie de l'inquiétude en France au XVIIIe siècle,* Vrin, 1979.

5. Sur l'abbé Prévost

H. RODDIER, *L'Abbé Prévost, l'homme et l'œuvre*, Hatier-Boivin, 1955.

C.E. ENGEL, *Le Véritable Abbé Prévost*, Monaco, Éd. du Rocher, 1958.

L'Abbé Prévost, n° spécial d'*Europe*, nov. 1963.

L'Abbé Prévost, Actes du Colloque d'Aix-en-Provence 1963, Ophrys, Aix-en-Provence, 1965.

J. SGARD, *Prévost romancier,* J. Corti, 1968.

R. VIROLLE, Notice « Prévost » du *Dictionnaire des littératures de langue française,* Bordas, 1984, t. III.

J. SGARD, *L'Abbé Prévost : labyrinthes de la mémoire*, PUF, 1986.

A.J. SINGERMAN, *L'Abbé Prévost. L'amour et la morale*, « Histoire des idées et critique littéraire », 245, Droz, Genève, 1987.

6. Sur *Manon Lescaut*

Nous laissons de côté les innombrables ouvrages et articles qui s'intéressent surtout à l'existence aventureuse de l'auteur de *Manon Lescaut*, aux références autobiographiques du roman, à l'exactitude de ses référents ou à l'identification de ses héros. Il y a peu d'œuvres qui en aient provoqué autant.

P. HAZARD, *Études critiques sur « Manon Lescaut »*, Chicago University Press, 1929.

ÉTIEMBLE, « Histoire du chevalier des Grieux et de Manon Lescaut », *Monde nouveau*, déc. 1956.

S. DELESALLE, « Lecture d'un chef-d'œuvre : *Manon Lescaut* », *Annales*, XXVI, 1971 (pp. 723-740).

J.-L. JACCARD, *« Manon Lescaut » : le personnage-romancier*, Nizet, 1975.

F. GERMAIN, « Quelques mensonges de Manon », *Mélanges littéraires François Germain*, Fac. des Lettres, Dijon, 1979 (pp. 15-28).

M. VANDAL, *Le Mystère de Manon Lescaut*, Éd. France-Empire, 1979.

B. BRAY, « Structures en série dans *Manon Lescaut* et *Histoire d'une Grecque moderne* », *Studies on Voltaire*, CXCII, 1980.

J. PROUST, « Le corps de Manon », *Littérature* n° 4, 1971. Repris dans *L'Objet et le texte*, Droz, Genève, 1980 (pp. 107-126).

J.-P. SERMAIN, « Les trois figures du dialogisme dans *Manon Lescaut* », *Saggi e ricerche di letteratura francese*, XXIV, Bulzoni, Rome, 1985 (pp. 373-401).

J. SGARD, « Mémoires pour servir à l'histoire du chevalier des Grieux », *Cahiers Prévost d'Exiles* n° 2, 1985 (pp. 21-28).

R. POMEAU, « Tiberge ou le troisième personnage », *Cent Ans de littérature française 1850-1950* (Mélanges J. Robichez), Sedes, 1987.

J. SGARD, « Manon avec ou sans camélias », *Littérature et opéra*, P.U. de Grenoble, 1987.

F. VERNIER, « *Manon Lescaut* : ni reflet ni anticipation, un texte dans l'Histoire », *Romanistische Zeitschrift für Literaturgeschichte, Cahiers d'Histoire des Littératures Romanes*, Heidelberg, 1988 (pp. 327-348).

7. Sur la postérité de *Manon Lescaut*

E. LASSERRE, *« Manon Lescaut » de l'abbé Prévost*, Paris, 1930.

L. CELLIER, « Manon et le mythe de la femme », *L'Information littéraire*, janv. 1953.

« *Manon Lescaut* » *à travers deux siècles*, Catalogue d'exposition, Bibliothèque nationale, 1963.

A. MARTIN, « Une suite de *Manon Lescaut* et les intentions de l'abbé Prévost », *RSH*, XXX, n° 117, 1965 (pp. 51-58).

J.-P. GILROY, *The Romantic Manon and des Grieux : images of Prevost's heroine and hero in 19th century French literature*, Sherbrooke, P.Q. Naaman, 1980.

J. SGARD, « Les éditions populaires de *Manon Lescaut* », *Recherches et travaux*, 22, P.U. de Grenoble, 1982.

F. LABBÉ, « La nostalgie de Prométhée, ou l'*Histoire du chevalier des Grieux et de Manon Lescaut* et ses lecteurs », *Lendemains*, n° 46, 1987 (pp. 57-66).

E - SCÉNO-FILMOGRAPHIE

Le fait que cette rubrique soit une des plus fournies de toute la collection est dû à l'extraordinaire pouvoir de suggestion du roman, qui n'a cessé d'inspirer toutes sortes d'adaptations et de représentations. Outre la centaine d'éditions illustrées qui en ont été faites depuis qu'en 1753 l'auteur lui-même en supervisa une, avec le plus grand soin, il s'est animé, par le geste et par la voix, d'abord sur la scène du théâtre, puis à l'opéra, enfin sur l'écran.

Manon ou la Courtisane vertueuse, comédie en 4 actes mêlée d'ariettes, par M.D..., Londres et Paris, 1772.

Manon Lescaut et le chevalier des Grieux, mélodrame en 3 actes, de MM.***, musique de M. Piroflay, ballets de M. Lefevre, Théâtre de la Gaîté, Paris, 1820.

Manon Lescaut et le chevalier des Grieux, mélodrame, musique de Propiac, Paris, 1821.

La Lingère du Marais, ou la nouvelle Manon Lescaut, vaudeville en 3 actes, par MM. Dupin et Achille, Bezou, Paris, 1830.

Manon Lescaut, roman en 6 chapitres et en 3 actes, par MM. Carmouche et de Courcy, Théâtre de l'Odéon, Paris, 1830.

Manon Lescaut, ballet-pantomime en 3 actes de E. Scribe, musique de J.-F. Halévy, Paris, 1830.

Manon Lescaut or the Maid of Artois, opéra de M. W. Balfe, livret de Bunn, Drury Lane, Londres, 1836 (avec la Malibran).

Manon Lescaut, azione mimica in 5 parti, musique de Pio Bellini, livret de G. Casati, La Scala, Milan, 1846.

La Dame aux Camélias, roman d'Alexandre Dumas fils, 1848, adapté en drame, Paris, 1852.

Manon Lescaut, drame en 5 actes mêlé de chants, de Th. Barrière et M. Fournier, Théâtre du Gymnase, Paris, 1851.

La Traviata, opéra en 2 préludes et 4 actes de G. Verdi, livret de F. M. Piave, La Fenice, Venise, 1853.

Manon Lescaut, opéra-comique, musique de D. Auber, livret de E. Scribe, Opéra-Comique, Paris, 1856.

Les Cent Louis de Tiberge, comédie en 1 acte de P. de Musset, Charpentier, Paris, 1859.

Mademoiselle Manon de l'Escaut, fantaisie en 1 acte en vers libres, de A. Joly, Théâtre des Gobelins, Paris, 1875.

Manon, opéra-comique en 5 actes et 6 tableaux, musique de J. Massenet, livret de H. Meilhac et Ph. Gille, Opéra-Comique, Paris, 1884.
Disponible en vidéo, chez Beta Film (Staatsoper de Vienne / A. Fisher).

Manon Lescaut, oder Schloss de Lorme, opéra de R. Kleinmichel, Magdebourg, 1887.

Manon Lescaut, drama lirico in 4 atti, de G. Puccini, livret de L. Illica, Ricordi, Turin et Milan, 1893.
Disponible en vidéo, chez Beta Film (Metropolitan Opera / J. Levine) et chez NVC/BBC (Covent Garden / G. Sinopoli).

Le Portrait de Manon, opéra-comique en 1 acte, de G. Boyer, musique de J. Massenet, Paris, 1894.

Manon Lescaut, film de G. Pastrone (= Piero Fosco), IT, 1909.

Manon Lescaut, film d'A. Calmettes, FR, 1910.

Manon Lescaut, film d'A. Capellani, FR, 1911.

Manon Lescaut, prod. Pathé, FR, 1912 (adaptation filmique de l'opéra de Puccini).

Histoire de Manon Lescaut, pièce en 5 actes en vers, de D. Gold, Théâtre de l'Odéon, Paris, 1913 (avec Jean Hervé, Sylvie, Denis d'Inès).

Manon Lescaut, par P. Segonzac et M.-B. Champeaux, Théâtre du Château d'eau, Grenelle, 1913.

La Petite Manon, opéra-comique en 4 actes et 5 tableaux, de M. Ordonneau et A. Heuzé, musique de H. Hirchmann, Théâtre royal, Gand, 1913.

Manon Lescaut, film de H.H. Winslow, EU, 1914 (avec Lina Cavalieri, Lucien Muratore).

Manon Lescaut, film de F. Zelnik, AL, 1919.

Manon, fille galante, pièce en prose de H. Bataille et A. Flament, Théâtre de la Madeleine, Paris, 1923.

Manon Lescaut, film de A. Robison, AL, 1926 (avec Lya de Putti, Vladimir Gaïdarov).

When a man loves, film d'A. Crosland, EU, 1927 (avec Dolores Costello, John Barrymore).

Manon Lescaut, pièce en vers et en prose de M. Maurette, Théâtre Montparnasse, Paris, 1939.

Manon Lescaut, film de C. Gallone, IT, 1940 (avec Alida Valli, Vittorio de Sica), la musique est celle de Puccini.

Manon 326 (*La route du bagne*), film de Léon Mathot, FR, 1945 (avec Simone Valère, Clément de Hour et Lucien Coëdel).

Manon 49, film de H.-G. Clouzot, FR, 1948 (avec Cécile Aubry, Michel Auclair, Serge Reggiani, Gabrielle Dorziat, Raymond Souplex, Dora Doll, Edmond Ardisson).

Boulevard Solitude, drame lyrique en 7 actes de H.W. Henze, livret de G. Weil, Hanovre, 1952.

Les Amours de Manon Lescaut, film de M. Costa, IT, FR, 1954 (avec Myriam Bru, Franco Interlenghi, Louis Seigner, Jacques Castelot), musique de Puccini, arrangée par Renzo Rossellini.

Manon 70, Perverse Manon, film de J. Aurel, adapt. et dial. de C. Saint-Laurent, FR, AL, IT, 1968 (avec Catherine Deneuve, Sami Frey, Jean-Claude Brialy, Elsa Martinelli). Disponible en vidéo, chez Ciné-collection.

En plus de ces adaptations avouées, l'histoire de Manon irrigue souterrainement un certain nombre d'œuvres qui ne s'y réfèrent pas directement, même si leur titre, par exemple, équivaut à un clin d'œil, comme pour :

La Sirène du Mississippi, film de F. Truffaut, FR, 1969 (avec Catherine Deneuve, Jean-Paul Belmondo, Michel Bouquet).

TABLE DES MATIÈRES

II - DOSSIER HISTORIQUE ET LITTÉRAIRE

Cet ouvrage a été composé par
TÉLÉ-COMPO – 61290 BIZOU

Imprimé en France par

à Saint-Amand-Montrond (Cher)
en août 2012

POCKET – 12, avenue d'Italie – 75627 Paris Cedex 13

N° d'impression : 122083
Dépôt légal : octobre 2010
Suite du premier tirage : août 2012
S19983/03